D0352484

LE PIÈGE DE LA BELLE AU BOIS DORMANT

D'abord secrétaire puis hôtesse de l'air, ce n'est qu'au décès de son mari que Mary Higgins Clark se lance dans la rédaction de scripts pour la radio. Son premier ouvrage est une biographie de George Washington. Elle décide ensuite d'écrire un roman à suspense, *La Maison du guet*, son premier best-seller. Encouragée par ce succès, elle continue à écrire tout en s'occupant de ses enfants. En 1980, elle reçoit le Grand prix de littérature policière pour *La Nuit du renard*. Mary Higgins Clark écrit alors un roman par an, toujours accueilli avec le même succès par le public. Elle est traduite dans le monde entier et plusieurs de ses romans ont été adaptés pour la télévision.

Alafair Burke est considérée comme l'une des nouvelles voix du polar contemporain. Ancienne adjointe du procureur de Portland et fille du célèbre auteur James Lee Burke, elle enseigne le droit pénal à New York. Ses romans sont traduits en douze langues. Son premier ouvrage traduit en France, *Jamais vue*, est paru en 2013 aux éditions Télémaque.

MARY HIGGINS CLARK

ET ALAFAIR BURKE

Le Piège de la Belle au bois dormant

ROMAN TRADUIT DE L'ANGLAIS (ÉTATS-UNIS)
PAR ANNE DAMOUR

ALBIN MICHEL

Titre original :

THE SLEEPING BEAUTY KILLER
Publié en accord avec l'éditeur original
Simon & Schuster, Inc., New York.

« Et tout homme pourtant tue la chose
qu'il aime,
Que tous entendent bien cela,
Il en est qui le font d'un simple regard aigre,
D'autres d'un mot de flatterie,
Le lâche, pour le faire, utilise un baiser,
Et le courageux une épée ! »

Oscar WILDE
La Ballade de la geôle de Reading
(traduction de Bernard Pautrat)

Prologue

« Accusée, levez-vous ! »

Les genoux tremblants, Casey se leva de son siège. Elle se tenait parfaitement droite – les épaules rejetées en arrière, regardant fermement devant elle, mais flageolant sur ses jambes.

L'accusée. Pendant trois semaines, pour tout le monde dans ce prétoire elle avait été « l'accusée ». Pas Casey. Pas Katherine Carter, son nom. Encore moins Mme Hunter Raleigh III, le nom qu'elle porterait aujourd'hui si tout avait été différent.

Dans cette salle, elle avait été considérée comme un terme juridique, pas comme une vraie personne, une personne qui avait aimé Hunter plus profondément qu'elle l'aurait jamais cru possible.

Quand le regard du juge se posa sur elle, Casey se sentit soudain toute petite malgré son mètre soixante-quinze. Elle était une enfant terrifiée dans un mauvais rêve, face à un magicien tout-puissant.

Les paroles que prononça ensuite le juge lui glacèrent le sang. « Madame la présidente, le jury est-il parvenu à un verdict unanime ? »

Une voix de femme répondit. « Oui, Votre Honneur. »

Le moment crucial était arrivé. Trois semaines plus tôt, douze résidents du comté de Litchfield avaient été choisis pour décider si Casey partirait libre ou passerait le reste de ses jours en prison. Quoi qu'il en soit, elle n'aurait jamais l'avenir dont elle avait rêvé. Elle n'épouserait jamais Hunter, Hunter n'était plus. Casey voyait encore tout ce sang la nuit, quand elle fermait les yeux.

Son avocate, Janice Marwood, l'avait dissuadée d'interpréter l'expression des jurés, mais Casey ne pouvait pas s'en empêcher. Elle jeta un regard à la présidente du jury, une petite femme rondelette au visage avenant. Le genre de personne à côté de laquelle sa mère se serait volontiers assise à un pique-nique. Casey avait appris qu'elle avait deux filles et un garçon. Elle était grand-mère depuis peu.

Une mère et grand-mère verrait en Casey un être humain, pas seulement une *accusée*.

Casey examina le visage de la femme, y cherchant quelque signe d'espoir, mais n'y vit qu'impassibilité.

Le juge reprit la parole : « Madame la présidente du jury, pouvez-vous je vous prie prononcer le verdict des jurés. »

Le silence qui suivit sembla durer une éternité. Casey tendit le cou pour scruter la foule assise dans la salle d'audience. Le père et le frère de Hunter étaient assis immédiatement derrière le procureur. Un peu moins d'un an auparavant, elle était sur le point de faire partie de leur famille. Maintenant ils la considéraient comme leur ennemie mortelle.

Se tournant rapidement vers « son » propre camp, elle croisa deux yeux aussi bleus que les siens et

12

presque aussi effrayés. Sa cousine Angela bien sûr. Elle avait été là pour elle dès le premier jour.

À côté d'elle, serrant sa main, il y avait Paula, la mère de Casey. Elle était très pâle et avait perdu cinq kilos depuis l'arrestation de sa fille. Casey s'attendait à voir quelqu'un lui tenir l'autre main, mais la personne assise à côté d'elle sur le banc était un inconnu armé d'un carnet et d'un stylo. Encore un journaliste. Où était son père ? Elle chercha fébrilement son visage dans la salle, espérant l'avoir manqué.

Non, ses yeux ne l'avaient pas trahie. Son père n'était pas là. Comment pouvait-il être absent aujourd'hui ?

Il m'a avertie, pensa Casey. « Accepte de plaider coupable, il te restera le temps d'avoir une nouvelle vie. Je pourrai encore te mener à l'autel, et connaître mes petits-enfants. » Il voulait qu'on l'appelle *el jefe*, le chef.

Dès l'instant où elle se rendit compte qu'il n'était pas dans la salle, Casey sut ce qui l'attendait. Le jury allait la déclarer coupable. Personne ne la croyait innocente, même pas son père.

La femme au visage aimable tenait l'énoncé du verdict à la main. Elle prit la parole. « Sur le premier chef d'accusation, meurtre avec préméditation, le jury déclare l'accusée... » Elle toussa et Casey entendit une rumeur s'élever dans la salle.

« Non coupable. »

Casey enfouit son visage dans ses mains. C'était fini. Huit mois après avoir dit au revoir à Hunter, elle pouvait envisager le lendemain. Elle pouvait rentrer chez elle. Elle n'aurait pas l'avenir qu'elle avait imaginé avec lui, mais elle pourrait dormir dans son propre lit, prendre une douche seule. Elle serait libre. Demain commencerait une autre existence. Peut-être prendrait-elle un chien, dont elle s'occuperait, qui l'aimerait malgré tout ce qu'on avait dit sur elle. Et l'année prochaine, elle reprendrait peut-être ses études pour obtenir son doctorat. Elle essuya des larmes de soulagement.

Mais ce n'était pas fini.

La présidente s'éclaircit la voix et continua : « Sur le deuxième chef d'accusation, homicide involontaire, le jury déclare l'accusée coupable. »

Pendant une seconde, Casey crut avoir mal entendu. Mais quand elle se tourna vers le jury, le visage de la présidente n'était plus indéchiffrable, son expression n'avait plus rien d'affable. Son regard, comme celui de tous les membres de la famille Raleigh, la condamnait. *Casey la Dingue*, comme l'avaient surnommée les médias.

Casey entendit un sanglot derrière elle, se retourna et vit sa mère se signer. Angela, les larmes aux yeux, était en proie au plus grand désarroi.

Une personne au moins m'a crue innocente, pensa Casey : Angela. Mais je vais quand même aller en prison, pendant longtemps, comme le procureur l'a promis. Ma vie est finie.

1

Quinze ans plus tard

Casey Carter s'avança dès qu'elle entendit le *clic*, suivi du *clang* sonore habituel. Le *clang* était le bruit que faisaient les portes des cellules. Elle les entendait se refermer tous les matins quand elle sortait pour le petit-déjeuner, tous les soirs après le dîner, et en général deux fois entre-temps. Quatre fois par jour pendant quinze ans. Environ 21 900 *clang*, sans compter les années bissextiles.

Mais ce bruit-là était différent des autres. Aujourd'hui, au lieu de sa tenue orange de prisonnière, elle portait le pantalon noir et le chemisier de coton blanc impeccablement repassés que sa mère avait apportés la veille au bureau de surveillance tous deux trop grands d'une taille. Aujourd'hui, elle partait, emportant avec elle ses livres et ses photos.

C'était la dernière fois, si Dieu le voulait, qu'elle entendrait cet écho métallique oppressant. Ensuite, ce serait fini. Pas de liberté conditionnelle. Pas de restrictions. Non. Une fois hors de ce bâtiment, elle serait libre, entièrement libre.

Le bâtiment en question était la York Correctional

Institution. Au début, elle s'était apitoyée sur elle-même matin et soir. Les journaux l'avaient surnommée Casey la Dingue. Il aurait mieux valu dire Casey la *Damnée*. Avec le temps, cependant, elle s'était entraînée à profiter des petits bonheurs quotidiens. Le poulet frit du mercredi. La jolie voix d'une détenue qui aimait les chansons de Joni Mitchell. De nouveaux livres à la bibliothèque. Avec le temps, elle avait obtenu le privilège d'enseigner l'histoire de l'art à un petit groupe de détenues.

Elle n'avait jamais imaginé une seule seconde qu'elle pourrait un jour se retrouver à York, c'était pourtant l'endroit où elle avait résidé pendant plus de dix ans.

Tandis qu'elle parcourait les couloirs carrelés – un gardien devant elle, un autre derrière – ses compagnes de prison l'interpellèrent. « Tu t'en vas, Casey. » « Ne nous oublie pas. » « Montre-leur ce que tu sais faire ! » Il y eut des sifflets, des applaudissements. Certes, elle ne regretterait pas ces lieux, mais elle se souviendrait d'un grand nombre de ces femmes et des leçons qu'elle avait apprises auprès d'elles.

Si elle était excitée à l'idée de partir, elle se sentait aussi terrifiée que le jour de son arrivée. Elle avait passé 21 900 *clang* à compter les jours. Maintenant qu'elle avait enfin gagné sa liberté, elle était morte d'angoisse.

Puis elle entendit un bruit nouveau – les portes extérieures de la prison qui s'ouvraient. À quoi va ressembler ma vie maintenant ? se demanda-t-elle.

Un sentiment de soulagement l'envahit à la vue de sa mère et de sa cousine qui l'attendaient dehors. Les cheveux de sa mère étaient devenus gris, et elle avait perdu au moins deux centimètres depuis que Casey avait été condamnée. Mais quand elle la prit dans ses bras, Casey eut l'impression d'être redevenue une enfant.

Sa cousine, Angela, était plus belle que jamais. Elle la serra contre elle. Casey s'efforça de ne pas penser à l'absence de son père, ou au fait que la prison ne lui avait pas permis d'assister à son enterrement trois ans plus tôt.

« Merci d'être venue jusqu'ici », dit Casey à Angela. La plupart de ses amis avaient cessé de lui parler après son arrestation. Ceux, très rares, qui avaient prétendu rester neutres pendant le procès avaient disparu dès sa condamnation. Les seuls soutiens qu'elle avait reçus hors des murs de la prison étaient ceux de sa mère et d'Angela.

« Je n'aurais manqué ce moment pour rien au monde, répondit Angela. Mais je suis désolée : j'étais tellement impatiente ce matin que je suis partie sans les vêtements que ta mère m'avait demandé d'apporter.

— Il n'y a que toi pour toujours trouver une raison d'aller faire du shopping », dit Casey en plaisantant.

Ancien mannequin, Angela était aujourd'hui directrice marketing d'une société de sportswear féminin, Ladyform.

Une fois dans la voiture, Casey demanda à Angela si elle connaissait la famille Pierce, les créateurs de Ladyform.

« J'ai rencontré les parents, mais c'est leur fille, Charlotte, qui dirige le bureau de New York. C'est une de mes meilleures amies. Pourquoi cette question ?

— La disparition d'Amanda Pierce, la sœur cadette de ton amie, était le sujet de l'épisode du mois dernier d'une émission appelée *Suspicion*. Un programme de téléréalité qui enquête sur des affaires non résolues. Charlotte pourrait peut-être m'aider à obtenir un rendez-vous. Je veux qu'ils découvrent qui a vraiment tué Hunter. »

Sa mère poussa un soupir las. « Ne peux-tu pas profiter d'une journée tranquille avant de remuer tout ça ?

— Avec tout le respect que je te dois, maman, il me semble qu'avoir attendu quinze ans est suffisant pour découvrir la vérité. »

2

Ce soir-là, Paula Carter était confortablement assise dans son lit, le dos calé contre ses oreillers, un mini-iPad sur les genoux. Le son étouffé des voix de Casey et d'Angela dans le salon, mêlé aux rires enregistrés provenant de la télévision, la réconfortait. Elle avait lu plusieurs livres consacrés à la réinsertion, la période de transition que vivaient les ex-détenus en retrouvant le monde extérieur. Se rappelant l'esprit d'indépendance de Casey dans sa jeunesse, Paula avait craint au début qu'elle ne veuille se replonger sans attendre dans l'agitation new-yorkaise. Au contraire, elle avait appris que, le plus souvent, les gens dans son cas avaient du mal à mesurer toute l'étendue de leur liberté.

Paula s'était retirée dans sa chambre pour que Casey puisse circuler dans la maison sans avoir l'impression que sa mère était constamment sur son dos. Qu'après quinze ans de réclusion, passer de la chambre au salon, se servir de la télécommande de la télévision représente le maximum d'indépendance dont jouissait sa fille intelligente, talentueuse et résolue la désolait.

Elle savait gré à Angela d'avoir pris sa journée pour accueillir Casey à sa sortie de prison. Les deux jeunes femmes étaient cousines, mais Paula et sa sœur, Robin, avaient élevé leurs filles comme des sœurs. Le père d'Angela étant rarement présent, Frank l'avait remplacé. Puis Robin les avait quittés alors qu'Angela avait à peine quinze ans, et Paula et Frank avaient terminé son éducation.

Si Angela et Casey étaient comme deux sœurs, elles n'auraient pourtant pu être plus différentes. Elles étaient toutes deux ravissantes, avec les mêmes yeux d'un bleu éclatant, mais Angela était blonde et Casey brune. Angela avait la stature et la taille du mannequin renommé qu'elle avait été à l'âge de vingt ans. Casey avait toujours été plus athlétique et participait aux tournois de tennis de l'université de Tufts. Alors qu'Angela avait abandonné ses études pour se consacrer à sa carrière et mener une vie mondaine à New York, Casey était restée une étudiante appliquée, qui se consacrait à de multiples causes politiques. Angela était républicaine, Casey démocrate. La liste était sans fin, et pourtant elles étaient toujours restées unies comme les deux doigts de la main.

Paula regardait à présent les informations sur son iPad. Dix heures seulement après avoir quitté sa cellule, Casey faisait à nouveau les gros titres. Cette curiosité allait-elle la confiner dans sa chambre, l'empêcher de s'aventurer au-dehors ?

Ou pire, allait-elle lui valoir l'attention du public ? Paula avait toujours admiré la capacité de sa fille à défendre – parfois haut et fort – ce qui lui semblait juste. Mais à sa place, Paula aurait changé de nom, entamé une nouvelle vie, et n'aurait plus jamais prononcé le nom de Hunter Raleigh.

C'est avec soulagement qu'elle avait entendu Angela la soutenir quand elle s'était opposée à ce que Casey prenne contact avec les producteurs de *Suspicion*. Casey n'en avait plus reparlé lorsqu'elles étaient entrées dans le centre commercial, mais Paula connaissait sa fille. La discussion n'était pas terminée.

Elle entendit un nouvel éclat de rire enregistré. Casey et Angela regardaient une série, mais d'un seul *clic* elles pouvaient tomber sur les informations. Il était étonnant que la nouvelle se soit répandue si rapidement. Les journalistes vérifiaient-ils chaque jour les noms des détenus libérés ? À moins qu'un gardien ait passé un coup de téléphone ? Ou que la famille Raleigh ait publié un communiqué de presse. Dieu sait pourtant qu'ils pensaient que Casey aurait dû passer le reste de sa vie en prison.

Ou alors quelqu'un avait simplement reconnu Casey au centre commercial. Paula s'en voulut d'avoir chargé Angela de constituer une garde-robe pour sa cousine. Elle savait à quel point elle était occupée.

Elle avait voulu que Casey trouve à la maison tout ce dont elle aurait besoin. Des magazines sur la table de nuit. Des serviettes de toilette et une nouvelle robe de chambre. Une armoire à pharmacie remplie des meilleurs produits de beauté. Tout avait été préparé dans le but d'éviter les contacts avec le public, mais elles avaient fini par atterrir au centre commercial.

Elle regarda à nouveau l'écran de son iPad. *Casey la Dingue en pleine orgie d'achats !* Il n'y avait pas de photos, mais le soi-disant journaliste savait dans quel centre commercial Casey s'était rendue et dans quels magasins. L'article à scandale se terminait ainsi :

« Apparemment la nourriture de la prison n'a pas nui à la silhouette de la belle. Selon nos informations, Casey est mince et en forme grâce aux heures passées à faire de l'exercice dans la cour de la prison. La femme fatale va-t-elle utiliser sa nouvelle garde-robe pour séduire un nouveau chevalier servant ? Seul l'avenir le dira. » L'auteur du blog était Mindy Sampson. Il y avait longtemps que Paula n'avait pas vu son nom dans le journal, mais elle n'avait pas renoncé à ses vieilles formules. Si Casey était en excellente forme, c'était parce qu'elle avait toujours été une acharnée du travail, alternant constamment son job, le bénévolat, l'action politique et les expositions d'art. En prison, elle avait tenu le coup grâce à deux choses : l'exercice physique et l'obsession de trouver quelqu'un qui l'aiderait à prouver son innocence. Mais une journaliste de tabloïd comme Mindy Sampson insinuait qu'elle s'était préparée pour un retour triomphal.

Qu'elle le veuille ou non, Paula devait avertir Casey. Quand elle arriva dans le couloir, les rires avaient cessé. Elle pénétra dans la pièce. Casey et Angela avaient les yeux rivés sur l'écran. Le visage du présentateur de la chaîne câblée était empreint d'une pieuse indignation. « On vient d'annoncer que Casey Carter, à peine libérée de prison, s'est rendue aujourd'hui dans un centre commercial. Voilà, mes amis, Casey la Dingue, Casey la Tueuse, celle qu'on a appelée "la Belle au bois dormant" est de retour parmi nous, et la première chose qui occupe son esprit est de renouveler sa garde-robe. »

Casey éteignit la télévision. « Maintenant vous

comprenez pourquoi je veux à tout prix contacter *Suspicion* ? S'il te plaît, Angela, j'ai écrit à des avocats, aux centres d'assistance judiciaire de tout le pays, et personne ne souhaite m'aider. Cette émission de télévision me paraît être ma plus grande chance, ma seule chance. Et ton amie Charlotte a ses entrées chez le producteur. Je t'en prie, j'ai seulement besoin d'un rendez-vous.

— Casey, l'interrompit Paula, nous avons déjà évoqué le sujet. C'est une très mauvaise idée.

— Je suis désolée, mais je partage l'avis de Paula, dit Angela. C'est triste à dire, mais il y a des gens qui pensent que tu t'en es tirée à bon compte. »

Paula et Frank avaient été ravagés quand leur fille unique avait été condamnée pour meurtre sans préméditation. Mais les médias avaient considéré le verdict comme un échec pour l'accusation qui avait décrit Casey comme une meurtrière sans pitié.

« Que ces gens passent seulement une semaine en cellule, s'indigna Casey. Quinze ans, c'est une éternité. »

Paula posa une main sur l'épaule de sa fille. « Les Raleigh sont une famille puissante. Le père de Hunter pourrait exercer son influence sur les producteurs. Cette émission pourrait te présenter sous un jour très négatif.

— Un jour très négatif ? ricana Casey. C'est déjà fait, maman. Tu crois que je n'ai pas vu tous ces gens qui me dévisageaient quand nous sommes allées faire des courses ? Je ne peux même pas entrer dans un magasin sans avoir l'impression d'être un animal dans un zoo. C'est ça la vie qui m'attend ? Angela, peux-tu appeler ton amie pour moi, oui ou non ? »

Paula vit qu'Angela était prête à céder. Toutes deux étaient si proches, et Casey était plus convaincante que jamais. Paula regarda sa nièce avec des yeux suppliants. Je t'en prie, ne la laisse pas faire cette erreur.

Elle se sentit soulagée en entendant Angela répondre avec tact : « Pourquoi n'attends-tu pas quelques jours pour voir comment tu te sens ? »

Casey secoua la tête, visiblement déçue, et se leva pour saisir la télécommande et éteindre la télé. « Je suis fatiguée, dit-elle brusquement. Je vais me coucher. »

Paula s'endormit ce soir-là en priant pour que les médias passent à autre chose, pour que Casey s'adapte à sa nouvelle vie. Quand elle se réveilla le lendemain matin, elle comprit qu'elle aurait dû se souvenir que sa fille n'attendait jamais l'approbation de quiconque pour faire ce qu'elle jugeait important.

Sa chambre était déserte. Il y avait une note sur la table de la salle à manger. *J'ai pris le train pour aller en ville. Je serai de retour à la maison ce soir.*

Casey devait avoir parcouru un kilomètre et demi à pied jusqu'à la gare. Si elle était partie pendant que sa mère dormait encore, c'était sans aucun doute pour aller voir le producteur de *Suspicion*, coûte que coûte.

3

Laurie Moran sourit poliment au serveur et déclina l'offre d'un deuxième café. Elle jeta un coup d'œil à sa montre. Quatorze heures. Elle était assise à une table du Club 21 depuis deux bonnes heures. C'était l'un de ses restaurants favoris, mais elle devait retourner travailler.

« Hmm, ce soufflé est absolument divin. Vous êtes sûre que vous n'en voulez pas un peu ? »

La femme qui partageait ce repas désespérément long était une dénommée Lydia Harper. Pour les uns, elle était la courageuse veuve de Houston qui avait élevé seule ses deux garçons après qu'un inconnu pris de folie avait tué leur père, un professeur réputé de l'école de médecine de Baylor, à la suite d'un accident mineur de la circulation. Pour les autres, c'était une manipulatrice qui avait engagé un tueur pour supprimer son mari parce qu'elle craignait qu'il ne demande le divorce et intente un procès pour avoir la garde des enfants.

Un sujet parfait pour l'émission de Laurie, *Suspicion*, une série d'enquêtes criminelles spéciales concernant des affaires classées. Cela faisait deux semaines que Lydia avait accepté par téléphone de participer à une nouvelle enquête sur le meurtre de son mari, mais elle n'avait toujours rien signé. Après avoir répété cent fois à Laurie qu'elle « avait toujours l'intention de lui poster les documents », elle avait déclaré deux jours plus tôt qu'elle voulait la rencontrer en personne – à New York, avec un billet d'avion en première classe et deux nuits au Ritz-Carlton – avant de signer en bas de la page.

Laurie avait bien compris que Lydia entendait s'offrir un séjour cinq étoiles aux frais de la production, et elle était prête à accepter s'il fallait en passer par là pour qu'elle donne son accord. Mais chaque fois que Laurie avait essayé d'aborder le sujet pendant le déjeuner, Lydia avait évité la question, parlé du spectacle de Broadway qu'elle avait vu la veille, de ses achats chez Barneys dans la matinée, ou encore de la perfection du parmentier de dinde, un classique du 21, qu'elle avait commandé.

Laurie sentit son téléphone portable vibrer à nouveau dans la poche extérieure de son sac.

« Vous devriez répondre, suggéra Lydia. Je connais. Le travail, le travail, le travail. Ça n'arrête jamais. »

Laurie avait négligé plusieurs autres appels et textos, mais n'osait ignorer celui-là. C'était peut-être son boss.

Elle regarda l'écran et sentit son estomac se nouer. Quatre appels manqués : deux de son assistante, Grace Garcia, et deux de son adjoint à la production, Jerry Klein. Ils lui avaient aussi laissé une quantité de messages.

Brett te demande. Quand reviens-tu ?

J'y crois pas. Casey la Dingue est ici à propos de

son procès. Elle prétend connaître Charlotte Pierce. Tu voudras sûrement lui parler. Rappelle.

Où es-tu ? Encore à ton déjeuner ?

CC est toujours ici. Et Brett te cherche toujours.

On ne sait pas quoi dire à Brett ! Appelle, c'est urgent. Il va exploser si tu ne reviens pas bientôt.

Puis un dernier message de Grace, envoyé à l'instant. *Si ce type revient une fois de plus dans ton bureau, il faudra envoyer une ambulance au 16ᵉ étage. Dans quelle langue il faut lui dire : « Elle n'est pas là », pour qu'il comprenne ?*

Laurie leva les yeux au ciel, se figurant Brett en train de faire les cent pas dans le couloir. Son boss était un producteur brillant et renommé, mais il était impatient et irascible. L'année passée, un montage de son visage sur le corps d'un bébé emmailloté tenant un râteau à la main avait circulé parmi les employés du studio. Laurie avait toujours soupçonné Jerry d'en être l'auteur. Heureusement qu'il avait brouillé les pistes pour éviter d'être pris.

La vérité était que Laurie évitait Brett. Cela faisait un mois que leur dernière « émission spéciale » était passée à l'antenne, et elle savait qu'il avait hâte de la voir commencer la production de la suivante.

Elle avait pourtant des raisons de remercier le ciel. Il n'y a pas si longtemps, elle ne dormait plus, presque sûre que sa carrière était finie. D'abord, elle avait pris un congé après la mort de son mari, Greg. Puis, à son retour, elle n'avait pas fait d'étincelles. À chaque flop, elle entendait les jeunes et ambitieux assistants de production – qui tous convoitaient sa place – se demander à voix haute si elle était « dans une mauvaise passe » ou si elle « avait perdu la main ».

Suspicion avait tout changé. L'idée avait germé dans son esprit avant le meurtre de Greg. Les gens aimaient les mystères, et reprendre toute l'histoire d'une affaire classée du point de vue des suspects était une approche entièrement nouvelle. Mais après la mort de Greg, elle avait renoncé à son projet pendant des années. En y réfléchissant, elle avait eu peur de passer pour une veuve obsédée par le meurtre non élucidé de son mari. Mais, comme on dit, nécessité fait loi. Sa carrière était en jeu et Laurie s'était résolue à proposer ce qu'elle savait être sa meilleure idée. Trois émissions spéciales avaient connu un vrai succès, avec des indices d'écoute et une « tendance virale » en hausse. Mais, tout le monde le sait, la récompense du travail est un surcroît de travail.

Un mois plus tôt, Laurie était convaincue d'être en avance sur son planning. Elle tenait ce qu'elle considérait comme un cas parfait. Des étudiants en droit pénal de l'école de droit de Brooklyn l'avaient contactée à propos d'une jeune fille condamnée pour le meurtre de sa colocataire dans la résidence de l'université trois ans auparavant. Il avait été prouvé par la suite que l'un des principaux témoins de l'accusation avait menti. L'histoire ne correspondait pas tout à fait au modèle classique de l'émission, qui abordait les affaires non résolues du point de vue des personnes ayant vécu de longues années sous le poids du soupçon. Mais la possibilité de faire libérer une femme injustement condamnée était en adéquation avec le sens de la justice qui avait attiré Laurie vers le journalisme.

Elle avait bataillé pour vendre son idée à Brett, affirmant que l'erreur judiciaire était un concept très tendance en ce moment. Puis, trois jours après le feu vert de Brett, le procureur avait annoncé, au cours d'une conférence de presse tenue conjointement avec les étudiants en droit, que les nouvelles preuves étaient si convaincantes qu'ils avaient décidé de leur propre initiative de relâcher l'accusée et de réexaminer le procès. La justice y trouvait son compte, mais l'émission était morte dans l'œuf.

Laurie s'était donc rabattue sur son deuxième choix, le meurtre du docteur Conrad Harper, dont la veuve était à présent assise en face d'elle, en train de terminer son dessert. « Je suis vraiment confuse, Lydia, mais j'ai une affaire urgente à traiter au bureau. Il faut que je rentre, mais vous aviez dit que vous vouliez me parler en personne de l'émission. »

Lydia surprit Laurie en reposant sa cuiller et en faisant signe qu'on apporte l'addition.

« Laurie, je voulais en effet vous rencontrer en personne, dit-elle. J'ai trouvé que c'était plus correct. Tout compte fait, je ne participerai pas à l'émission.

— Qu'est-ce que… ? »

Lydia leva la main. « J'ai parlé à deux avocats différents. Tous deux estiment que je cours un trop grand risque. Je préfère vivre sous le regard hostile des voisins plutôt que de m'exposer sur le plan juridique.

— Nous en avons déjà discuté, Lydia. Vous avez l'opportunité d'aider à découvrir qui a réellement tué

Conrad. Je sais que vous nourrissez de forts soupçons envers un de ses anciens élèves. »

Le mari de Lydia avait été harcelé par un étudiant qu'il avait recalé le semestre précédent.

« En tout cas, si vous souhaitez enquêter sur lui, n'hésitez pas. Mais je n'accorderai aucune interview. »

Laurie s'apprêtait à lui répondre quand Lydia l'interrompit : « Je vous en prie, je sais que vous devez retourner à votre bureau. Vous ne pourrez pas me faire changer d'avis. Ma décision est définitive. J'ai seulement pensé que je devais vous l'annoncer personnellement. »

À ce moment, le serveur arriva avec l'addition que Lydia tendit sans hésiter à Laurie. « J'ai été ravie de vous rencontrer, Laurie. Je vous souhaite de réussir. »

Laurie sentit un frisson glacé la parcourir tout entière tandis que Lydia se levait, la laissant seule. C'est elle qui l'a fait, pensa-t-elle, et personne ne pourra jamais le prouver.

En attendant que le serveur revienne avec sa carte de crédit, Laurie envoya un message commun à Jerry et Grace. *Prévenez Brett que je serai là dans dix minutes.*

Qu'allait-elle dire une fois sur place ? Son affaire de professeur assassiné était dans les choux.

Elle s'apprêtait à presser sur la touche « Envoyer » quand elle se rappela le texto de Jerry à propos de Casey Carter. Était-ce possible ? Elle modifia son message. *Casey Carter a-t-elle réellement demandé à me voir ?*

Grace répondit sur-le-champ. *OUI ! Elle est dans la salle de réunion A. Une femme condamnée pour meurtre est dans nos murs ! J'ai failli appeler le 911 !*

Dans sa carrière de journaliste, Laurie avait interviewé plusieurs personnes inculpées de meurtre, voire condamnées. Mais cela mettait encore Grace mal à l'aise. La réponse de Jerry arriva immédiatement après celle de Grace. *Je craignais qu'elle ne parte, mais quand je l'ai remerciée pour sa patience, elle a dit qu'on ne se débarrasserait pas d'elle tant qu'elle ne t'aurait pas rencontrée.*

Laurie ne put s'empêcher de sourire en signant la note du déjeuner. Que Lydia Harper ait décidé de ne pas participer à l'émission était peut-être une chance, en fin de compte. La libération de Casey Carter avait fait la une de toutes les chaînes la veille, et la voilà qui cherche à me rencontrer, pensa Laurie. Elle composa un nouveau message dans le taxi. *Faites patienter Brett au maximum. Dites-lui que je suis sur la piste d'une nouvelle affaire prometteuse. Je veux d'abord parler à Casey Carter.*

4

En sortant de l'ascenseur au quinzième étage du Rockefeller Center qui abritait les studios Fisher Blake, Laurie se dirigea directement vers la salle de réunion. Grace avait appris par Dana, la secrétaire de Brett, qu'il devait participer à une téléconférence pendant les quinze ou vingt prochaines minutes, mais qu'il continuerait à traquer Laurie dès qu'il aurait fini.

Pourquoi Brett tenait-il tant à lui parler ? Elle savait qu'il avait hâte qu'elle finalise sa prochaine émission, mais ce n'était pas nouveau. Se pouvait-il qu'il ait deviné que la veuve du professeur allait lui faire faux bond ? Elle chassa cette pensée de son esprit. Son patron souhaitait peut-être qu'on le prenne pour un devin, mais il n'en était pas un.

La femme assise dans la salle de réunion se leva brusquement quand Laurie ouvrit la porte. Laurie reconnut immédiatement Katherine « Casey » Carter. Laurie venait de terminer ses études universitaires et commençait sa carrière dans le journalisme quand l'affaire de la Belle au bois dormant avait explosé dans les médias. Son « travail » consistait alors à apporter le café dans la salle de presse d'un journal régional de Pennsylvanie, mais elle était aux anges, à l'époque, buvant chaque bribe de sa formation.

Journaliste en herbe, elle s'était passionnée pour le procès. Quand elle avait appris la nouvelle de sa libération la veille, elle s'était étonnée que quinze années se soient déjà écoulées. Le temps avait passé si vite – mais sans doute pas pour Casey.

À l'époque où son procès faisait les gros titres, Casey était d'une beauté rare, avec ses cheveux sombres et brillants, son teint de porcelaine et ses yeux bleus en amande qui pétillaient. Dès sa sortie de l'université, elle avait décroché un job très recherché d'assistante au département d'art contemporain de Sotheby's. Elle avait poursuivi ses études en vue d'obtenir un master et rêvait d'avoir sa propre galerie quand elle avait fait la connaissance de Hunter Raleigh III à une vente aux enchères. Ce n'était pas seulement la notoriété de son fiancé qui avait donné à l'affaire une importance nationale. Casey était elle-même une personnalité captivante.

Quinze ans plus tard, elle était toujours aussi belle. Elle avait les cheveux plus courts, un carré qui lui tombait sur les épaules, comme Laurie. Elle était plus mince, mais toujours robuste. Et ses yeux étincelaient d'intelligence quand elle serra fermement la main de Laurie.

« Merci infiniment de me recevoir, madame. Excusez-moi d'être venue sans avoir pris rendez-vous, j'imagine que vous êtes submergée de demandes.

— En effet », dit Laurie, l'invitant d'un geste à s'asseoir à la table de conférence, « mais personne

portant un nom aussi connu que le vôtre ne m'avait encore contactée. »

Casey eut un petit rire triste.

« De quel nom s'agit-il ? Casey la Dingue ? La Belle au bois dormant ? La Belle au bois du crime ? C'est la raison de ma venue ici. Je suis innocente. Je n'ai pas tué Hunter, et je veux que mon nom – mon vrai nom – me soit rendu. »

Pour ceux qui ne l'appelaient pas par son prénom, *Hunter* était Hunter Raleigh III. Son grand-père, Hunter premier, était sénateur. Ses deux fils, Hunter Junior et James, étaient entrés dans l'armée après des études à Harvard. Hunter Junior avait été une des premières victimes de la guerre du Vietnam, et son frère cadet, James, avait poursuivi une longue carrière militaire et appelé son fils aîné Hunter III. James avait terminé sa carrière militaire avec le grade de général cinq étoiles. Même à la retraite, il avait continué à servir son pays comme ambassadeur. Les Raleigh étaient une version réduite des Kennedy, une dynastie politique.

Puis Casey avait tué l'héritier du trône.

À l'origine, les journaux avaient surnommée Casey la Belle au bois dormant. Elle prétendait dormir à poings fermés quand un ou plusieurs inconnus s'étaient introduits dans la maison de campagne de son fiancé et l'avaient assassiné. Ce soir-là, le couple avait assisté à un gala donné au profit de la fondation familiale des Raleigh à New York, mais s'était éclipsé tôt parce que Casey ne se sentait pas bien. D'après ses dires, elle s'était endormie dans la voiture et ne

34

se souvenait même pas de son arrivée dans la maison des Raleigh. Elle s'était réveillée plusieurs heures plus tard sur le canapé du salon, était allée dans la chambre à coucher et avait découvert Hunter couvert de sang. Elle était une jeune beauté promise à un riche avenir dans le monde de l'art, lui, un membre apprécié d'une famille respectée d'hommes politiques. Le genre de tragédie qui captivait un pays.

Puis, en l'espace d'une poignée de flashs info, la police avait arrêté la Belle au bois dormant. Les arguments du ministère public étaient convaincants. Les journaux s'étaient mis à la surnommer la Belle au bois du crime, et finalement, Casey la Dingue. Pour la plupart des commentateurs, après avoir trop bu, elle avait été prise d'un accès de jalousie furieuse quand Hunter lui avait annoncé la rupture de leurs fiançailles.

Et voilà qu'en compagnie de Laurie, dans la salle de réunion des studios, elle clamait encore son innocence – après tant d'années.

Laurie était consciente qu'il lui restait peu de temps avant l'entretien avec son boss. Normalement, elle aurait souhaité explorer méthodiquement la version des faits présentée par Casey, mais elle devait aller droit au but.

« Je suis désolée de me montrer brutale, Casey, mais il sera difficile de négliger les charges retenues contre vous. »

Bien que Casey ait nié avoir jamais utilisé le pistolet correspondant à l'arme du crime, ses empreintes digitales y avaient été relevées. Et on avait décelé sur ses mains des traces de poudre. Laurie lui demanda si elle niait ces faits.

« Je présume que les tests ont été réalisés correctement, ce qui signifie simplement que le meurtrier a appuyé l'arme contre ma main et tiré. Réfléchissez : pourquoi aurais-je dit que je n'avais jamais utilisé le pistolet si je m'en étais servie pour tuer Hunter ? J'aurais pu aisément justifier la présence de mes empreintes en disant que je l'avais utilisé au stand de tir. Sans parler du fait que celui qui a tué Hunter l'a raté deux fois, d'après les impacts trouvés dans la maison. J'étais très bonne au tir. Si j'avais voulu tuer quelqu'un – ce qui n'a jamais été le cas –, croyez-moi, je n'aurais jamais raté ma cible. Et si j'avais utilisé ce pistolet, pourquoi aurais-je accepté le test des traces de poudre ?

— Et la drogue que la police a trouvée dans votre sac à main ? »

La description que Casey avait donnée de son malaise était si convaincante que la police avait analysé son sang à la recherche de stupéfiants. Il avait en effet été confirmé qu'elle était à la fois sous l'emprise de l'alcool et d'un certain type de somnifère, le Rohypnol, dont on avait découvert des pilules dans son sac lors de la perquisition.

« Encore une fois, si j'avais voulu me droguer à dessein, pourquoi aurais-je gardé en réserve trois comprimés de Rohypnol dans mon sac ? Qu'on m'accuse d'être une meurtrière, passe encore, mais je ne pensais pas qu'on me croirait un jour aussi stupide. »

Laurie connaissait le Rohypnol, un sédatif communément utilisé dans des cas de viol.

Jusque-là, ce que disait Casey était simplement une nouvelle mouture des arguments que son avocate avait tenté de soutenir durant le procès. Elle prétendait que quelqu'un l'avait droguée pendant le gala, s'était rendu chez Hunter, l'avait tué, et ensuite lui avait fait porter le chapeau pendant qu'elle dormait. Le jury n'avait pas marché.

« J'ai suivi votre procès à l'époque, dit Laurie. Pardonnez-moi d'être directe, mais un des problèmes est à mon avis que votre avocate n'a jamais proposé d'autre explication concrète. Elle a laissé entendre que la police avait fabriqué des preuves, mais sans vraiment expliquer pour quel motif. Qui plus est, elle n'a jamais dit aux jurés qu'il pouvait y avoir un autre suspect. Si vous n'avez pas tué Hunter, qui l'a fait ? »

5

« J'ai eu le temps de réfléchir aux questions que vous posez », dit Casey. Elle déposa sur la table devant Laurie une feuille de papier où étaient inscrits cinq noms. « Je n'ai cessé de me demander qui pouvait avoir voulu tuer Hunter, dit-elle. Et je ne crois pas qu'il s'agissait d'un intrus qui passait par là ou d'un cambriolage raté pendant que j'étais dans les vapes.

— Moi non plus, reconnut Laurie.

— Mais quand j'ai découvert qu'on m'avait administré un sédatif, j'ai compris que le meurtrier de Hunter se trouvait sans doute au Cipriani ce soir-là et qu'il avait assisté au gala de la fondation Hunter. J'étais tout à fait en forme dans la journée. Ce n'est qu'une heure ou deux après mon arrivée à la réception que j'ai commencé à me sentir mal fichue. Quelqu'un avait dû verser la drogue dans mon verre pendant que je ne regardais pas, ce qui signifie que cette personne était entrée librement. Je ne peux imaginer que quelqu'un ait voulu s'en prendre à Hunter, en tout cas je sais que ce n'est pas moi. Tous les gens dont le nom est listé sur cette feuille sont susceptibles d'avoir voulu le tuer et d'avoir pu le faire. »

Laurie reconnut trois des cinq noms, mais elle s'étonna de les voir figurer comme des suspects possibles. « Jason Gardner et Gabrielle Lawson assistaient au gala ? »

Jason Gardner avait été le petit ami de Casey et était l'auteur d'un livre de révélations au parfum de scandale qui avait été à l'origine du surnom de Casey la Dingue. Laurie ne se rappelait plus en détail quels étaient les liens de Gabrielle Lawson avec l'affaire, mais cette femme était une mondaine new-yorkaise. D'après ses souvenirs, les tabloïds avaient insinué que Hunter s'intéressait encore à elle, en dépit de ses fiançailles avec Casey. Laurie n'avait pas réalisé que Jason et Gabrielle étaient au Cipriani le soir du meurtre.

« Oui. Gabrielle semblait toujours se pointer là où allait Hunter. Je me souviens d'elle s'approchant de notre table et l'entourant de ses bras comme elle en avait l'habitude. Elle aurait pu facilement verser quelque chose dans mon verre. Et Jason – bon, il se trouvait là soi-disant pour occuper une des places à la table de son employeur, mais la coïncidence ne m'a pas convaincue. Et en fait, il m'a prise à part à un moment pour m'avouer qu'il m'aimait toujours. Je lui ai dit qu'il fallait qu'il tourne la page. J'allais épouser Hunter. Tous deux étaient visiblement jaloux de nous.

— Assez jaloux pour tuer ?

— Si un jury m'en a crue capable, je ne vois pas pourquoi l'un des deux ne pourrait pas l'être. »

Le troisième nom sur la liste fit sursauter Laurie. « Andrew Raleigh ? » dit-elle en haussant les sourcils. Andrew était le jeune frère de Hunter. « Vous plaisantez !

— Écoutez, je n'aime pas accuser qui que ce soit. Mais, comme vous l'avez dit, si je suis innocente – et c'est le cas –, quelqu'un d'autre est coupable. Et Andrew avait beaucoup bu ce soir-là.

— Vous aussi, la coupa Laurie, d'après de nombreux témoins.

— Non, ce n'est pas vrai. J'ai bu un verre de vin, deux tout au plus, mais je me suis arrêtée quand j'ai commencé à me sentir mal. Lorsque Andrew boit, c'est… Eh bien, il devient quelqu'un d'autre. Le père de Hunter n'a jamais caché qu'il aimait son fils aîné plus qu'Andrew. Je sais qu'il jouit d'une réputation parfaite, mais il pouvait être cruel comme père. Andrew était incroyablement jaloux de Hunter. »

Laurie trouva la ficelle un peu grosse. « Et ces deux autres noms, Mark Templeton et Mary Jane Finder ? » Ils ne lui évoquaient rien.

« Ceux-là demandent un peu plus d'explications. Mark est non seulement l'un des meilleurs amis de Hunter, mais aussi le directeur financier de la fondation Raleigh. Et, si vous voulez mon avis, c'est le suspect le plus plausible.

— Même si Hunter et lui étaient amis ?

— Laissez-moi vous expliquer. Hunter ne l'avait pas annoncé publiquement, mais il s'apprêtait à se présenter à une élection publique, soit pour devenir maire de la ville de New York, soit pour être sénateur des États-Unis. Dans un cas comme dans l'autre, il avait décidé d'abandonner le privé pour l'action politique. »

Il n'avait peut-être pas déclaré ses intentions, mais les spéculations allaient bon train. Hunter était constamment cité comme un des plus beaux partis du pays. Quand il avait soudain annoncé ses fiançailles avec une jeune fille qu'il fréquentait depuis moins d'un an, beaucoup s'étaient demandé s'il s'agissait d'un premier pas vers une candidature. D'autres avaient considéré qu'épouser Casey était un choix risqué de la part d'un homme politique. La famille Raleigh était connue pour ses opinions conservatrices, alors que Casey ne cachait pas ses idées progressistes. Ils formaient un couple politique étrange.

« Avant de se lancer dans la bataille politique, poursuivit Casey, Hunter avait passé les comptes de la fondation au peigne fin pour s'assurer qu'aucune procédure en matière de recueil de fonds ou de donations ne pourrait se révéler controversée ou embarrassante en cas d'enquête publique. Avant notre départ pour le gala, il avait mentionné qu'il s'apprêtait à engager un juricomptable pour enquêter plus précisément sur ce qu'il appelait certaines "irrégularités". Hunter m'avait assuré qu'il valait mieux se montrer trop prudent plutôt que pas assez, même s'il était certain qu'il n'y avait aucune raison de s'inquiéter. Je n'y ai plus jamais pensé jusqu'à ce que, quatre ans après ma condamnation, Mark donne brusquement sa démission. »

C'était la première fois que Laurie entendait parler de cette affaire. « Est-ce inhabituel ? » demanda-t-elle. Elle n'était pas très au courant du fonctionnement des fondations privées.

« C'est apparemment ce qu'ont pensé les journalistes économiques, dit Casey. La bibliothèque de la prison nous laissait faire des recherches dans les médias en ligne. En réalité, les fonds propres de la fondation avaient atteint un niveau suffisamment bas pour donner lieu à des spéculations. Il faut savoir que lorsque Hunter s'était intéressé personnellement à la fondation, il avait triplé les résultats des levées de fonds. Il était normal que les revenus diminuent quand Hunter n'était plus à la barre. Mais les commentateurs ont laissé entendre que le total des fonds propres avait aussi diminué, se demandant s'il s'agissait d'erreurs de gestion ou de quelque chose de pire.

— Comment la fondation a-t-elle réagi à ces spéculations ? »

Casey haussa les épaules. « Tout ce que je sais, je le tiens de mes recherches dans les médias, et les actifs d'une fondation à but non lucratif ne suscitent pas le même intérêt que, par exemple, un procès d'assises retentissant. Mais j'ai constaté que dès que la presse a commencé à parler de la démission inopinée de Mark, le père de Hunter a nommé un nouveau directeur financier, sans manquer de faire l'éloge de Mark. L'histoire s'est calmée. Mais il n'en reste pas moins que les fonds propres de la fondation étaient mystérieusement bas. Je pense que Hunter avait détecté le problème des années auparavant. En outre, je puis vous dire ceci : Mark Templeton était assis à côté de moi au gala. Verser le sédatif dans mon verre aurait été pour lui un jeu d'enfant. »

C'était uniquement par curiosité que Laurie avait accepté de rencontrer Casey – et pour pouvoir dire à Brett qu'elle avait une histoire à lui proposer. Mais maintenant elle s'imaginait déjà en train de faire venir ces différents suspects devant la caméra. Et, dans sa tête, c'était toujours Alex qui menait le jeu. Or, à la fin de leur dernier tournage, il lui avait annoncé qu'il avait besoin de se concentrer à temps complet sur sa carrière d'avocat. La fin de sa collaboration à l'émission avait altéré le caractère de leur relation. Elle chassa cette pensée de son esprit et continua :

« Et Mary Jane Finder, qui est-ce ?

— L'assistante personnelle du général Raleigh. »

Laurie écarquilla les yeux. « Quel rapport ?

— Elle a commencé à travailler pour lui peu après ma rencontre avec Hunter, environ un an avant sa mort. Hunter ne l'avait jamais aimée, ceci dès le début, mais il était surtout soucieux de l'autorité qu'elle semblait avoir acquise depuis la mort de sa mère. Il la soupçonnait de profiter de son père, peut-être même de vouloir se faire épouser maintenant qu'il était veuf.

— Le fils du patron ne l'aimait pas ? Cela ne paraît pas être un motif suffisant pour un meurtre.

— Ce n'est pas seulement qu'il ne l'aimait pas. Il la croyait fourbe et manipulatrice. Il était certain qu'elle cachait quelque chose et avait décidé de la faire virer. Voilà ce qui s'est passé : nous étions en route pour le gala et je l'ai entendu appeler un ami avocat et demander qu'il lui recommande un détective privé. Il disait avoir besoin d'informations sur quelqu'un, ajoutant "c'est une question délicate" ! Quand il a raccroché, je lui ai demandé si son coup de fil avait un rapport avec l'audit des comptes de la fondation. »

Elles furent interrompues par un coup frappé à la porte. Jerry passa la tête. « Excuse-moi, mais Brett a terminé sa téléconférence. Il est avec Grace et demande où tu es passée. »

Elle n'avait pas envie de dire à Brett où elle se trouvait exactement, de peur de le voir surgir et prendre en main la discussion. Mais elle ne voulait pas non plus mettre Grace dans une position l'obligeant à mentir délibérément à son patron.

« Est-ce que tu peux lui dire que tu viens de me parler et que je serai dans son bureau dans cinq minutes maxi ? » Brett présumerait qu'il s'agissait d'une conversation téléphonique. Cela l'empêcherait de tarabuster Grace, mais ne laissait que peu de temps à Laurie.

Elle reprit la conversation. « Bon, donc le coup de fil au détective concernait la fondation.

— Non. Du moins, je ne le pense pas. Quand j'ai demandé à Hunter s'il y avait un rapport avec l'audit, il a jeté un regard méfiant vers son chauffeur, Rafael, comme pour dire : *Pas maintenant*. J'en ai conclu qu'il ne voulait pas qu'il entende le nom de la personne sur laquelle il se renseignait.

— C'était peut-être Rafael lui-même.

— Certainement pas. Rafael était un des hommes les plus gentils, les plus dévoués que j'aie jamais rencontrés, et Hunter et lui s'adoraient. Il était presque un oncle par procuration. Mais il était aussi extrêmement confiant et ne voulait voir que le bon côté de chacun, y compris de Mary Jane. Hunter avait cessé de se plaindre d'elle en présence de Rafael pour éviter de le mettre dans une position gênante vis-à-vis d'une femme qui prenait de plus en plus d'importance dans l'organisation de la famille. Si Hunter avait raison, si Mary Jane dissimulait quelque chose, elle a peut-être trouvé le moyen de l'empêcher de découvrir la vérité.

— Elle assistait donc au gala ?

— Oh, bien sûr, assise à côté du général Raleigh. Hunter avait des raisons de s'inquiéter. »

Laurie imaginait Brett en train de consulter sa montre, comptant les minutes. « Casey, cette liste est un formidable point de départ. Laissez-moi faire quelques recherches préliminaires et revenir vers vous...

— Non, je vous en prie. J'ai encore tant de choses à dire. Vous êtes mon seul espoir.

— Je ne dis pas non. En réalité, je suis très intriguée. »

Les lèvres de Casey se mirent à trembler. « Oh zut, je suis désolée. » Elle s'essuya les yeux. « Je m'étais promis de ne pas pleurer. Mais vous n'avez pas idée du nombre de lettres que j'ai écrites à des avocats, des centres juridiques, des journalistes. Tant d'entre eux ont répondu avec le même genre de formule : *Je suis intrigué*, ou : *Laissez-moi réfléchir*. Et ensuite, je n'en ai plus jamais entendu parler.

— Ce n'est pas ainsi que nous fonctionnons, Casey. En réalité, ce serait plutôt à moi de craindre de trop m'investir pour vérifier ces allégations, et de découvrir, finalement, que vous avez vendu votre histoire au premier site Internet prêt à la publier. »

Casey secoua la tête avec force. « Vous n'avez rien à craindre. J'ai vu les attaques en règle que publient ces soi-disant journalistes. Mais je connais votre émission, et je sais qu'Alex Buckley est l'un des meilleurs avocats d'assises de New York. Je ne parlerai à aucun autre média jusqu'à ce que vous ayez pris votre décision. »

À la mention du nom d'Alex, Laurie sentit son cœur se serrer.

« Quand pouvons-nous nous revoir ? » l'implora Casey.

Laurie se souvint du message que Jerry lui avait envoyé un peu plus tôt. *Elle a dit qu'on ne se débarrasserait pas d'elle tant qu'elle ne t'aurait pas rencontrée.*

« Vendredi », laissa-t-elle échapper. C'était dans deux jours. Elle était sur le point de se raviser quand elle pensa : Pourquoi ne pas rencontrer Casey et sa famille en dehors du bureau avant de prendre une décision ? « En fait, je peux venir vous voir. Peut-être faire la connaissance de vos parents ?

— Mon père est décédé, dit tristement Casey, j'habite chez ma mère. Dans le Connecticut. »

Je vais donc aller dans le Connecticut, se dit Laurie.

Elles étaient à la porte de la salle de réunion quand Laurie s'aperçut qu'elle avait oublié de mentionner quelque chose. « Mon assistant m'a dit que vous connaissiez Charlotte Pierce ? »

Trois mois plus tôt, Laurie ignorait qui était vraiment Charlotte Pierce. Pour elle, elle était « la sœur » – la sœur d'Amanda Pierce, la mariée envolée, qui avait été le sujet de sa dernière émission spéciale. Mais, à sa grande surprise, une fois la production terminée, Charlotte avait invité Laurie à déjeuner. Après plusieurs rencontres, elles étaient devenues amies. Il y avait longtemps que Laurie ne s'était pas liée d'amitié.

Casey eut un sourire embarrassé. « J'ai peut-être exagéré nos liens, confessa-t-elle. Ma cousine, Angela Hart, travaille avec elle. Elles sont très copines, mais je ne l'ai jamais rencontrée. »

Laurie la regarda ajuster de très grandes lunettes de soleil, relever ses cheveux en torsade et abriter son front sous une casquette de baseball des Yankees. « C'était assez déplaisant d'être reconnue dans ce centre commercial », dit-elle amèrement.

En se hâtant vers le bureau de Brett, Laurie se dicta un mémo : appeler Charlotte et voir si elle disposait d'informations particulières. Elle nota aussi mentalement que Casey Carter était capable de prendre des libertés avec la vérité si ça pouvait lui servir.

6

La secrétaire de Brett, Dana Licameli, adressa à Laurie le sourire qu'on réserve au condamné sur le point d'entrer dans la salle d'exécution. « Attention, l'avertit-elle, je ne l'ai pas vu dans cet état depuis que sa fille est rentrée d'Europe avec un piercing dans le nez. »

Brett pivota sur son fauteuil pour lui faire face. « Je m'attendais après votre long séjour loin du bureau à vous voir revenir bronzée, sentant le rhum et la crème solaire. » Il regarda sa montre. « Presque deux heures au 21 ? On aimerait tous avoir cette chance. Ne blâmez pas vos collaborateurs. Ils ont fait de leur mieux pour vous couvrir, mais j'ai demandé à Dana de jeter un œil à votre agenda sur l'ordinateur de votre assistant. »

Laurie voulut parler mais aucun son ne sortit de sa bouche. Elle s'en voulait d'avoir obligé Grace et Jerry à subir les avanies de Brett durant son absence. Si elle lui disait ce qu'elle avait véritablement sur le cœur, ils se retrouveraient tous les trois à la rue. Elle finit par trouver la force de murmurer : « Je suis désolée, Brett. J'avais visiblement oublié que nous avions une réunion cet après-midi. »

Le ton ironique de sa réponse fit mouche. Il lui adressa même un demi-sourire. À soixante et un ans, si elle calculait bien, Brett était encore bel homme. Avec sa masse de cheveux gris acier et sa mâchoire volontaire, il avait le physique des nombreux présentateurs qu'il avait engagés au cours des années.

« Ne soyez pas si sarcastique. Vous savez très bien qu'il n'y avait pas de réunion. Mais vous m'évitez, et nous savons pourquoi, vous et moi.

— Je ne vous évite pas », mentit effrontément Laurie, ramenant une longue mèche de cheveux derrière son oreille. Elle attendait seulement le maudit accord de la veuve du Texas pour pouvoir dire à Brett qu'ils étaient officiellement prêts à tourner. « J'ai vraiment cru que tout était calé dans l'affaire du professeur de l'école de médecine. La veuve se faisait prier, mais j'étais sûre qu'elle allait céder.

— Et elle s'est défilée ? Vous m'aviez dit qu'elle était simplement trop occupée par ses lardons pour aller à la poste. »

Laurie était certaine de ne pas avoir qualifié de lardons les garçons de Lydia Harper. Elle se contenta de répondre calmement : « Il semble qu'elle se soit ravisée, à moins qu'elle ne m'ait fait marcher depuis le début.

— Je parie qu'elle a eu peur, dit Brett. C'est peut-être elle qui a fait le coup. »

Un des aspects les plus difficiles du job de Laurie était de convaincre les acteurs clés d'une affaire de participer à l'émission. En général, elle s'efforçait de paraître aimable et conciliante au point qu'il était difficile de lui dire non, mais parfois une tactique un peu brutale était nécessaire. Elle n'était pas toujours fière des moyens qu'elle devait employer, mais une seule pièce manquante dans le puzzle mettait en danger la production tout entière.

« C'est possible. Elle a dit avoir consulté deux avocats et avoir trop à perdre.

— Bon, pour moi ça signifie qu'elle est coupable.

— Pour une fois, je suis d'accord avec vous, dit Laurie, mais sa décision est définitive. Et une émission sur le meurtre inexpliqué de son mari aurait beaucoup moins de poids sans sa présence sur le plateau.

— On dirait que vous avez décidé de me gâcher la journée. » Brett avait repris son ton acerbe.

« Ne croyez pas ça. La bonne nouvelle est que mon séjour, comme vous l'appelez, a été payant. J'ai une nouvelle piste. Je viens de rencontrer Casey Carter.

— Casey la Dingue ? On parlait d'elle aux informations d'hier soir. Est-ce qu'elle portait une des tenues qu'elle a achetées hier au centre commercial ?

— Je ne lui ai pas demandé. J'étais trop occupée à l'écouter clamer son innocence. Et elle a cité cinq suspects éventuels. Cela pourrait être un sujet formidable pour *Suspicion*. Les affaires d'erreurs judiciaires passionnent les gens en ce moment.

— Mais seulement si ce sont des erreurs.

— Je sais. Il s'agissait seulement d'un premier contact. J'ai encore beaucoup de travail à faire, mais au moins elle me parle, à moi et à personne d'autre.

— Pour être franc, dans cette affaire, peu m'importe si cette nana est une meurtrière ou non. Son nom suffira à faire exploser l'Audimat. » Laurie s'attendait à ce que Brett la cuisine sur des détails qu'elle ne connaissait pas encore. Mais au lieu de réclamer davantage d'informations, il se contenta de lancer : « Bon, j'espère que ça marchera cette fois. Si les studios Fisher Blake ont survécu pendant toutes ces années ce n'est pas en investissant dans des projets ratés.

— Compris », répondit-elle, s'efforçant de dissimuler son soulagement. « C'est uniquement pour faire le point sur notre prochaine "spéciale" que vous vouliez me voir ?

— Non, bien sûr. Nous devons parler du sujet qui fâche : que cela nous plaise ou non, Alex n'est plus là, et vous avez besoin d'un nouveau présentateur. » Brett lui tendit une feuille de papier à travers le bureau. « Vous avez de la chance, j'ai le parfait candidat pour le job. »

Laurie, les yeux fixés sur la feuille de papier glacé ivoire qu'elle tenait à la main, ne pouvait penser à rien d'autre qu'à Alex. Elle se souvenait de la première fois qu'elle avait vu ses yeux bleu-vert regarder la caméra derrière ses lunettes cerclées de noir, et su qu'il était le présentateur idéal pour *Suspicion*. Elle revoyait le jour où il avait sauté sans hésiter dans sa voiture lorsque le père de Laurie avait été emmené à l'hôpital, atteint de palpitations cardiaques. Leur premier dîner en tête à tête au Marea. La façon dont il s'était élancé vers elle et Timmy quand l'assassin de Greg avait tenté de les tuer. Elle se rappelait toutes les heures passées à échafauder des hypothèses devant une bouteille de vin. Le contact de ses lèvres sur les siennes.

Brett avait raison. Si elle l'évitait, ce n'était pas parce qu'elle attendait un bout de papier signé par une femme du fin fond du Texas. Tout comme elle avait entretenu l'espoir que la veuve accepterait, elle savait qu'une partie d'elle-même espérait qu'Alex en ferait autant. Que ses activités d'avocat ralentiraient temporairement. Ou, peut-être, qu'une fois le sujet arrêté, il serait trop intrigué pour résister. Ou qu'il regretterait juste de ne plus travailler avec elle.

Mais à présent l'idée qu'Alex allait quitter l'émission était devenue une réalité. Elle examinait un curriculum vitae qui était celui d'une vraie personne avec un vrai nom : Ryan Nichols. Mention « Très bien » à l'école de droit de Harvard. Stagiaire à la Cour suprême. Expérience des tribunaux comme procureur fédéral. Ce n'est qu'en lisant le paragraphe consacré à son expérience de journaliste à la télévision qu'elle rapprocha le nom de Ryan du visage qu'elle avait vu et revu sur le câble récemment.

En imagination, elle se représenta un enregistrement qui n'existait pas encore. *Suspicion, présenté par Ryan Nichols.* Non, se dit-elle, ça ne colle pas. Le nom devrait être Alex Bradley.

Ses pensées furent interrompues par la voix bourrue de Brett. « Je le sais, Ryan est parfait. Il sera là vendredi à seize heures pour officialiser tout cela. Vous me remercierez plus tard. »

Laurie s'apprêta à partir. Elle ne s'était pas senti le cœur aussi lourd depuis longtemps. Puis elle entendit à nouveau la voix de Brett dans son dos. « Et nous parlerons aussi de Casey la Dingue. Je suis impatient de connaître les détails. »

Super. Elle avait deux jours pour mettre au point un projet concernant la condamnation injustifiée de Casey, sans même savoir si elle était innocente ou coupable. Il fallait qu'elle appelle Charlotte.

7

Laurie venait de s'asseoir sur le canapé aubergine du luxueux hall d'entrée de Ladyform quand Charlotte franchit les doubles portes blanches et se dirigea vers elle. Elle se leva et l'embrassa rapidement.

« Nous avons la même taille aujourd'hui, fit remarquer Charlotte d'un ton joyeux.

— Grâce à mes talons de sept centimètres et à tes ballerines », répliqua Laurie.

Charlotte mesurait un peu plus d'un mètre soixante-quinze. Elle était un peu enrobée, mais semblait bien dans sa peau. Ses cheveux blonds coupés au carré encadraient nettement son visage rond dépourvu de maquillage. La parfaite représentante de l'entreprise familiale, pensa Laurie.

« Merci de m'accueillir ainsi au dernier moment, dit-elle tandis que Charlotte la conduisait dans son bureau.

— Pas de problème. Cela me changera les idées. L'avion de ma mère arrive de Seattle dans une heure. Et grande nouvelle : papa a décidé de venir de Caroline du Nord. Aussi, dès que nous en aurons fini, j'aurai sans doute besoin de sortir la vodka.

— Oh mon Dieu ! Les choses vont-elles si mal ?

Ils paraissaient bien s'entendre la dernière fois que je les ai vus. »

Mieux que bien, pensa Laurie. Si la disparition de la sœur de Charlotte avait provoqué leur séparation, découvrir ce qui était réellement arrivé à leur fille semblait les avoir réconciliés.

« Je plaisante. Enfin presque. On dirait deux amoureux. C'est tout à fait charmant. J'aimerais seulement qu'ils se remettent ensemble, qu'ils cessent de se servir de leurs visites ici pour se voir. Papa a fait des progrès. Il me fait confiance pour diriger la société, mais j'ai toujours l'impression qu'il regarde par-dessus mon épaule quand il est ici. À propos de couples, comment ça se passe avec Alex ?

— Très bien. Aux dernières nouvelles, il allait bien. »

En théorie, son départ avait été une affaire strictement professionnelle, il avait besoin de reprendre son activité d'avocat à plein temps. Mais elle ne l'avait vu qu'une fois le mois dernier, et ils avaient rendez-vous ce jeudi dans l'appartement d'Alex pour regarder un match des Giants avec son père et son fils. Timmy se coucherait tard, mais il n'avait pas école le lendemain à cause d'une réunion de professeurs.

« Je vois, fit Charlotte, avant de changer de sujet : Quand tu as téléphoné, tu as dit que c'était à propos de l'émission.

— Est-ce que tu travailles avec une dénommée Angela Hart ?

— Bien sûr. C'est la directrice du marketing, et une de mes meilleures amies. Oh, je sais pourquoi tu es ici, ajouta-t-elle, tout excitée. C'est à propos de sa cousine.

— Tu sais donc qu'elle est parente de Casey Carter ?

— Bien sûr. Elle est restée discrète au bureau sur sa parenté avec Casey, mais je sais que si elle partait tôt tous les vendredis, ce n'était pas pour aller dans les Hamptons comme elle le prétendait. Elle rendait régulièrement visite à sa cousine. Il y a quelques années, après avoir bu un peu trop de martini, j'ai demandé carrément à Angela : Est-ce que ta cousine est coupable ? Elle m'a juré sur sa vie, sans la moindre hésitation, qu'elle était innocente.

— A-t-elle mentionné que Casey était venue me voir aujourd'hui ? Elle veut participer à mon émission, *Suspicion*. Elle m'a même confié une liste de cinq suspects éventuels sur lesquels son avocate ne s'est jamais sérieusement penchée.

— Je n'en savais rien, dit Charlotte. Je ne suis pas experte dans cette affaire, mais j'avais l'impression que les preuves étaient irréfutables. Je me suis juré de ne jamais faire part de cette impression à Angela, évidemment, mais tout prisonnier clame qu'il n'est pas coupable.

— Je sais, mais je suis tout de même intriguée. Certes, elle se prétend innocente, mais elle s'est présentée à mon bureau le jour même de sa sortie de prison. À dire vrai, j'ai ressenti la même impression que le jour où ta mère est venue nous demander de l'aider. Je n'ai pas pu la renvoyer.

— Bien sûr, s'agissant de sa cousine, Angela pourrait avoir un trou de mémoire. Tu veux lui parler ?

— J'espérais que tu nous présenterais. »

8

La femme qui entra dans le bureau de Charlotte deux minutes plus tard était d'une beauté saisissante. Ses longs cheveux couleur de miel retombaient en vagues parfaites sur ses épaules, et, quand elle souriait, ses dents étincelaient derrière des lèvres pleines couleur fraise. Elle était plus grande que Charlotte, sans doute un peu plus d'un mètre quatre-vingts, mince et élégante. Elle avait les mêmes yeux bleus en forme d'amande que sa cousine Casey.

Elle jonglait avec une brassée de dossiers et de documents. « J'ai élaboré quelques plans pour le défilé et j'ai réussi à louer l'entrepôt... J'ai négocié un meilleur taux, mais nous devons récupérer les documents signés demain matin. »

Elle se tut brusquement en s'apercevant que Charlotte avait quelqu'un dans son bureau. Elle libéra une main pour un rapide salut. « Angela Hart », dit-elle.

Laurie se présenta comme la productrice de *Suspicion*.

Angela ne mit pas longtemps à faire le lien avec sa cousine. « J'aurais dû savoir qu'elle n'attendrait pas. Une fois que Casey a une idée en tête, elle ne lâche rien.

— Elle a mentionné son intérêt pour notre émission ?

— Dès qu'elle est montée dans la voiture devant la prison.

— Vous ne semblez pas particulièrement ravie de cette idée.

— Je suis désolée. Je ne veux pas jouer les rabat-joie. Bien sûr, Charlotte, je sais que ta famille a eu une expérience positive avec cette émission, je voulais justement t'en parler et mettre Casey au courant. Mais cette histoire de location est devenue tellement compliquée…

— L'espace que nous utilisons normalement pour notre défilé d'automne a pris feu dans un incendie d'origine électrique la semaine dernière, expliqua Charlotte. Il a fallu trouver un endroit de remplacement sans attendre. Un vrai cauchemar.

— Charlotte dit que vous vous occupez du marketing de la société ? demanda Laurie, consciente d'avoir sauté trop brusquement au chapitre qui l'intéressait.

— Depuis que Ladyform a ouvert un bureau à New York, dit Angela vivement. Bon sang, ça fait plus de douze ans. Sans Charlotte, je serais sans doute en train d'errer dans les rues, à ramasser les bouteilles et les canettes.

— Tais-toi, dit Charlotte. N'importe quelle société aurait été stupide de ne pas t'engager.

— Charlotte est trop gentille, dit Angela. La vérité est que j'étais un mannequin bon à jeter quand elle m'a engagée. Vous avez trente ans, et soudain vous ne posez plus que pour des gaines ou des crèmes antirides. J'ai abreuvé toute la ville de mes CV, à la recherche d'un autre job dans la mode, et je n'ai même jamais obtenu un seul entretien. Pas de diplômes. Pas d'expérience professionnelle à part poser devant un appareil photo. Aujourd'hui je suis une femme de quarante-quatre ans avec une vraie profession, tout ça parce que Charlotte m'a donné ma chance.

— Tu plaisantes ? dit Charlotte. C'est toi qui *nous* a porté chance. Je me demande ce que tu as pensé quand tu t'es pointée pour un entretien avec Amanda et moi. Nous étions des gamines ! »

Laurie savait que c'étaient Charlotte et sa plus jeune sœur, Amanda, qui avaient donné à Ladyform un nouvel élan, avec des bureaux à New York. Ce qui était une petite affaire de famille de « sous-vêtements fonctionnels » était devenu une marque à la mode pour vêtements de sport féminins.

« En tout cas, continua Angela, après un entretien d'une heure nous avons fini par aller dans le bistrot du coin poursuivre la conversation devant un verre de vin. Nous sommes devenues copines immédiatement.

— Je connais ça, dit Laurie. Charlotte et moi nous nous sommes rencontrées lors de mon émission sur sa sœur, mais c'est elle qui a tenu à ce que nous restions amies ensuite.

— Bref, dit Charlotte, ma famille avait passé plus de cinq ans en enfer, sans la moindre idée de ce qui était arrivé à Amanda. *Suspicion* nous a sortis de cet enfer. Laurie pourrait en faire autant pour Casey.

— Je sais que votre émission peut faire surgir de nouvelles preuves, dit Angela, mais ma tante et moi sommes inquiètes à la pensée de compromettre encore plus la réputation de Casey. Ce serait autre chose si on avait entrepris ça il y a dix ans, quand elle était encore en prison. Mais elle est libre maintenant. Je comprends le désir de Casey de convaincre les gens qu'elle n'aurait pas fait de mal à une mouche, encore moins à Hunter. Elle l'aimait profondément. Mais je crains qu'elle n'ait aucune idée de la façon dont le monde a changé durant les quinze dernières années. Si elle s'est indignée à la lecture des tabloïds, attendez qu'elle voie comment la traiteront Twitter et Facebook. Ce n'est pas si facile de laisser le passé derrière soi.

— Parlez-moi de votre tante, la mère de Casey », demanda Laurie.

Angela hocha la tête. « Tante Paula est la mère de Casey et la sœur de ma mère. Mais Casey et moi étions enfants uniques, aussi avons-nous grandi ensemble. J'avais environ cinq ans quand j'ai appris que son nom complet était Katherine Carter, ce qui signifiait que nous avions des noms de famille différents. Je me souviens que ma mère a dû m'expliquer qu'elle n'était pas réellement ma petite sœur.

— Cela a certainement été très dur pour vous d'apprendre sa condamnation. »

Angela poussa un soupir. « Dévastateur. J'étais tellement convaincue que le jury verrait la vérité. Je m'aperçois aujourd'hui combien j'étais naïve. Elle n'avait que vingt-cinq ans, venait de terminer ses études. Aujourd'hui, elle en a quarante et ne mesure pas combien tout a changé. Elle avait un téléphone mobile à clapet quand elle est allée en prison, et elle ne sait absolument pas se servir de mon iPhone.

— Paula s'oppose à cc que Casey participe à mon émission, n'est-ce pas ?

— C'est un euphémisme. Pour être franche, je pense que la condamnation de Casey a tué son père. Je ne sais pas si Paula supportera l'angoisse d'être à nouveau sous le feu des projecteurs. »

Charlotte tapota la main de son amie pour la réconforter. « J'ai eu les mêmes craintes pour mes parents quand ma mère a convaincu Laurie d'enquêter sur la disparition d'Amanda. Je croyais qu'il était temps pour eux de passer à autre chose. Mais maintenant qu'ils ont enfin obtenu les réponses à leurs questions, ils sont libérés des limbes de l'incertitude dans laquelle ils avaient vécu pendant cinq ans. »

Laurie avait eu le même sentiment l'année précédente après avoir appris la vérité sur le meurtre de Greg. Les limbes étaient le mot qui convenait pour décrire l'état dans lequel elle avait vécu jusqu'à une époque récente.

« Avez-vous été impliquée dans ce procès ? demanda Laurie, changeant de sujet. Connaissiez-vous Hunter ?

— Bien sûr. Je n'étais pas là quand il a été tué, mais je les avais vus tous les deux ce soir-là au gala pour sa fondation. Et je suis la première personne qu'elle a appelée depuis la maison de campagne quand elle a découvert son corps – après avoir prévenu le 911, bien sûr. J'avais des prises de vue prévues pour le lendemain matin, mais j'ai sauté dans ma voiture. Quand je suis arrivée à New Milford, elle était complètement dans les vapes. Il m'a semblé évident qu'elle avait été droguée. En réalité, c'est moi qui ai insisté pour que la police lui fasse une prise de sang. Le test s'est révélé positif pour deux substances : alcool et Rohypnol. Une personne saine d'esprit prendrait-elle du Rohypnol de son propre chef ? Sûrement pas. Ce n'est pas un euphorisant. Ça vous transforme en zombie, à ce que je sais. »

Cela rappela à Laurie son amie Margaret, qui était convaincue que quelqu'un avait mis une drogue dans son verre le jour où elles fêtaient leur diplôme dans un bar. Margaret avait décrit ce qu'elle ressentait, l'impression de regarder les choses depuis l'extérieur de son propre corps.

« Croyez-vous encore à l'innocence de Casey ?

— Bien sûr. C'est pour cette raison qu'elle a refusé de plaider coupable, ce qui lui aurait permis de réduire la condamnation à une peine de six ans.

— Et si Casey et moi décidons de nous lancer dans l'aventure, nous apporterez-vous votre aide ? D'après ce qu'on m'a dit, sa mère et vous êtes les seules personnes qui ont gardé un contact avec elle.

— N'ai-je aucun moyen de vous convaincre de lui laisser un minimum de temps pour reprendre pied avant de se décider pour de bon ? Toute cette histoire est tellement précipitée.

— Je crains que non. J'ai des délais à respecter.

— Soyez franche : vous n'avez pas vraiment besoin de Paula et moi, n'est-ce pas ? Vous irez de l'avant sans vous soucier de notre opinion.

— En effet, tant que nous avons Casey et au moins quelques-uns des autres suspects éventuels.

— Alors que puis-je dire ? Je continuerai à soutenir Casey parce que c'est ce que j'ai toujours fait.

Mais je préfère vous prévenir tout de suite, Paula ne cessera de vous mettre des bâtons dans les roues. Elle est convaincue que Casey fait une terrible erreur.

— Eh bien, j'espère qu'elle a tort, dit Laurie. Et je me le tiens pour dit. »

9

Deux jours plus tard, Laurie examinait son visage dans le miroir de sa coiffeuse. Elle avait un pli entre les sourcils qui n'y était pas la veille. Était-ce possible ? Les rides peuvent-elles apparaître en une nuit ? Elle s'apprêtait à prendre son anticernes, mais s'arrêta. Elle préférait rester naturelle, et si c'était au prix de quelques rides supplémentaires, eh bien, elle s'y ferait.

Dans le reflet de la glace, elle vit Timmy entrer précipitamment dans sa chambre, son iPad à la main. « Maman, tu vas être prise dans les bouchons dans les deux sens. Tu dois quitter le Connecticut à trois heures au plus tard si tu veux arriver à temps pour le coup d'envoi avec Alex. Il y aura des ralentissements sur tout le trajet jusque chez les Bruckner. »

Elle n'arrivait pas à croire que son fils grandissait si vite. Il lui avait servi de « navigateur » durant leur dernier voyage en Floride tout en maîtrisant parfaitement l'application en ligne de la circulation.

Elle ne jugea pas utile de lui dire qu'il lui faudrait prendre la route encore plus tôt. Elle avait rendez-vous à quatre heures avec Brett et le nouvel animateur de son choix.

Elle embrassa rapidement Timmy avant de l'entraîner dans le séjour. « C'est moi qui t'ai appris à ne pas être en retard, je te signale, lui rappela-t-elle. Mets tes chaussures et prends ton sac à dos. Et n'oublie pas ton cahier de maths. Il était sur la table basse hier soir. »

Tandis que Timmy regagnait sa chambre en traînant les pieds, le père de Laurie entra et lui tendit une tasse de café. « J'ai même pensé à cet abominable lait d'amande dont tu t'es entichée. »

La vérité était qu'elle l'avait acheté à l'origine dans l'espoir que son père en boirait. Depuis qu'on lui avait mis deux stents dans le ventricule droit l'an passé, il suivait un régime, mais insistait toujours pour ajouter de la vraie crème dans son café. Oh bon, pensa-t-elle, si quelqu'un mérite un petit écart, c'est bien mon père. Six ans auparavant il était commissaire adjoint de la police de New York et s'apprêtait à devenir le prochain commissaire en chef. Puis un après-midi, alors qu'il poussait Timmy sur une balançoire, le mari de Laurie, Greg, avait été tué d'une balle dans le front. Laurie était devenue soudain une mère célibataire sans avoir la moindre idée de qui pouvait avoir assassiné son mari. Leo avait renoncé à sa carrière pour elle et Timmy.

Aujourd'hui, il allait conduire son petit-fils à l'école, comme tous les jours de la semaine. S'il voulait de la crème dans son café, pourquoi l'en priver ?

« Tu sais à quel point Timmy se réjouit de voir Alex ce soir », dit-il.

Alex les avait invités tous les trois chez lui pour regarder le match des Giants. « Bien sûr, dit-elle. Il adore Alex.

— Comme nous tous, dit son père. Excuse-moi, ajouta-t-il aussitôt, je ne voulais pas mettre mon grain de sel.

— Je sais, papa, ce n'est pas grave. »

Personne n'ignorait que Leo désirait que Laurie trouve enfin le bonheur avec Alex. Une partie d'elle-même le désirait aussi désespérément. Mais chaque fois qu'elle se croyait prête, elle se souvenait de Greg et avait l'impression de s'éloigner d'Alex. Son mari prenait encore toute la place dans son cœur et elle se demandait s'il y en aurait un jour pour quelqu'un d'autre.

Depuis qu'il avait quitté l'émission, Alex disait s'être fréquemment absenté pour un procès important, mais elle savait pourquoi il n'avait pas répondu au téléphone. Il était tombé amoureux d'elle et gardait ses distances jusqu'à ce qu'elle soit prête à partager ses sentiments. Elle devait le laisser prendre du champ et espérer qu'il serait encore là si elle acceptait de s'engager un jour.

« Timmy a dit que tu allais dans une prison. Je peux savoir pourquoi ? » demanda Leo.

Timmy avait une façon d'entendre uniquement les mots les plus excitants qui sortaient de la bouche de sa mère. « Je ne vais pas réellement visiter une prison, mais je dois voir quelqu'un qui en est sorti mardi. Papa, tu te souviens de l'histoire de la Belle au bois dormant ?

— Celle qui a tué un type formidable et qui a essayé d'accuser la police de l'avoir expédiée en prison sans véritable preuve. Elle aurait dû être condamnée à vie mais le jury s'est laissé embobiner et a eu pitié d'elle. » Une ombre d'inquiétude passa sur son visage. « Oh, Laurie, ne me dis pas que c'est elle que tu vas rencontrer. »

10

Le portable de Laurie lui indiquait que sa voiture était arrivée et l'attendait dans la 94e Rue mais Leo essayait encore de la persuader que ce déplacement était une perte de temps. « Elle va te regarder droit dans les yeux et te mentir sans vergogne, exactement comme elle l'a fait à la police quand elle a été arrêtée. »

Laurie commençait à regretter d'avoir mentionné la raison de son voyage dans le Connecticut. Elle avala la dernière goutte de son café, appréciant chaque once de caféine.

« Je n'ai pas encore pris de décision, dit-elle.

— Je peux déjà prédire ce que Cascy va te raconter. Elle a été droguée lors du gala par un inconnu.

— Je sais, je sais », dit-elle tout en inspectant sa mallette pour s'assurer qu'elle n'avait rien oublié. « Les tests sanguins ont prouvé qu'elle avait consommé non seulement de l'alcool, mais du Rohypnol. Elle me dira que c'est ce qu'on appelle un *roofie*, utilisé pour neutraliser quelqu'un, rien à voir avec une drogue euphorisante.

— Sauf qu'elle n'a pas été droguée par un inconnu, Laurie. Elle s'est droguée elle-même pour pouvoir mettre le crime sur le dos de quelqu'un d'autre, rétorqua Leo en secouant la tête d'un air dégoûté.

« — Papa, je dois y aller, d'accord ? J'ai *promis* à Casey que je réfléchirais au moins à son histoire. C'est toi qui m'as dit : Parole donnée…

— Mais pourquoi faut-il que tu y ailles aujourd'hui ? Prends un peu de recul, réfléchis à d'autres cas. »

Elle aurait voulu dire : *Parce que Brett ne cesse de me harceler*, mais elle ne voulait pas donner à son père une raison supplémentaire de mépriser son patron. Son père la surestimait. Combien de fois lui avait-il dit qu'elle pourrait être engagée dans n'importe quelle chaîne de télévision du pays ? À écouter Leo, elle devrait avoir une vitrine remplie d'Emmy Awards et *60 minutes* était à deux doigts de l'engager.

« Apparemment la mère de Casey ne désire pas qu'elle participe à mon émission.

— Voilà une femme avisée, dit-il d'un ton catégorique. Elle sait sans doute que sa fille est coupable.

— En tout cas, je préfère avoir l'occasion de la rencontrer le plus tôt possible, au cas où je déciderais de rouvrir l'enquête.

— Ce que tu ne feras pas, j'espère. »

Timmy et Leo accompagnèrent Laurie jusqu'au 4×4 noir qui attendait devant l'immeuble. Laurie serra Timmy dans ses bras puis les regarda tous deux s'éloigner comme chaque jour en direction de l'école Saint-David.

Alors que la ville défilait par la vitre de la voiture, elle se dit que ce long trajet jusqu'au Connecticut était une bonne chose. Son fils n'était pas le seul à être impatient de voir Alex ce soir. Une journée chargée ferait passer le temps plus vite.

11

Debout dans l'embrasure de la porte de la chambre d'amis, Paula Carter regardait sa fille fouiller dans le bureau de fortune qu'elle s'était fabriqué. Casey avait quitté la prison avec deux cartons. D'après ce que Paula pouvait voir, la plupart contenaient des classeurs et des blocs-notes, à présent empilés sur la commode et les deux tables de nuit. À part son expédition en ville deux jours auparavant, Casey avait passé tout son temps ici, à fouiller dans ses documents.

« Oh, chérie, cette chambre est vraiment petite, n'est-ce pas ? se désola-t-elle.

— C'est un palace comparé à ce que j'avais, dit Casey avec un sourire. Sérieusement, maman, merci pour tout ce que tu as fait pour moi. Je sais que cela a dû être difficile pour toi de venir t'installer ici. »

Ici était Old Saybrook, dans le Connecticut, à un peu plus de seize kilomètres de la prison qui avait abrité Casey pendant les quinze dernières années.

Paula n'avait jamais songé qu'elle quitterait un jour Washington. Elle s'y était installée à l'âge de vingt-six ans pour épouser Frank, de douze ans son aîné. Ils s'étaient connus à Kansas City. Il était associé dans l'un des plus grands cabinets juridiques du pays.

Elle était l'assistante de l'avocat d'un de ses clients. Un défaut de fabrication important dans une usine du Missouri avait entraîné des mois de plaidoiries. Quand le procès avait pris fin, Frank l'avait demandée en mariage, espérant vivement qu'elle accepterait de déménager à Washington. Elle lui avait avoué que sa seule réticence était de quitter sa sœur jumelle, Robin. Elle lui manquerait horriblement ainsi que sa nièce, Angela, qui venait tout juste d'apprendre à l'appeler tante Paw-Paw. Robin était mère célibataire ; le père d'Angela n'avait jamais été présent. Paula avait trouvé à Robin une place de secrétaire dans sa société et elle l'avait aidée à élever la petite fille. Enfants, Paula et Robin avaient toujours rêvé de faire une école de droit.

En trois jours, Frank avait trouvé une solution. Robin et sa fille, Angela, viendraient s'installer à Washington avec eux. Son cabinet engagerait Robin comme secrétaire et lui accorderait des horaires flexibles si elle désirait poursuivre une licence de droit ou même passer le barreau. Toutes les trois – Paula, Robin et la petite Angela – partirent donc ensemble pour Washington.

Et quelle aventure ! Paula s'était mariée l'année suivante et Casey était arrivée avant leur second anniversaire. Paula renonça à son rêve de devenir avocate, mais Robin le poursuivit, tandis que sa sœur menait une existence de rêve avec Frank. Ils habitaient une ravissante maison à Georgetown avec un petit jardin où les filles pouvaient jouer. La Maison-Blanche, le National Mall et la Cour suprême étaient situés à leur porte. Qui aurait pensé, s'émerveillaient les deux sœurs, que nos filles grandiraient avec tout ça à portée de main ?

La capitale était devenue un membre de la famille.

Puis, deux ans à peine après être sortie diplômée de l'école de droit, à l'âge de trente-six ans, Robin avait été atteinte d'un cancer. Elle avait suivi tous les traitements, perdu ses cheveux, vomi du matin au soir. En vain. Angela était encore au lycée quand on avait enterré sa mère. Elle avait vécu avec eux dans la maison de Georgetown jusqu'à la fin de ses études et était ensuite partie s'installer à New York, rêvant de devenir mannequin. Quatre ans plus tard, Casey aussi était partie, d'abord pour entrer à l'université de Tufts, puis pour poursuivre une carrière artistique à New York.

Seuls Frank et Paula étaient restés à Washington. Au moins les filles étaient-elles ensemble à New York – au début, avant les ennuis avec Hunter.

Puis, il y a trois ans, alors que Paula et Frank montaient les marches du Lincoln Memorial, Frank s'était effondré. Le médecin de l'hôpital Sibley avait dit qu'il n'avait pas souffert, « comme si on avait simplement éteint la lumière ». Dans son esprit, son mari était mort parce qu'il avait le cœur brisé. Il s'était brisé le jour où Casey avait été condamnée.

Sans Frank, la maison de Georgetown était beaucoup trop grande. Paula allait se promener et parcourait les lieux qu'elle visitait auparavant avec les gens qui lui manquaient aujourd'hui terriblement. Robin et Frank étaient morts. Angela était encore à New York. Et Casey vivait dans une cellule de deux mètres sur trois dans le Connecticut. Non, la capitale de la nation ne faisait plus partie de sa famille. Sa famille, c'était Casey, Frank, Angela et Robin. Voilà pourquoi elle avait vendu la maison et acheté celle-ci à Old Saybrook, plus près de sa fille. En vérité, elle aurait payé un million de dollars pour s'installer dans la cellule voisine de celle de Casey, si on le lui avait permis.

Mais maintenant sa fille était là, et elles avaient de nouveau un foyer.

Paula s'essuya une larme au coin de l'œil. Pourvu que Casey ne l'ait pas remarquée. Frank l'avait suppliée d'accepter de plaider coupable. « Je suis vieux », avait-il dit, « et ça ne va pas s'améliorer ». Casey, tu aurais pu sortir il y a neuf ans. Frank aurait eu au moins six ans – peut-être plus – à passer avec toi, pensa-t-elle.

Ses pensées furent interrompues par un coup frappé à la porte.

« C'est sans doute Laurie Moran, dit Paula. Je ne sais pas pourquoi tu veux t'engager là-dedans, mais Dieu sait que tu ne m'as jamais demandé mon avis. »

Tout comme tu as refusé d'écouter ton père, déplora-t-elle.

12

« Je ne peux vraiment pas vous offrir une tasse de thé ? »

C'était la troisième fois que Paula lui faisait cette proposition. Entre-temps, elle avait tiré dix fois sur le bas de sa jupe, s'était levée pour redresser un tableau sur le mur et n'avait cessé de s'agiter sur le canapé.

« Ce serait avec plaisir. » Laurie n'avait aucune envie de thé, mais se sentait capable de boire du lait aigre si cela pouvait apaiser la nervosité de cette femme.

Une fois Paula sortie de la pièce, Casey dit : « Ça me rappelle la dernière fois où je me suis trouvée sous le même toit que mes parents, juste après l'assassinat de Hunter. Ils sont venus de Washington et ont insisté pour rester dans l'appartement parce qu'ils ne voulaient pas que je sois seule. Je n'étais pas sûre d'en avoir tellement envie. Pendant deux jours d'affilée, ma mère m'a proposé des fruits, du fromage, des jus, du thé. Elle se levait au milieu d'une conversation et se mettait à frotter le comptoir de la cuisine. Le plancher était si propre qu'on pouvait se mirer dedans. »

Lorsque Paula revint avec un plateau d'argent, Laurie avait orienté la discussion sur la nuit du meurtre de Hunter Raleigh.

« À quelle heure avez-vous quitté le Cipriani ?

— Un peu après neuf heures. J'étais navrée d'obliger Hunter à abandonner sa réception. Les serveurs commençaient seulement à apporter le dessert. J'ai proposé de rentrer seule en taxi, mais il a tenu à m'accompagner. Je me sentais vraiment mal, à peine capable de tenir debout, et je me rendais compte qu'il y avait quelque chose d'anormal. C'est seulement plus tard que j'ai compris qu'on m'avait droguée. »

Laurie avait la ferme intention de revenir sur le sujet, mais elle voulait d'abord entendre toute l'histoire.

« Donc, Hunter a demandé à son chauffeur de vous reconduire tous les deux chez lui ?

— Oui, Rafael. Il attendait dehors avec la voiture.

— Vous n'avez pas préféré rester en ville puisque vous ne vous sentiez pas bien ? »

En dehors de la maison de campagne de Hunter à New Milford, Casey et lui avaient chacun leur appartement à Manhattan.

Casey secoua la tête. « Cette maison était magique. J'étais certaine que j'irais mieux une fois arrivée là-bas. Je suis restée plongée dans un demi-sommeil pendant le trajet. J'aurais dû me douter que quelque chose clochait. J'ai du mal à m'endormir d'habitude. Je suis incapable de dormir en voiture ou en avion. »

Même l'accusation avait reconnu que Casey avait du Rohypnol dans le sang. La seule question était de savoir si elle s'était droguée elle-même après avoir tué Hunter pour se forger un alibi, ou si quelqu'un l'avait droguée plus tôt dans la soirée.

Laurie savait que la voiture de Hunter avait été prise en photo au moment où elle franchissait le péage du Henry Hudson Parkway, élément retenu lors de l'enquête de police. Casey se tenait droite sur la banquette arrière, à côté de Hunter. Au procès, le procureur s'était servi de cette photo pour contredire Casey quand elle avait prétendu avoir été droguée pendant le gala – et non après le meurtre, de sa propre main, semblait-il.

« L'extrême fatigue était-elle le seul symptôme que vous ressentiez ? » À l'époque où l'amie de Laurie, Margaret, était convaincue d'avoir été droguée, elle lui avait confié que la sensation était très différente de celle de la fatigue.

« Non, c'était affreux. J'étais étourdie, nauséeuse, en pleine confusion. J'avais chaud et froid en même temps. J'avais du mal à parler, comme si j'avais oublié mes mots. Je me souviens seulement qu'il me semblait ne plus contrôler ni mon esprit ni mon corps. Je me souviens aussi d'avoir prié Dieu de m'aider à sortir de là. »

C'était exactement les sensations qu'avait décrites Margaret.

« Vous avez appelé le 911 après minuit, nota Laurie. À 0 heure 17 pour être précise. Que s'est-il passé entre le moment où vous êtes arrivée à la maison et cet appel d'urgence ? »

Casey souffla pour écarter la longue frange qui retombait sur ses yeux. « C'est tellement bizarre de reparler de tout ça. Pendant des années, j'ai repassé cent fois cette nuit en esprit, mais personne n'a jamais voulu entendre ma version des faits. »

Laurie crut entendre la voix de son père : *Si elle est vraiment innocente, pourquoi n'a-t-elle pas témoigné ?* « Je dois vous corriger, Casey. Les gens auraient voulu l'entendre, mais vous n'êtes pas venue à la barre.

— Mon avocate m'en a dissuadée. Elle a dit qu'on avait trouvé deux personnes qui nous avaient entendus, Hunter et moi, nous disputer violemment. Et que cela m'aurait nui au procès. L'accusation m'aurait mise en pièces en rappelant toutes les fois où j'avais perdu le contrôle de moi-même. Ce n'est pas parce que je parle sans détour que je suis une criminelle.

— Si vous participez à notre émission, on vous posera les mêmes questions difficiles. Vous en êtes consciente ?

— Absolument. Je répondrai à toutes les questions.

— Avec un détecteur de mensonge ? »

Casey accepta sans hésitation. En réalité, Laurie n'utilisait pas cette technique, la jugeant peu fiable, mais l'empressement de Casey à s'y soumettre plaidait en sa faveur. Elle décida de la tester encore, pour voir jusqu'où elle pourrait aller, et lui demanda si elle serait prête à renoncer au privilège de la relation client-avocat et à permettre à son avocate de lui parler directement à elle. Là encore, Casey accepta.

« Je vous en prie, continuez votre récit, l'encouragea Laurie.

— Je me souviens à peine d'être entrée dans la maison. Comme je l'ai dit, je planais entre la veille et le sommeil. Hunter m'a réveillée quand nous nous sommes engagés dans l'allée. Rafael a proposé de m'aider à descendre de la voiture, mais je suis parvenue à franchir le seuil, en tenant la main de Hunter. J'ai dû me diriger aussitôt vers le divan et perdre connaissance. Je portais toujours ma robe du soir quand je me suis réveillée.

— Et que s'est-il passé lorsque vous vous êtes aperçue que vous étiez sur le divan ?

— Je suis allée en titubant jusqu'à la chambre. Je me sentais vaseuse, mais j'ai pu marcher jusqu'au bout du couloir. Hunter était sur le lit, qui n'était pas défait – pas comme s'il dormait, plutôt comme s'il s'y était affalé. Je sais que sur les photos il n'y avait du sang que sur sa chemise et sur la couette, mais sur le moment il m'a semblé qu'il en était entièrement couvert. Je me suis précipitée vers lui et je l'ai secoué, le suppliant de se réveiller. Quand j'ai pris son pouls, j'ai cru sentir quelque chose, mais c'était ma propre main qui tremblait. Il était mort. Il était déjà froid. »

13

La mère de Casey, Paula, s'agitait à nouveau sur le canapé. « Je savais qu'il te serait pénible de supporter ce genre d'interrogatoire. Peut-être pourrions-nous continuer cette conversation plus tard, madame Moran. »

Un éclair d'irritation brilla dans le regard jusque-là impassible de Casey. « Maman, j'ai attendu presque la moitié de ma vie pour m'exprimer. Reste en dehors de tout ça, s'il te plaît. Après avoir appelé le 911, j'ai téléphoné à ma cousine Angela. Je ne la remercierai jamais assez. Sans elle, je ne suis pas sûre que j'aurais supporté la prison jusqu'au bout. » Casey jeta un regard à Paula, et ajouta immédiatement : « Et sans ma mère, naturellement. La police m'a trouvée sur le lit, accrochée à Hunter. J'avais une robe bustier, et mes mains, mes bras et mes épaules étaient maculés de sang. Hunter portait encore sa chemise blanche et son pantalon de smoking. Sa veste était jetée sur la banquette au pied du lit.

— Comment la police est-elle entrée ?

— Ils ont dit avoir trouvé la porte entrouverte, ce que je n'avais pas remarqué en me réveillant sur le divan.

— N'était-ce pas inhabituel que la porte ait été ouverte ?

— Bien sûr, mais nous ne la fermions à clé qu'au moment de nous coucher. Hunter avait un système d'alarme, aussi, mais nous le branchions seulement quand nous nous rendions à New York. Hunter avait été très occupé à me soutenir ce soir-là et il n'avait probablement pas verrouillé la porte derrière lui. J'imagine que le meurtrier s'est introduit dans la maison avant que Hunter ait eu le temps de fermer, et qu'il l'a laissée ouverte derrière lui ensuite. »

Outre les deux balles qui avaient tué Hunter, la police avait relevé deux points d'impact dans les murs, entre le salon et la chambre. « Puis une fois sur place, dit Laurie, ils ont trouvé le pistolet de Hunter dans le salon, c'est ça ? »

Casey hocha la tête. « Rappelez-vous, j'étais étendue sur le lit, cramponnée à Hunter, quand j'ai entendu la police arriver. Ils me criaient de m'éloigner du corps. J'avais l'impression de vivre un cauchemar. À cause du choc ou de la drogue, je ne leur ai pas obéi immédiatement. J'étais encore groggy. Les choses auraient-elles été différentes si j'avais suivi leurs instructions plus rapidement ? Je me le demande parfois. Ils couraient partout dans la maison, inspectaient les placards, les toilettes. Ils étaient très agressifs avec moi, insistaient pour que j'aille dans l'entrée. Ils ont dû m'arracher à Hunter. Puis, une fois confinée dans l'entrée, j'ai entendu une inspectrice crier qu'il y avait une ARME ! J'étais terrifiée, pensant qu'ils avaient trouvé un intrus caché dans la maison. Mais elle a brandi alors un pistolet qu'elle avait trouvé sous le canapé du salon. Elle m'a demandé si je l'avais déjà vu. Il ressemblait au nouveau Walther P.99 de Hunter. Elle a précisé : "C'est un 9 millimètres." C'était sa plus récente acquisition.

– Hunter était un sportif et un collectionneur passionné, expliqua Paula. J'espérais que Casey le persuaderait de changer de hobby, mais au contraire, elle n'a eu de cesse de se précipiter au stand de tir avec lui. Frank et moi étions atterrés. »

Laurie nota mentalement que la famille de Casey semblait avoir des idées bien arrêtées dans le domaine politique.

« Pour lui, c'était un hobby, dit Casey, comme d'autres jouent au golf.

— Comment avez-vous réagi quand la police a trouvé un pistolet sous le canapé où vous affirmiez vous être endormie ? demanda Laurie.

— J'ai été surprise. Hunter gardait habituellement toutes les armes dans un coffre, excepté celle qu'il laissait au stand de tir. Quand j'ai dit à la police que c'était son pistolet le plus récent, il ne m'est pas un instant venu à l'idée qu'ils penseraient que je m'en étais servie pour le tuer. »

D'après les minutes du procès que Laurie avait consultées la veille, Casey avait dit à la police qu'elle n'avait jamais eu l'occasion d'essayer le nouveau pistolet. Elle pensait que Hunter l'avait emporté au stand de tir après l'avoir acheté, et jurait qu'elle ne l'avait « absolument » jamais touché. Mais la police avait trouvé ses empreintes sur l'arme, et des traces de poudre sur ses mains.

Paula s'immisça à nouveau dans la conversation :

« Quand la police a demandé à Casey de se soumettre au test de la poudre, ils lui ont dit que c'était pour l'éliminer comme suspecte. Dites-moi : vous trouvez ça honnête ? Ils lui ont fait croire qu'ils étaient de son côté, mais ils ont tout le temps cherché à la piéger.

— J'ai accepté le test, bien sûr. J'étais prête à tout pour coopérer. Vous ne pouvez pas savoir à quel point c'est horrible de réaliser que j'étais présente ce soir-là. J'étais *là* pendant que quelqu'un le poursuivait depuis le salon jusque dans la chambre, lui tirait dessus. J'étais endormie sur le divan pendant que quelqu'un assassinait le seul homme que j'aie jamais aimé. Je me demande toujours s'il m'a appelée à l'aide. »

Sa voix se brisa.

Paula poussa un soupir exaspéré. « Pourquoi remuer tout ça à nouveau ? On ne peut pas revenir en arrière. Si c'était possible, je te forcerais à accepter de plaider coupable. Au lieu de quoi, tu t'es soumise au jugement du jury. Et ton idiote d'avocate t'a pratiquement envoyée en prison en prétendant que tu n'agissais pas normalement ce soir-là. Si Casey voulait être condamnée pour homicide involontaire, elle aurait pu d'abord plaider coupable, et obtenir une condamnation moins lourde. »

Casey leva la main. « Maman, je sais mieux que personne le prix que j'ai payé en allant au procès. »

Laurie passa en revue les cinq noms de suspects que Casey lui avait communiqués : son ex-petit ami, Jason Gardner ; Gabrielle Lawson, la femme du monde qui harcelait Hunter ; Andrew Raleigh, qui était jaloux de son frère aîné ; Mark Templeton, le directeur financier de la fondation ; et Mary Jane Finder, l'assistante personnelle sur laquelle Hunter semblait avoir des doutes. « Avons-nous oublié quelqu'un ? demanda-t-elle.

— Personne d'autre ne me vient à l'esprit, confirma Casey. Chacun d'entre eux aurait pu verser la drogue dans mon verre, puis quitter le gala après nous et se rendre dans le Connecticut, sachant que j'aurais perdu connaissance à son arrivée.

— Mais que serait-il arrivé si vous étiez restée lucide ? » demanda Laurie.

D'après ce qu'elle savait, les effets du Rohypnol étaient variés. Le meurtrier ne pouvait savoir avec certitude que Casey serait complètement inconsciente.

« J'y ai réfléchi, dit Casey. D'un côté, je regretterai toute ma vie de n'avoir pu venir au secours de Hunter. De l'autre, je dois accepter l'idée que celui qui l'a tué ne m'aurait pas épargnée si j'avais montré le moindre signe de lucidité. »

Paula regarda sa fille d'un air implorant : « Tu t'engages trop vite dans tout ça. Citer des noms dans une émission de télévision ? T'es-tu demandé comment ces gens allaient réagir ? Ils chercheront à te détruire. Et tout espoir de tourner la page sera perdu.

— Maman, je suis déjà détruite, et je n'ai pas besoin de *tourner la page*. Je n'ai pas envie de recommencer de zéro, je veux retrouver ma vie d'avant. Je veux pouvoir traverser un centre commercial sans te voir surveiller chaque client, te demander s'il me reconnaît. »

Sans explication, Casey se leva soudain du canapé, disparut momentanément dans le couloir et revint une photo à la main. « J'ai passé deux jours à étudier chaque élément de mon dossier sous un angle nouveau. Je n'arrive pas à croire que je n'avais rien vu auparavant, mais je pense que le fait d'être sortie de cellule, de me trouver dans un nouvel endroit, m'a ouvert les yeux. J'ai eu quinze années pour imaginer un moyen de prouver que quelqu'un d'autre est entré dans la maison cette nuit-là, et je pense enfin l'avoir trouvé. »

14

Quatre heures plus tard, installée sur le siège arrière du 4×4, Laurie consulta sa montre une fois de plus. D'habitude, elle se réjouissait que les studios Fisher Blake soient installés dans le Rockefeller Center avec vue sur la célèbre patinoire. Mais aujourd'hui, la circulation dans le centre-ville était à l'arrêt. Paniquée à l'idée de faire attendre Brett, elle sauta de la voiture à trois blocs de l'immeuble et finit le trajet au pas de course. Il était quinze heures cinquante-cinq quand elle sortit de l'ascenseur au quinzième étage. Elle était hors d'haleine, mais elle était là.

Elle aperçut Jerry et Grace plantés devant la porte de son bureau. Grace, comme à son habitude, était parfaitement maquillée. Elle portait un pull violet décolleté en V qui épousait ses courbes mais assez long pour effleurer le haut de ses étroites cuissardes noires. Pour Grace, il s'agissait d'une tenue parfaitement correcte. Jerry la dominait de toute sa taille, séduisant échalas dans un costume que lui-même qualifiait d'ajusté.

Tous deux s'animèrent à sa vue.

« Qu'est-ce que vous complotez, vous deux ?

— J'allais te poser la même question, dit Jerry, pince-sans-rire.

— Le seul complot, à ma connaissance, c'était les bouchons qui ont failli me faire rater mon rendez-vous avec Brett.

— Pas uniquement avec Brett, dit Grace d'un ton moqueur.

— Vous pouvez m'expliquer ce qui se trame ? »

Jerry parla en premier : « On vu la secrétaire de Brett accueillir Ryan Nichols voilà un quart d'heure. C'est notre nouveau présentateur, n'est-ce pas ? Son CV est impeccable. »

Grace fit mine de s'éventer. « Pas uniquement son CV. Je veux dire, on va tous tous regretter Alex, mais ce type est vraiment pas mal. »

Parfait. Laurie n'avait pas encore fait la connaissance de Ryan, mais il avait déjà le soutien non seulement de Brett, mais à présent de Grace et de Jerry. Et il était arrivé un quart d'heure avant l'heure de la réunion.

Elle entra dans le bureau de Brett et le trouva assis à côté de Ryan Nichols sur le canapé. Il y avait une bouteille de champagne et trois coupes posées sur la table basse. Brett ne lui avait jamais demandé de s'asseoir sur le canapé au cours des réunions, et la seule fois où il lui avait offert du champagne, c'était le jour où leur première émission avait crevé l'Audimat. Elle résista à l'impulsion de s'excuser d'avoir interrompu leur tête-à-tête.

Ryan se leva pour la saluer. Grace n'avait pas exagéré à propos de son physique. Cheveux blond cendré, grands yeux verts. Un sourire qui révélait des dents parfaites. Une poignée de main d'une fermeté presque douloureuse. « Ravi de vous rencontrer enfin. Je suis terriblement motivé à l'idée de faire partie de l'équipe. Brett me disait que vous étiez sur le point de choisir le sujet de notre prochaine émission. Je suis enchanté d'être des vôtres dès le départ. »

L'équipe ? Dès le départ ? Plutôt enchanté de partir avant le signal, non ? pensa-t-elle.

Elle tâcha de montrer autant d'enthousiasme, mais elle n'avait jamais été douée pour mentir. « Oui, Brett et moi avons encore beaucoup de décisions à prendre sur la marche de l'émission, concernant à la fois le prochain sujet et le présentateur. Mais j'apprécie beaucoup votre intérêt. Avec votre parcours, vous devez être très sollicité. »

Ryan jeta à Brett un regard perplexe.

« Laurie, pardonnez-moi de ne pas avoir été plus clair lors de notre précédent entretien. Ryan *est* notre nouveau présentateur, et vous pouvez supprimer ce point-là de votre liste de décisions à prendre. »

Elle ouvrit la bouche, mais aucun son n'en sortit.

« Excusez-moi, dit Ryan. Je dois me rendre aux toilettes. Je reviens tout de suite. »

Brett hocha la tête et Ryan referma la porte en sortant.

« Est-ce que vous essayez de tout saboter ? gronda Brett. C'était franchement gênant.

— Je ne voulais pas créer d'incident, mais j'ignorais que vous aviez déjà pris cette décision sans même me prévenir. Je croyais que *Suspicion* était mon émission.

— Chaque émission produite par ces studios est *mon* émission. Et quand je vous ai communiqué le CV de Ryan, vous n'avez émis aucune objection.

— Je n'avais pas compris que c'était "maintenant ou jamais".

— Eh bien, c'était à moi de décider, et je l'ai fait. Nous avons eu de la chance d'avoir Alex, mais Ryan est encore meilleur. Il sera mieux perçu par un public plus jeune. Et franchement, avec son parcours professionnel, il pourrait rapidement devenir le prochain procureur général. Heureusement pour nous, il préfère être une vedette de la télévision.

— Et c'est un bon point pour un journaliste ?

— Oh, ça suffit avec vos idées de grandeur. Vous êtes une réalisatrice de téléréalité, Laurie. Mettez-vous ça dans la tête. »

Elle secoua la tête. « Nous sommes davantage que cela, Brett, et vous le savez.

— D'accord, vous avez fait du bon boulot. Et vous avez tiré d'affaire pas mal de gens. Mais tout ça grâce à votre taux d'audience. Vous avez eu un mois pour proposer un nouveau présentateur, et vous avez traîné les pieds. Vous me remercierez plus tard d'avoir trouvé quelqu'un d'aussi bon que Ryan. »

Elle entendit frapper à la porte et Ryan entra.

Elle arbora son sourire le plus engageant. « Bienvenue à *Suspicion* », dit-elle, tandis que Brett débouchait le champagne.

Elle avait à peine avalé la première gorgée que Brett lui demanda où elle en était avec l'affaire Casey Carter.

Alors qu'elle commençait à résumer son entrevue avec Casey, Ryan l'interrompit : « Ce n'est pas une affaire non résolue. Tout le principe de l'émission est de réexaminer des affaires non résolues du point de vue des gens qui ont vécu, entre guillemets, "dans l'ombre du soupçon". »

Merci de me rappeler le principe de ma propre émission, pensa-t-elle.

« Le meurtre de Hunter Raleigh a été élucidé, poursuivit-il, et la seule personne suspecte a été condamnée et envoyée en prison. Affaire classée. Quelque chose m'a échappé ? »

Laurie se mit à lui expliquer que Brett et elle avaient jugé qu'une affaire d'erreur judiciaire serait un bon moyen de faire évoluer l'émission.

Cette fois, ce fut Brett qui l'interrompit : « Ryan soulève un point intéressant. Cette affaire a eu un retentissement énorme. La fille avait trop bu au cours du gala, et avait mis Hunter dans l'embarras en public. Ils se sont probablement disputés une fois rentrés. Il était sur le point de rompre, et elle l'a abattu. Autant que je m'en souvienne, les preuves étaient irréfutables. La seule question, il me semble, était de savoir si elle l'avait fait de sang-froid ou dans le feu de la discussion. Je pense que le jury lui a accordé le bénéfice du doute sur ce point.

— Avec tout le respect que je vous dois, Brett, lors de notre dernier entretien, vous avez dit que peu vous importait qu'elle soit innocente ou non. Que son nom suffirait à piquer la curiosité des spectateurs. »

Ryan n'attendit même pas la réponse de Brett. « C'est un concept dépassé, déclara-t-il. Quinze minutes de célébrité égalent quinze secondes aujourd'hui. Au moment où nous passerons à l'antenne, on l'aura peut-être oubliée. Et les taux d'écoute dépendent des jeunes. Nous avons besoin de spectateurs qui créent du buzz au sujet de l'émission dans les réseaux sociaux. Ils n'ont même sans doute jamais entendu parler de Casey Carter. »

Brett pointa sa coupe en direction de Ryan. « Là aussi, il marque un point. Est-ce que nous avons une approche nouvelle, ou est-ce juste une resucée de sa défense d'il y a quinze ans ? »

Laurie fut tentée d'avaler d'un coup le reste de son champagne mais elle se reprit et reposa sa coupe. Elle voulait garder la tête froide.

Elle fouilla dans sa mallette, en sortit la photo que lui avait confiée Casey et la tendit à Brett. « Voilà notre nouvelle approche.

— Que suis-je censé regarder ? demanda-t-il.

— Casey a eu quinze ans pour étudier les éléments du dossier de son procès. Elle peut réciter de mémoire chaque mot de chaque rapport de police. Mais après notre entretien de mercredi, elle est rentrée chez elle et a commencé à tout regarder d'un œil nouveau, y compris les anciennes photos de la scène de crime. Depuis qu'elle est sortie de prison, elle voit ces images sous un éclairage différent. Elle a cherché à se souvenir des moments passés avec Hunter dans cette maison.

— Oh, pitié, fit Ryan d'un ton sarcastique.

— C'est alors qu'elle a remarqué ceci, poursuivit Laurie sans se laisser démonter, en désignant la photo.

— C'est une table de nuit, dit Brett. Et alors ?

— Ce n'est pas ce qui s'y trouve qui importe, mais ce qui n'y est pas. Le souvenir préféré de Hunter – une photo encadrée de lui-même en compagnie du Président à une cérémonie à la Maison-Blanche en l'honneur de la fondation Raleigh – a disparu. D'après Casey, elle était toujours là. Et elle a examiné toutes les autres photos de la scène de crime. La police a photographié chaque centimètre carré de cette maison. Et le cadre en cristal de cette photo n'est visible nulle part. Où est-il passé ? La police a fouillé la maison de fond en comble.

— Ainsi vous prenez la parole d'une meurtrière pour argent comptant.

— Notre émission fonctionne parce que chaque intervenant a la possibilité de donner sa version des faits, rétorqua Laurie. C'est ce que nous appelons la recherche.

— Coupez », dit Brett formant un T majuscule avec ses deux mains. « Donc, en présumant qu'elle dit la vérité à propos de cette photo, quelle est l'hypothèse ?

— Que le véritable assassin l'a emportée comme souvenir. Rien d'autre n'avait disparu dans la maison. »

Laurie vit avec soulagement Brett acquiescer d'un signe de tête. « Ce qui signifie que celui qui l'aurait prise devait savoir à quel point Hunter y tenait, dit-il.

— Exactement. »

Laurie pensait aux éventuels suspects, en particulier

à l'ami de Hunter, Mark Templeton. Hunter lui avait confié la gestion financière d'une de ses initiatives les plus importantes – une fondation qui portait le nom de sa mère. Détourner de l'argent de cet organisme ressemblait à une vengeance personnelle. Hunter était riche, séduisant, puissant et apprécié. On pouvait imaginer la frustration d'un homme qui travaillait depuis des années dans son ombre et qui, pour couronner le tout, avait été accusé de malversations et menacé de dénonciation. Des coups de feu dans la chambre. La photo sur la table de nuit de Hunter avec le Président qui semblait le narguer.

« Pensez à l'Audimat », glissa-t-elle en douce, sachant ce qui motivait Brett avant tout. *Le retour de la Belle au bois dormant : Casey Carter parle à la télévision pour la première fois.*

Furieuse, elle vit Brett se tourner vers Ryan comme pour guetter son approbation.

« Comment savons-nous si cette photo a jamais existé ? demanda-t-il.

— Nous ne le savons pas, répondit Laurie. Pas encore. Mais ça peut venir.

— Vous auriez alors une histoire à raconter. Vous avez le feu vert. » Brett reposa brusquement sa coupe et se leva. « Nous ferions mieux d'y aller, Ryan. Je ne veux pas arriver en retard à la signature de ce livre.

— De quel livre ? demanda Laurie.

— Vous connaissez mon ami historien, Jed ?

— Naturellement. »

Laurie connaissait Jed Nichols parce que chaque fois qu'il publiait un livre, Brett mettait la pression sur tout le service pour qu'ils réservent de l'espace pour sa promotion. Elle savait aussi que Jed était le meilleur ami de Brett et ancien étudiant de la North-western University. Puis elle fit le rapprochement : Nichols, comme Ryan Nichols.

« Jed est l'oncle de Ryan, expliqua Brett. Je croyais vous l'avoir dit. »

Non, pensa-t-elle. Je m'en serais souvenue.

Laurie se tenait sur le perron d'un vieil immeuble sans ascenseur, à l'angle de Ridge Street et Delancey, l'index enfoncé dans l'oreille pour masquer le bruit de la circulation sur le Williamsburg Bridge. Elle pouvait à peine entendre son père à l'autre bout de la ligne.

« Papa, je vais être en retard chez Alex. » Elle avait l'impression d'avoir été plus en retard cette semaine qu'au cours des cinq dernières années réunies. « Peux-tu y conduire Timmy ? Je te rejoindrai là-bas.

— D'où m'appelles-tu ? On dirait que tu es au milieu d'une autoroute. Tu n'es pas encore avec Casey Carter, au moins ? Je te préviens, Laurie : cette femme est coupable.

— Non, je suis dans le Lower East Side. Je dois parler à un témoin.

— Maintenant ? Tu travailles encore ?

— Oui, mais ça ne devrait pas durer longtemps. Je serai là pour le coup d'envoi. »

Quand elle raccrocha, elle avait un nouveau message.

C'était Charlotte. *Angela vient de parler au télé-phone avec Casey, qui dit que ton entretien avec elle a duré des heures. Angela lui a conseillé de ne pas se faire trop d'illusions. Comment ça s'est passé de ton côté ?*

Elle pianota une courte réponse. *Prudemment optimiste. Encore beaucoup à faire.* Elle pressa la touche « Envoi » et glissa le téléphone dans sa poche.

Elle ne voulait pas imaginer la réaction de son père si elle finissait par croire que Casey avait été injustement condamnée. Elle ne voulait pas non plus décevoir Charlotte en concluant que la cousine de son amie était coupable de meurtre, mais il fallait bien qu'elle arrête un sujet pour sa prochaine émission.

Tandis qu'elle appuyait sur la sonnette de l'appartement, elle pensa : Voyons déjà où cette piste me mène. C'était la seule réponse valable.

15

L'appartement était modeste mais parfaitement tenu. Ce qui n'avait rien d'étonnant, car sa propriétaire, Elaine Jenson, avait été pendant des décennies la fidèle gouvernante de la famille Raleigh.

« Merci de m'avoir reçue aussi rapidement, madame Jenson.

— Je vous en prie, appelez-moi Elaine. » La femme était aussi soignée que son appartement, vêtue d'un chemisier turquoise et d'un pantalon noir impeccables. Elle était petite, un mètre cinquante tout au plus. « Mais je n'aurais peut-être pas accepté si j'avais été au courant de la nature de votre émission. J'imagine que ce n'est pas une coïncidence si vous m'avez appelée pour me poser des questions concernant Hunter peu de temps après la sortie de prison de Casey Carter. »

Quand Laurie l'avait contactée à son retour du Connecticut, elle avait simplement dit qu'elle travaillait pour les studios Fisher Blake et désirait lui parler de son ancien employeur. « Ce n'est pas une coïncidence. En réalité, c'est Casey qui m'a communiqué votre nom. » Les lèvres pincées d'Elaine montraient clairement qu'elle n'était pas enchantée de l'association. « J'ai l'impression que vous n'êtes pas une de ses fans.

— Une *fan* ? Non. À un certain moment, oui, mais plus maintenant.

— Vous la croyez coupable ?

— Naturellement. Je refusais de le croire, au début. J'adorais Casey. Elle était jeune, mais c'était quelqu'un de formidable, et je pensais qu'elle était le bon choix pour Hunter, en dépit des inquiétudes de son père. Je suis contente de l'avoir gardé pour moi, car il est évident que le général avait raison à son sujet. Bien qu'il n'ait jamais imaginé que ça finirait par un meurtre, bien sûr.

— Le père de Hunter n'était pas d'accord ?

— Vous voyez ce que vous me faites dire ? Je supposais qu'en tant que journaliste, vous étiez au courant. Je ne parle pas de la famille. Je pense que vous devriez partir, madame Moran.

— Je ne suis pas ici pour glaner de vieux ragots, dit Laurie. Si Casey était mal vue par la famille avant la mort de Hunter, elle ne m'en a rien dit. »

Elaine fit mine d'examiner ses mains. « C'est parce que Hunter ne le lui avait jamais dit, dit-elle doucement. Maintenant, je vous en prie, je n'en dirai pas plus. Je suis à la retraite à présent, mais les Raleigh ont été merveilleux avec moi. Ce n'est pas bien de ma part de parler de cela.

— Je comprends. » Laurie se leva de sa chaise. « Votre appartement est charmant, dit-elle, changeant de sujet. Vous avez toujours habité New York ? »

Elaine avait conservé le même numéro de téléphone que celui qui était indiqué dans les rapports de police rédigés après le meurtre de Hunter. Il avait suffi d'un coup de fil pour la trouver.

« C'est ici que je vis depuis mon mariage, ça fait vingt-six ans, mais Hunter savait à quel point mes enfants aimaient la nature. Je les emmenais dans la maison de campagne pendant des semaines en été. Nous habitions la maison d'amis et donnions parfois un coup de main, mais habituellement, je travaillais pour la famille à New York.

— Et Mary Jane Finder ? Venait-elle dans la maison de campagne ?

— Pas précisément pour travailler, mais elle était aux côtés du général la plupart du temps », dit-elle d'un ton un peu crispé. « Elle venait à la campagne bien sûr. »

Percevant une certaine réprobation, Laurie décida de pousser plus avant. « Je crois savoir qu'elle assistait avec lui au gala de la fondation le soir où Hunter a été tué. C'est assez inhabituel pour une assistante.

— C'est bien mon opinion. Et je ne suis pas la seule à le penser, mais cela ne me regarde pas. »

Elaine cherchait peut-être à protéger la famille Raleigh, mais pas l'assistante du général. « J'ai entendu dire que Hunter n'était pas d'accord. »

Laurie vit qu'Elaine choisissait ses mots avec soin. « Il se méfiait. Son père était veuf. Puissant et riche. Il n'est pas inhabituel de voir un étranger s'immiscer et profiter de la situation.

— Et le chauffeur de Hunter, Rafael ? On dit qu'il était proche de Mary Jane. Êtes-vous encore en contact avec lui ? »

Laurie l'avait inscrit sur la liste des personnes

qu'elle désirait interviewer. Au moins pourrait-il décrire l'état de Casey sur le trajet du retour à la maison après le gala.

Le visage d'Elaine s'assombrit. « Un homme adorable. Il est mort il y a environ cinq ans. Rafael était notre ami à tous. La plupart des membres du personnel que j'ai connus sont partis aujourd'hui. Mais pas Mary Jane. Si ça ne tenait qu'à elle, elle resterait jusqu'à son dernier soupir. Maintenant, je crois en avoir dit assez. »

Laurie remercia à nouveau Elaine de lui avoir consacré du temps. En arrivant à la porte de l'appartement, elle remarqua : « Hunter semblait être un homme merveilleux. »

Les yeux d'Elaine brillèrent. « Un véritable gentleman. Non seulement généreux et respectable, mais un visionnaire. Il aurait fait un excellent maire, ou même un président des États-Unis.

— Je crois même qu'il a rencontré le Président, n'est-ce pas ?

— Oh oui, certainement ! s'exclama Elaine avec fierté. À la Maison-Blanche. La fondation Raleigh était une des cinq associations caritatives choisies pour servir de modèle aux actions philanthropiques. C'était l'œuvre de Hunter. La fondation existait depuis des années, mais après la mort de sa mère, Hunter a décidé de centrer sa mission sur la prévention du cancer du sein et son traitement. Pauvre Miss Betsy. Oh, ce fut tellement horrible ! » Sa voix s'étrangla.

« J'ai entendu dire que Hunter avait été très ému d'avoir été distingué par la Maison-Blanche.

— Très fier », dit Elaine, comme si elle éprouvait

la même fierté. « Il gardait la photo de cette soirée sur sa table de nuit. »

Bingo, pensa Laurie. « Dans la maison de campagne ? »

Elaine hocha la tête. « La plupart des gens placeraient quelque chose de ce genre bien en évidence sur le mur de leur bureau. Mais Hunter n'était pas du genre à se vanter. Il la gardait dans un endroit spécial parce qu'elle avait une signification très personnelle pour lui.

— Je sais que ma question peut vous paraître bizarre, mais la photo était-elle sur la table de chevet la nuit du crime ?

— En effet, c'est une question bizarre. Mais la réponse est oui.

— Parce que vous aviez l'habitude de la voir à cet endroit ?

— J'en suis absolument certaine. Vous savez, j'avais l'habitude d'aller dans la maison du Connecticut une fois par semaine pour faire le ménage. Rafael m'y conduisait et me ramenait. La veille de sa mort, Hunter se trouvait là-bas en même temps que moi. J'étais en train d'épousseter la photo où il était avec le Président quand il est entré dans la chambre. Le voyant prêt à partir pour le gala, je lui ai demandé s'il serait à nouveau photographié en compagnie du Président ce soir-là. Il a ri et dit : "Non, le Président ne sera pas présent." J'ai pensé à cette conversation après son départ. Je ne me doutais pas que ce seraient les dernières paroles que nous échangerions.

— Et y avait-il quelqu'un d'autre dans la maison ?

— Non, j'étais seule. J'ai fermé à clé et je suis partie. Puis Casey et Hunter sont rentrés... »

Sa voix se brisa.

Laurie imaginait la scène comme si elle se déroulait aujourd'hui, devant elle. Tout paraissait absolument réel. Elle croyait Elaine quand celle-ci affirmait que la photo encadrée était bien sur la table de nuit au moment où Hunter était parti pour le gala, ce qui signifiait qu'elle commençait à croire que Casey disait peut-être la vérité.

Quelqu'un d'autre se trouvait en même temps qu'eux dans la maison cette nuit-là.

16

Ils étaient chez Alex, attendant avec impatience que soit donné le coup d'envoi. Le match n'avait pas commencé, mais les amuse-gueules étaient déjà servis. Une profusion de chips, de sauces et de crackers disposés sur un buffet du salon. « Je présume que c'est à Timmy que nous devons cette coupe presque vide de popcorns au fromage, dit Laurie.

— J'en ai mangé quelques-uns », dit spontanément Alex.

Il était assis sur le canapé, un bras passé autour de ses épaules.

« Ramon, si Timmy avait le choix, il ne mangerait que des macaronis au fromage et des popcorns au fromage », fit remarquer Laurie.

Le titre officiel de Ramon (choisi par lui-même) était majordome, mais il était aussi l'assistant d'Alex, son cuisinier et son confident. Et, par chance pour Alex et tous ceux qu'il invitait chez lui, il savait à la perfection organiser une réception, toujours capable de composer un menu parfait dans n'importe quelles circonstances.

« Ne vous inquiétez pas. Il n'y a pas que ces bricoles indigestes, répondit Ramon en souriant. J'ai préparé un bon chili de dinde pour le dîner. Puis-je vous servir un verre de chardonnay ? »

Alex avait accueilli Laurie avec un baiser chaleureux. « J'ai l'impression que Ramon te connaît bien, Laurie, dit-il d'un air détaché. Je suis content que tu aies pu venir. Je sais que tu aurais été désolée de manquer une seule action. »

Laurie aimait bien regarder le football, mais elle n'était pas une fanatique inconditionnelle. Elle adorait voir son fils et son père s'enthousiasmer pour le sport et applaudissait toutes leurs équipes favorites. Et quand Alex s'était installé à côté d'elle pour le coup d'envoi et avait passé son bras autour de ses épaules, elle avait trouvé ça plutôt agréable.

À la mi-temps, Timmy suivit sans se faire prier Ramon dans la cuisine afin de préparer sa coupe glacée préférée pour le dessert. Le père de Laurie en profita pour demander comment les choses s'étaient passées dans le Connecticut. « Au moins Casey n'a pas recommencé à faire les magasins, dit-il d'un ton désapprobateur. Aller au centre commercial à peine sortie de prison, ce n'est pas le meilleur coup de pub si on veut que les gens vous plaignent.

— Tu ne comprends pas, papa. Elle n'avait littéralement rien à se mettre sur le dos. »

Laurie entreprit de mettre Alex au courant, mais il l'interrompit immédiatement : « Ton père m'a dit qu'elle était venue te voir. » Sa voix avait un ton bizarre.

« Vu ta réaction, je dirais que papa a clairement

signifié qu'il ne voulait pas que je touche à cette affaire même avec des pincettes de trois mètres. Et j'ai l'impression que toi non plus.

— Excuse-moi, dit Alex. Je ne voulais pas paraître négatif.

— Bon, maintenant que tu as passé plus de temps avec elle, qu'est-ce que tu en penses ? demanda Leo. Elle est aussi folle qu'on le dit ?

— Pas du tout. » Laurie s'interrompit, cherchant les mots appropriés. « Elle est très directe, très réaliste. Elle a exposé très clairement et très ouvertement son histoire, mais sans émotion. Comme l'aurait fait une journaliste ou une avocate.

— C'est parce qu'elle ment, dit Leo.

— Je n'en sais rien, papa. Sa description de son état mental ce soir-là m'a semblé très crédible. Et nous avons la preuve qu'un des souvenirs auxquels Hunter était le plus attaché a disparu de la maison. Pour autant que je le sache, la police ne s'en est jamais préoccupée.

— Tu vois ? Elle t'amène à blâmer la police, exactement comme elle l'a fait pendant son procès.

— Ce n'est pas ce que je veux dire. Personne ne s'est jamais aperçu que la photo avait disparu. Elle l'a réalisé toute seule en voyant de vieilles photos de la scène de crime. J'en ai eu confirmation par la gouvernante de Hunter. C'est chez elle que je suis allée après avoir quitté le bureau ce soir. Alex, tu es resté étonnamment silencieux. As-tu suivi l'affaire à l'époque du procès ?

— Désolé, je pensais que comme je ne faisais plus partie de l'émission...

— Rien d'officiel. J'étais simplement curieuse de connaître ton point de vue », répondit Laurie vivement.

Leo secoua la tête. « Par pitié, Alex, ramenez-la à la raison.

— Les charges qui pèsent sur elle sont très lourdes, fit remarquer Alex. Tu le sais sûrement. Certains jurés ont dit après le procès qu'une écrasante majorité d'entre eux voulaient la condamner pour meurtre. Il y a eu deux voix contre, deux jurés qui ont eu pitié d'elle et ont convaincu les autres d'opter pour l'homicide sans préméditation pour éviter un jury bloqué.

— Qu'est-ce que tu sais de son avocate, Janice Marwood ? D'après ce qu'en disent Casey et sa mère, elle a été catastrophique.

— Je ne la connais pas personnellement, mais à l'époque elle ne m'a pas paru très bonne. Sa défense partait dans tous les sens. D'un côté, elle a tenté de faire croire que la police avait manipulé les preuves pour accélérer l'arrestation dans une affaire très médiatisée. Mais vers la fin, elle a laissé entendre que si Casey était coupable, c'était un crime passionnel. Et pendant ce temps, Casey n'a pas témoigné, privant les jurés d'un récit circonstancié qui les aurait guidés. Fondamentalement, je lui attribuerais un C moins.

— Papa, crois-moi, si je m'intéresse aux déclarations de Casey, je ne les prends pas pour argent comptant. Tu sais comment fonctionne notre émission. Nous examinons chaque participant au microscope. Elle pourrait sortir de là en très, très mauvaise posture.

— Mais sans aller en prison, dit-il. Elle a déjà subi

sa peine. Et s'il se trouve qu'elle l'a tué de sang-froid, on ne peut l'y renvoyer pour meurtre. Elle a été acquittée. Autorité de la chose jugée, n'est-ce pas, Alex ?

— C'est exact. Laurie, elle serait la première personne à participer à ton émission sans avoir à craindre d'être accusée et condamnée au cas où tu découvrirais d'autres preuves de sa culpabilité. »

Il avait raison, mais devait-elle renoncer pour autant ? « Il faut que je me décide rapidement. Brett est sur mon dos. »

Alex avait l'air troublé.

« Tu sembles vouloir dire quelque chose. »

Il secoua la tête, mais il avait toujours l'air lointain. « Je ne foncerais pas tête baissée sous prétexte que Brett me harcèle.

— Sans parler de l'emmerdeur qu'il a engagé comme nouveau présentateur sans me demander mon avis. »

Leo se mit du côté de sa fille, menaçant d'appeler Brett et de lui faire un cours sur la manière de diriger.

« Papa, je suis grande. Je n'ai pas envie de voir mon père appeler mon boss.

— Est-ce que je connais ce type, par hasard ? demanda Alex.

— Peut-être. Il s'appelle Ryan Nichols. »

Alex émit un sifflement. « Un candidat sérieux. Je dois dire que tu pourrais trouver pire.

— Je sais. Sur le papier, il est parfait en tout point. Il a une réputation formidable et un ego à l'avenant. Pour moi, c'est le genre de personne qui embrasse son miroir tous les matins, mais je ne suis pas certaine qu'il soit tout à fait à la hauteur. En outre, il est le neveu du meilleur ami de Brett, donc il y a une bonne dose de népotisme en jeu. Il fallait voir la façon dont Brett regardait Ryan en attendant qu'il donne son avis. J'ai l'impression d'être dépossédée de ma propre émission. »

Elle remarqua qu'Alex détournait les yeux vers la vue de l'East River. Parler de Casey était une chose, mais elle n'aurait pas dû se plaindre de Ryan.

Timmy entra dans le salon avec un banana split. « Maman, Ramon a acheté cinq parfums de glace différents ! C'est fantastique, non ? »

Laurie ne parla plus de son travail pendant le reste de la soirée. Elle ne voulait pas qu'Alex se sente responsable des problèmes qu'elle rencontrait. Mais elle se rendait compte à quel point il lui manquait déjà.

17

Sur le point de presser le petit bouton qui bloquait la porte de sa nouvelle chambre, Casey se ravisa. Elle s'obligea à la laisser légèrement entrouverte.

Maintenant qu'elle était libre, qu'allait-elle faire ? Où une criminelle ayant fait de la prison pouvait-elle trouver du travail ? Sûrement pas dans une maison de vente aux enchères. Elle pourrait essayer d'écrire, mais cela lui amènerait la publicité qu'elle voulait éviter. Un tribunal l'autoriserait-elle à changer légalement de nom ? Beaucoup de questions, peu de réponses.

Elle avait entendu parler de femmes qui étaient retournées en prison après en être sorties, tant il était difficile de s'habituer à la liberté. Elle n'avait jamais pensé qu'elle éprouverait ce sentiment. Mais voilà qu'aujourd'hui elle craignait de dormir la porte ouverte dans la maison de sa mère.

Rien ne lui avait paru aussi pénible que ce tour dans les magasins pour s'acheter des vêtements. Avant de pénétrer dans le centre commercial, elle n'imaginait pas qu'il lui serait aussi éprouvant de marcher parmi la foule. Pas d'uniforme, pas de règles de conduite tacites. Dans le train pour New York le lendemain, elle s'était cachée derrière les pages d'un journal.

Angela et sa mère avaient peut-être raison. Elle pouvait oublier le passé et tenter de commencer une nouvelle vie. Mais où, et en faisant quoi ? Devait-elle changer de nom, partir s'installer au milieu de nulle part, vivre en ermite ? À quoi rimerait ce genre d'existence ? En outre, si elle avait appris une chose durant ces premières journées, c'était qu'elle ne pouvait même pas aller dans un centre commercial d'une banlieue du Connecticut sans être rattrapée par son passé.

Seulement une partie de son passé. Car qui se souvenait qu'elle avait été une brillante étudiante à Tufts, la star de l'équipe de tennis de l'université, la présidente du bureau local des Jeunes Démocrates ? Quelqu'un se rappelait-il qu'elle avait été une des rares personnes à obtenir un job chez Sotheby's dès la fin de ses études ? Et l'éclat de rire de Hunter à leur première rencontre, quand elle avait récité de mémoire le nom de baptême complet de Picasso : *Pablo Diego José Francisco de Paula Juan Nepomuceno María de los Remedios Cipriano de la Santísima Trinidad Mártir Patricio Ruíz y Picasso*. Ou le soir où, la prenant dans ses bras, il s'était mis à sangloter en lui racontant son désespoir à la vue de sa mère en train de mourir d'un cancer du sein, le même mal qui avait emporté la tante de Casey, Robin, à un si jeune âge.

Personne ne gardera jamais un souvenir bienveillant de moi, pensa Casey en ôtant ses vêtements. Elle était un personnage public, une caricature, la chute d'une mauvaise blague.

Elle ne put s'empêcher de penser à Mindy Sampson. C'était elle qui avait inventé la plupart de ses surnoms déplaisants.

À l'heure qu'il était Mindy aurait dû être à la retraite. Elle savait qu'elle avait été remerciée par le *New York Post*, mais ignorait jusqu'à présent qu'elle avait transféré sa chronique sur un blog, *The Chatter*.

Mindy avait peut-être changé de média, mais ses ragots étaient toujours les mêmes. Casey se rappelait que même avant son arrestation, c'était elle qui avait publié cette photo ignoble de Hunter assis à côté de cette misérable Gabrielle Lawson. Le jour de sa parution, j'entendais les autres femmes chez Sotheby's murmurer « je te l'avais dit, je le savais ». *Je t'avais dit qu'elle ne pourrait pas le garder. Je savais qu'ils n'iraient pas jusqu'au mariage.* Tellement de gens étaient jaloux de sa relation avec Hunter, et Mindy se servait de la jalousie pour vendre ses articles.

Et aujourd'hui elle remet ça pour se faire de la pub à mes dépens, s'indigna-t-elle.

Casey enfila son pyjama neuf et s'empara de son portable pour lire les posts concernant sa libération parus sur le site de Mindy Sampson. Du bout du doigt, elle fit défiler l'écran jusqu'aux commentaires. Un frisson familier courut le long de son dos quand elle vit apparaître un nouveau message. *Ce n'est pas un scoop ! Tous ceux qui connaissent Casey savent qu'elle est narcissique. Entre le moment où elle a tué Hunter et celui où elle s'est droguée, elle a probablement pris le temps de soigner son maquillage pour paraître devant les caméras.* L'auteur avait signé d'un surnom : RIP_Hunter – Repose en paix_Hunter.

La pièce était plongée dans le silence et Casey

entendait presque son cœur battre dans sa poitrine. L'heure s'affichait en haut de l'écran. À peine plus de dix heures du soir. Dieu soit loué, il y avait encore une personne à qui elle pouvait téléphoner à toute heure.

Sa cousine répondit presque aussitôt.

« Angela, dit-elle d'une voix étranglée, va sur Chatter.com et tape mon nom. Il y a un autre commentaire horrible sur moi, signé RIP_Hunter. Je suis sûre que c'est Mindy Sampson qui tire ces obscénités de Gabrielle Lawson. Elles veulent me poignarder dans le dos à nouveau. » Elle se mit à pleurer. « Dieu du ciel, n'en ai-je pas assez bavé comme ça ? »

18

Le lundi suivant, les réflexions de Laurie furent interrompues par les voix de Grace et de Jerry qui commentaient leur week-end derrière la porte de son bureau. Jerry avait passé son temps à regarder la totalité des épisodes d'un show télévisé dont elle n'avait jamais entendu parler et Grace avait eu avec un certain Bradley un troisième rendez-vous dont Jerry voulait connaître tous les détails.

Laurie arrivait rarement avant Grace au bureau, encore moins avant ce lève-tôt de Jerry, mais aujourd'hui elle avait l'intention d'annoncer à Brett qu'elle comptait consacrer sa prochaine émission à prouver l'innocence de Casey. Elle avait besoin de préparer ses arguments.

« Alors, vous êtes en train de préparer la liste de mariage ? demanda-t-elle en ouvrant la porte de son bureau.

— Désolée, lança Grace, je n'avais pas remarqué que tu étais là. Tu veux un café ? »

Laurie lui montra son Venti Latte qu'elle avait pris au Starbucks en chemin.

« Pas de mariage, annonça Grace. Et plus de Bradley par la même occasion.

— Mon Dieu, se moqua Jerry, qu'est-ce qu'il a fait de travers celui-là ? »

Grace n'avait aucune difficulté à trouver des admirateurs, qui avaient eux moins de succès avec elle. « Il m'a demandé de l'accompagner à une soirée le week-end prochain. Et avant même de connaître ma réponse, il a précisé qu'il m'offrirait une tenue "appropriée".

— Il est toujours de ce monde ? » demanda Laurie en riant.

Grace sourit : « Je lui ai laissé la vie sauve. Je ne voulais pas devenir le sujet de notre prochaine émission. Mais j'ai bloqué son accès à tous mes réseaux sociaux. C'est désormais un fantôme pour moi. »

Laurie admirait le talent avec lequel Grace gérait ses flirts dans l'univers parfois impitoyable des amours modernes. Elle-même, avant de rencontrer Greg, n'avait jamais été très à l'aise dans ce domaine. Rien n'était plus lamentable, selon elle, qu'un rendez-vous raté. En attendant, la plupart des aventures qu'elle pensait bien engagées se délitaient. À l'inverse, Grace voyait toujours le bon côté des choses. Tout fiasco était un prétexte pour raconter une bonne histoire. Et par-dessus tout, elle s'aimait comme elle était et c'était la seule chose qui comptait.

« À propos de notre prochaine émission, dit Laurie. Je voudrais préparer le terrain avec vous avant de présenter le pitch à Brett. Vous me direz ce que vous en pensez. »

Ils prirent une chaise. « On est tout ouïe », dit Grace.

Laurie avait passé tant de temps à peaufiner ses arguments qu'elle exposa sans difficulté les preuves qui jouaient en défaveur de Casey ainsi que les nouvelles informations recueillies depuis sa rencontre avec elle.

Quand elle eut fini, Jerry applaudit. « Formidable ! Après tout, je ne suis pas certain que nous ayons besoin d'un nouveau présentateur. »

Grace leva un doigt sévère. « Ne t'immisce pas entre moi et ce Ryan Nichols. Ce pourrait être dangereux pour toi, mon ami. »

Après avoir vu Ryan, Laurie doutait fort qu'il prenne le badinage de Grace avec autant d'humour qu'Alex. « Je t'en prie, Grace, tâche d'éviter d'exercer tes charmes sur notre nouvel invité. D'autant que tu risques de ne pas le trouver tellement à ton goût une fois que tu l'auras rencontré.

— Oh oh, on dirait que tu l'as déjà dans le nez, fit remarquer Grace.

— Raconte, la pressa Jerry, cherchant à en savoir plus.

— Oubliez tout ça. J'aurais mieux fait de me taire… Alors qu'en pensez-vous ? Cette affaire convient-elle pour notre émission ? »

La première fois que Laurie avait vu Jerry, c'était un stagiaire timide et maladroit, essentiellement chargé d'aller chercher les sandwichs des producteurs pour le déjeuner. Au fil des années, il avait grandi, mais aussi et surtout mûri. Il ne rentrait plus les épaules, comme avant, embarrassé par sa silhouette dégingandée.

À l'origine, *Suspicion* avait démarré comme le bébé de Laurie, mais c'était désormais un projet d'équipe. Jerry avait le talent de transformer un sujet de presse écrite en une émission télévisée visuellement captivante. Et Grace n'avait pas sa pareille pour tester l'audience, capable d'anticiper en une seconde les réactions des téléspectateurs.

Jerry prit la parole en premier : « Tu me connais, je pense en priorité au cadre de l'émission. J'aime beaucoup l'idée de recréer le gala du Cipriani. Luxueux et élégant. Puis, la transition vers le décor pastoral de la maison de campagne du Connecticut sera spectaculaire. Du point de vue de la production, ça marche. La famille Raleigh et Casey elle-même nous assurent un record d'audience. Je suis plus sceptique sur les questions financières concernant la fondation. Ça risque d'être difficile à expliquer. Que savons-nous de plus au sujet de l'ancien directeur financier ?

— Il s'appelle Mark Templeton, expliqua Laurie. J'ai fait des recherches dans la presse. Lorsqu'il a démissionné, un journaliste a consulté les documents publics de la fondation et a remarqué que ses actifs avaient pas mal diminué au cours des dernières années, suggérant qu'il pouvait y avoir un lien entre son départ et l'assèchement des finances. Mais le père de Hunter, James, a rapidement mis un terme aux spéculations en déclarant que les donations avaient diminué depuis le meurtre de Hunter. Il a engagé un nouveau collecteur de fonds ainsi qu'un nouveau directeur financier et depuis, l'entreprise semble remise sur pied. Quant à Templeton, il dirige désormais Holly's Kids.

— C'est quoi ? demanda Jerry.

— Une association à but non lucratif qui héberge les adolescents sans logis. Le groupe semble solide, mais il y a un intervalle de huit mois entre le départ de Templeton de la fondation Raleigh et son arrivée à Holly's Kids. Peut-être une simple pause dans sa vie professionnelle, ou bien le signe que ces rumeurs ont laissé des traces sur son CV. Je lui ai laissé un message vendredi, mais je n'ai pas eu de réponse. »

Grace était restée inhabituellement silencieuse.

« Tu as l'air préoccupée, lui dit Laurie.

— Je serais nulle au poker. Je suis incapable de dissimuler mes pensées. Bien, je vais vous dire ce que je crois : Casey Carter est tarée. Ça se voit dans ses yeux. Même à cette époque, j'avais dit à ma mère "Maman, cette fille a des yeux de dingue". »

Jerry éclata de rire. « Grace, nous étions des mômes au moment de cette histoire.

— Peut-être, mais je savais déjà reconnaître une foutue peste, crois-moi. Elle avait un bel avenir devant elle. La future Mme Hunter Raleigh III. Elle avait sûrement son trousseau prêt pour la cérémonie. Et puis elle a tout foutu en l'air lors du gala, et il l'a laissée tomber dès leur retour à la maison. Fin de l'histoire.

— Et la photo qui a disparu ? s'exclama Laurie. Tu n'as pas trouvé cela convaincant ?

— Elle la lui a probablement jetée à la figure alors qu'ils se disputaient, a nettoyé les débris et enterré la photo dans les bois avant de composer le 911, ou bien elle l'a gardée en souvenir, après avoir zigouillé son mec. »

Jerry n'était pas convaincu. « Alors pourquoi avoir

attendu jusqu'à aujourd'hui pour évoquer sa disparition ? Son avocat aurait pu l'utiliser pour créer un doute raisonnable au tribunal. »

Ils furent interrompus par la sonnerie du téléphone du bureau de Laurie. Grace répondit : « Bureau de Mme Moran. » En raccrochant, elle dit : « Quand on parle du loup… : la réception nous informe qu'une certaine Katherine Carter et qu'Angela Hart désirent vous voir. »

19

« Laurie, vous nous suivez ? »

La question venait d'Angela. Laurie se surprit à regarder Casey, se souvenant du commentaire de Grace au sujet de ses « yeux fous ». Elle avait lu beaucoup d'intelligence dans les yeux de Casey, de l'humour, et maintenant elle croyait y voir briller une lueur inquiétante.

« Excusez-moi, dit-elle. Je vous suis. Cela fait beaucoup à ingurgiter. »

Casey et Angela étaient arrivées dans le bureau de Laurie avec les impressions papier des commentaires diffusés sur Internet pendant le week-end suivant la sortie de prison de Casey. Le premier était apparemment apparu sur un site de ragots intitulé *The Chatter*. Il était signé : « RIP_Hunter. » « J'ai trouvé quatre autres commentaires de RIP_Hunter postés sur d'autres sites, releva Casey. Ils disent tous plus ou moins la même chose : je suis une narcissique qui a tué Hunter afin que personne ne sache qu'il était sur le point de me quitter. »

Angela posa une main protectrice sur le genou de Casey. « Il ne sort jamais rien de bon de la lecture des commentaires sur Internet.

— Mais comment ne pas les lire ? rétorqua Casey. Regarde ce qu'ils racontent sur moi. J'ai l'impression de revenir quinze ans en arrière. Que tout recommence.

— Sauf que ton procès est terminé, lui rappela Angela. Tu es libre. Qui se soucie des opinions d'un troll Internet ?

— Moi, Angela. Moi. »

Malheureusement, Laurie n'y connaissait pas grand-chose en matière de « trolling » sur la Toile. Quelques années après la mort de Greg, elle avait fait l'erreur de consulter un site où des détectives amateurs glosaient sur des meurtres non élucidés. Elle n'avait pas pu dormir pendant une semaine après avoir lu les réflexions d'inconnus convaincus qu'elle avait engagé un tueur à gages pour éliminer son mari sous les yeux de leur fils de trois ans ! Laurie revint sur les commentaires que Casey avait imprimés à son intention.

Tous ceux qui connaissent Casey... Nous avons tous peur de parler aux journalistes, au cas où elle s'en prendrait à nous aussi...

« Il – ou elle – parle comme s'il vous connaissait personnellement, fit remarquer Laurie.

— Exactement, acquiesça Casey. Et c'était aussi le cas à l'époque.

— Que voulez-vous dire ?

— Lors de mon procès, la couverture des actualités sur Internet était un phénomène assez récent. La plupart des gens tiraient leurs informations de la presse écrite et de la télévision. Mais il y avait des forums de discussion à mon sujet. Je vous laisse imaginer le

118

ton de la plupart d'entre eux. Mais voilà le plus éton-nant : quelqu'un postait, en prétendant me connaître personnellement, des informations soi-disant de pre-mière main selon lesquelles j'étais coupable. Et elles étaient toutes signées "RIP_Hunter".

— Pourquoi supposez-vous qu'il s'agissait d'un ou d'une inconnu(e) ? demanda Laurie.

— Personne me connaissant n'aurait pu dire une chose pareille, parce que c'est faux.

— Même pas quelqu'un qui ne vous aimait pas ? »

Casey haussa les épaules : « C'est possible. Ou alors une personne obsédée par Hunter. Les commentaires ne tarissaient pas d'éloges sur lui, il était merveilleux, il aurait fait un excellent maire, voire un bon président des États-Unis. Selon eux, je lui avais non seulement volé son avenir, mais aussi tout le bien qu'il aurait apporté à la société. Dans la nuit d'hier, j'ai essayé de retrouver ces vieux messages, mais je ne suis arrivée à rien. Si Hunter était harcelé par quelqu'un, il ou elle aurait très bien pu acheter une entrée pour le gala. C'est peut-être l'individu qui m'a droguée et nous a suivis ensuite jusqu'à la maison. Hunter a peut-être utilisé son arme pour se défendre et les choses ont mal tourné.

— Y a-t-il un moyen de prouver que quelqu'un portant le même pseudonyme vous trollait durant votre procès ? demanda Laurie.

— Je n'en suis pas sûre, répondit Casey. J'en ai parlé à mon avocate. Un des jurés a même eu accès à un des pires commentaires. Il a envoyé une note à ce propos au juge. »

C'était la première fois que Laurie entendait parler de note au juge. « Que disait cette note ?

— Le juré disait que sa fille suivait le procès sur Internet et essayait d'en discuter avec lui. Il lui expliquait qu'il ne devait parler à personne avant la fin du procès, mais sa fille avait laissé échapper que quelqu'un affirmait sur Internet que j'avais avoué. Le message disait en substance : "Casey Carter est coupable. Elle me l'a dit. C'est pour cette raison qu'elle ne veut pas témoigner." Et bien sûr, c'était posté par RIP_Hunter. »

Laurie n'était pas avocate, mais elle était convaincue que le fait qu'il ait eu vent d'un tel article aurait suffi à faire répudier un juré. Cela aurait même pu entraîner l'ajournement du procès.

« C'est terriblement préjudiciable, dit-elle. Les jurés ne sont pas censés lire des informations venant de l'extérieur, ni former des hypothèses sur les raisons qui poussent l'accusé à ne pas témoigner. Sans parler du fait que l'auteur du post affirmait que vous aviez avoué.

— Ce que je n'ai absolument pas fait ! s'exclama Casey.

— Je n'ai vu aucune communication de juré dans les documents que vous m'avez transmis. » Elle n'aurait certainement pas oublié une note telle que celle décrite par Casey. « Le juré a-t-il été révoqué ? Et votre avocate a-t-elle demandé un ajournement ? »

Indignée, Angela bondit : « Vous parlez de cette *soi-disant* avocate, Janice Marwood ? Elle n'a rien fait. Le juge avait lu l'ensemble des instructions destinées à la totalité des jurés, leur rappelant qu'ils devaient éviter toute influence extérieure et rester concentrés sur les seuls témoignages admis dans la salle d'audience. Et lorsque Casey a fait part de son étonnement à Janice, celle-ci lui a répondu qu'elle devait lui faire davantage confiance et cesser de mettre en doute chacune de ses décisions stratégiques. Mais de quelle stratégie parle-t-on ? »

Laurie se souvint de l'opinion qu'avait exprimée Alex sur Janice Marwood. Et par la même occasion que Casey avait accepté de signer une décharge de confidentialité qui lui permettrait de contacter Marwood directement et d'avoir accès au dossier. Elle ouvrit brièvement la porte de son bureau et demanda à Grace de préparer avec Jerry les papiers à faire signer à Casey pendant qu'elle était présente.

Étant donné le cirque médiatique suscité par le procès de Casey, Laurie ne s'étonnait pas que quelques cinglés fassent sur Internet des allégations extravagantes sous couvert d'anonymat. Elle était, en revanche, plus troublée par le retour de celui ou celle qui se dénommait RIP_Hunter. L'usage constant du même pseudonyme pouvait être intentionnel, destiné à perturber psychologiquement Casey. Si tel était le cas, c'était réussi.

Laurie referma la porte.

« Casey, savez-vous si votre avocate a enquêté sur ces posts ?

— Qui sait ? dit-elle avec regret. Avec le recul, je réalise que je lui ai fait trop confiance. Je me demande si je ne me serais pas mieux défendue seule. »

Il y avait sûrement un moyen de retrouver les anciens posts rédigés pendant le procès. La Toile n'oublie rien, dit-on. Laurie notait de demander leur aide aux informaticiens des studios quand elle se rendit compte que l'heure tournait.

« Je regrette de devoir vous quitter si vite, mais j'ai une réunion avec le directeur. Si vous avez un peu de temps, Grace va vous transmettre quelques papiers à signer. Le premier est la décharge de confidentialité dont nous avons parlé. Le second est notre accord standard de participation. Il y en aura un également pour vous, Angela, étant donné que vous avez vu Hunter et votre cousine à peine quelques heures avant le meurtre. »

Un silence embarrassant tomba entre Casey et Angela. « Je croyais…, commença Angela.

— Angela, l'interrompit Casey, j'ai besoin de ton soutien dans cette affaire. Tu m'as demandé d'attendre quelques jours. Je l'ai fait. Je suis plus décidée que jamais. Je t'en prie. »

Angela saisit la main de Casey et la pressa brièvement. « Bien sûr. Ce n'est pas la décision que j'aurais moi-même prise mais je ferai mon possible pour t'aider.

— Génial ! s'exclama Laurie. Casey, j'aimerais également avoir une liste des gens qui vous connaissaient, vous et Hunter, en tant que couple.

— Eh bien, il y a Angela évidemment. Et le frère de Hunter, Andrew, je suppose qu'il dira des horreurs sur mon compte. Il fut un temps où j'avais l'impression de connaître tout le monde à New York, mais j'ai perdu mes amis les uns après les autres. Lorsque vous êtes arrêtée pour meurtre, on vous considère comme une paria. » Soudain, les yeux de Casey s'illu-

minèrent. Elle se tourna vers Angela. « Et Sean ?
Nous sortions souvent à quatre. Au début, on était
tous mal à l'aise. »

Le petit rire qui s'ensuivit signifiait qu'il s'agissait
d'un *private joke*. Les deux femmes semblaient très
complices. Casey avait peut-être passé quinze ans en
prison, mais elles restaient soudées comme si elles
n'avaient jamais été séparées. Casey se pencha en
avant comme si elle s'apprêtait à révéler un secret :
« Angela ct Hunter sortaient en couple avant que je
le rencontre. »

Angela rit. « Couple est un bien grand mot. Il s'agissait seulement de quelques rendez-vous. Un genre de
relation platonique. Si je n'avais pas de petit ami et
que j'avais envie d'être accompagnée à une soirée,
s'il était libre, il venait. J'en faisais autant pour lui.

— Vraiment ? interrogea Laurie. Et ça se passait
avant ou après la rencontre avec Casey ?

— Oh là là, bien avant. Casey avait terminé ses
études à Tufts et s'était installée à New York. Deux
ans plus tard, elle m'a dit qu'elle voyait un homme
formidable qu'elle avait rencontré chez Sotheby's.
Quand elle m'a dit qu'il s'agissait de Hunter Raleigh,
elle a probablement été sidérée en apprenant que j'étais
sortie quelquefois avec lui. De toute façon, ce n'était
pas très important. On disait en manière de blague
que Hunter et moi aurions formé le pire des couples.
Avec Sean, en revanche, c'était sérieux. Nous aurions
pu nous marier, dit Angela d'un air songeur. Mais
j'ignore totalement comment le joindre désormais.

— Ne vous en faites pas, dit Laurie, nous sommes
d'excellents limiers. Quel est son nom de famille ?

— Murray, répondit Angela. Alors, toutes ces questions signifient-elles que vous comptez utiliser le cas de Casey dans le prochain épisode de *Suspicion* ?

— Je ne peux rien promettre avant d'en avoir parlé avec mon boss. Mais je peux vous dire que je compte présenter officiellement votre histoire pour notre prochaine émission, Casey.

— Vraiment ? » Casey se leva d'un bond et faillit renverser Laurie en l'étreignant. « Merci. Et merci à toi, Angela, d'avoir tout arrangé. C'est mon premier espoir depuis quinze ans. »

Il n'y avait aucun signe de folie dans ses yeux brillants de larmes, pensa Laurie.

20

Laurie n'aurait pas dû être étonnée de voir Ryan Nichols déjà installé sur le canapé de Brett lorsqu'elle arriva à la réunion. Il semblait de jour en jour plus à son aise. Si ça continue, pensa-t-elle, la semaine prochaine il aura un lit et une table de chevet dans un coin. Elle avait toujours du mal à croire que Brett avait engagé le neveu de son meilleur ami pour l'émission.

« Ryan, comment vous débrouillez-vous pour jongler avec votre agenda et trouver du temps à nous consacrer ? J'imagine que Brett vous a raconté que nous avons perdu notre précédent présentateur, Alex Buckley, parce qu'il était pris entre son activité d'avocat et les impératifs de la production.

— Brett ne vous a pas mise au courant ? J'abandonne momentanément mon activité d'avocat. J'ai signé un contrat exclusif à plein temps avec les studios Fisher Blake. En plus de *Suspicion*, je vais participer aux autres programmes d'information, donner des conseils juridiques dans les émissions de divertissement lorsque des célébrités ont des problèmes avec la justice, ce genre de choses. Si ça marche, je pourrais même produire ma propre émission. »

Il dit cela comme si lancer un show télévisé n'était

qu'un passe-temps. *Si je joue dans le sable, j'arrive-*
rai même à construire mon propre château.

Brett lui fit signe de prendre un siège auprès de
Ryan. « Je dois avouer, Laurie, que je vous reproche
de vous cramponner à vos principes de journaliste
sans tenir compte de la nécessité de faire de l'Audimat mais que vous avez décroché le jackpot cette
fois-ci. La Belle au bois dormant fait de nouveau les
gros titres des médias et, jusqu'à preuve du contraire,
elle n'a parlé qu'à vous.

— À aucun autre journaliste. Seulement à sa
famille.

— Vous en êtes sûre ? Je ne compte plus le nombre
de fois où nous avons été grillés par nos sources qui
juraient que nous étions leur seul interlocuteur.

— J'en suis tout à fait certaine, Brett. Casey quitte
à l'instant mon bureau avec sa cousine et j'ai sa
parole. Elle accepte de participer si nous décidons de
choisir son histoire.

— Sa parole ? » dit Ryan d'un ton sceptique. Le
coup d'œil agacé que se lancèrent les deux hommes
était éloquent. « A-t-elle signé un accord ?

— En réalité, Ryan, elle est en train de le signer
en ce moment même. Vous avez besoin que je vous
fournisse une copie ? Un des plus gros défis de cette
forme d'émission est de gagner la confiance de nos
participants afin qu'ils coopèrent pleinement. J'y travaille depuis le tout début. Obtenir sa signature représente beaucoup pour moi.

— Ne montez pas sur vos grands chevaux, dit
Brett. Je sais que vous avez un *attachement particu-*

lier pour vos sujets. Qu'avez-vous trouvé à propos de la photo disparue ? »

Elle leur raconta son rendez-vous du vendredi soir avec Elaine Jenson, qui se souvenait précisément d'avoir vu le cadre sur la table de nuit de Hunter avant qu'il se rende au gala.

Brett parut satisfait, mais Ryan intervint : « Ça ne prouve rien. La police n'a répondu à l'appel du 911 qu'après minuit. Pour ce que nous en savons, le cadre a très bien pu être brisé au cours d'une dispute et Casey s'est débrouillée pour nettoyer les débris avant d'appeler la police. Elle utilise maintenant cette histoire pour faire diversion. »

Grace avait opposé le même argument.

« Alors pourquoi ne pas avoir usé de cette diversion lorsque son procès a commencé à mal tourner pour elle ? demanda Laurie pour la forme. Tout simplement parce que ce n'est pas une diversion. Quand elle m'a contactée, elle m'a dit qu'à l'époque du procès elle ignorait que la photo avait disparu. »

En voyant le regard que Brett lançait à Ryan, Laurie s'attendait au pire, jusqu'à ce qu'il dise : « Je suis d'accord avec Laurie. On peut trouver une explication à cette disparition, et elle est suffisamment intriguante pour tenir le public en haleine. C'est un nouvel élément. Tout comme l'espèce de charabia financier avec l'ami de la fondation. Cela permet à l'émission de ne pas être une resucée d'un procès vieux de quinze ans, et c'est tout ce qui compte. Mais attention, Laurie : Mindy Sampson blogue vingt-quatre heures sur vingt-quatre sur tous les faits et gestes de Casey. Casey est la coqueluche des médias en ce moment, mais les cycles de l'information ont la vie courte. Ce sera vite de l'histoire ancienne, alors nous devons tourner l'émission rapidement. »

À chaque épisode de *Suspicion*, Brett espérait voir grimper l'Audimat tout en s'acharnant à raccourcir les délais. À la différence des émissions précédentes, le jugement avait déjà eu lieu, ce qui permettait à Laurie de travailler sur les minutes du procès et lui donnerait une certaine avance. « Je commencerai le tournage dès que possible, dit-elle.

— La famille Raleigh est-elle partante ? demanda Brett. Difficile d'imaginer l'émission sans eux. »

Jusqu'à présent, Laurie s'était félicitée d'avoir toujours obtenu la participation de la famille de la victime. « Je n'en sais rien. J'ai laissé plusieurs messages au père de Hunter, mais je n'ai pas eu de retour. Que son assistante, Mary Jane, soit sur la liste des suspects élaborée par Casey ne nous aide pas. Mais j'ai rendez-vous cet après-midi avec le frère, Andrew.

— Très bien. Si vous arrivez à avoir quelqu'un de la famille, vous avez le feu vert. »

Alors qu'elle sortait du bureau, Laurie entendit Ryan dire : « J'ai bouclé un cas de fraude massive en une semaine. Nous devrions être capables de résoudre cette affaire. »

Elle se demanda quand l'autre moitié du « nous » allait commencer à justifier son salaire.

21

Andrew Raleigh avait demandé à Laurie de le retrouver à quinze heures quarante-cinq sur la 78ᵉ Rue Est, à l'ouest de Park Avenue. Elle arriva devant une maison trois fois plus large que toutes les autres. L'entrée était protégée par une lourde grille métallique noire surmontée d'une caméra de surveillance. Elle s'ouvrit à son premier coup de sonnette.

Elle était à moins de mille cinq cents mètres de son propre appartement sur la 94ᵉ Rue, mais dans un univers totalement différent. Ce pâté de maisons était l'un des plus prestigieux de tout Manhattan, habité par des familles dont le nom figurait sur les bâtiments des universités, les halls des théâtres et les murs des musées.

La femme qui vint ouvrir la porte d'acajou ornementée était vêtue d'un tailleur bleu marine impeccablement coupé et d'un chemisier de soie blanche. Ses longs cheveux noirs étaient serrés en queue-de-cheval sur la nuque. Laurie se présenta et dit qu'elle avait rendez-vous avec Andrew Raleigh.

« Je suis Mary Jane Finder, l'assistante du général James Raleigh. Andrew est au deuxième étage, dans la bibliothèque Kennedy. Il vous attend. Je vous accompagne. »

Non seulement cette maison avait une bibliothèque, mais une bibliothèque dotée d'un nom. Ces gens vivaient assurément dans un autre univers.

Laurie s'arrêta au pied de l'escalier et laissa le silence s'installer. Elle avait appris que, confrontés au silence, la majorité des gens continuaient de parler. Mais cette femme ne rentrait pas dans cette catégorie. Laurie avait contacté le général à deux reprises, le vendredi après-midi et le matin même. C'est Mary Jane Finder qui lui avait répondu à chaque fois, assurant qu'elle transmettrait le message, sans pour autant pouvoir promettre qu'il rappellerait. Laurie était à côté d'elle aujourd'hui et pourtant, Mary Jane ne fit aucune allusion à ses tentatives précédentes de joindre Hunter père.

La cinquantaine, toujours très séduisante, elle avait probablement le même âge que Hunter lorsqu'elle avait commencé à travailler pour la famille. Laurie se demandait si elle avait toujours été aussi sévère.

Pendant le week-end, Laurie avait lu un portrait du cadet de Hunter, Andrew, où on le décrivait comme « une forte personnalité ». Quand il l'accueillit dans la bibliothèque Kennedy, elle comprit à quel point ce qualificatif lui convenait. Plus d'un mètre quatre-vingt-cinq, genre armoire à glace avec un cou de taureau, il était le contraire de son frère mince et athlétique. Ses mains avaient la taille des gants de base-ball de Timmy. Sa chemise ample, à motifs tropicaux colorés, et son large pantalon n'étaient pas dans le ton de la maison.

130

Même sa voix était forte. « Merci beaucoup d'être venue jusqu'ici, madame Moran, dit-il. Puis-je vous appeler Laurie ?

— Je vous en prie. »

Elle contempla les bibliothèques lambrissées, le tapis persan et les draperies ornant les fenêtres. « Cette pièce est magnifique, dit-elle spontanément.

— Ce vieux mausolée ? C'est l'endroit préféré de mon père. Personnellement, je préfère Lower Manhattan, mais mon loft est en travaux de rénovation. J'aurais pu m'installer à East Hampton en attendant, mais il y fait déjà froid. Ou aller dans notre maison de Palm Springs, ou dans mon appartement à Austin. Bon, vous n'avez certainement que faire des biens immobiliers de la famille Raleigh. »

Laurie décela un léger accent du Sud assez inattendu chez un membre d'une famille typiquement new-yorkaise. Mais l'allusion d'Andrew à un appartement à Austin lui rappela qu'il avait fait des études à l'Université du Texas. Peut-être avait-il adopté cet État comme deuxième – voire troisième ou quatrième – patrie.

Mary Jane s'était éclipsée. « Mme Finder m'a dit qu'elle était l'assistante de votre père. Est-elle à son service depuis longtemps ?

— Une vingtaine d'années. Mais entre vous et moi, cette femme me donne la chair de poule. Pas sûr que du sang chaud coule dans ses veines, si vous voyez ce que je veux dire.

— Je lui ai parlé au téléphone quand je cherchais à joindre votre père. C'est curieux qu'elle ne m'en ait rien dit en me voyant.

— Mary Jane est fermée comme une huître. Mon père la tient occupée matin et soir, contrairement à moi. Lui, il conseille des candidats politiques, siège à des douzaines de conseils d'administration, écrit ses mémoires. Alors que moi, j'aime pêcher et boire des bières. À propos, voulez-vous quelque chose ? Il n'y a pas d'heure pour l'apéro. »

Laurie déclina l'offre et Andrew s'assit sur une chaise en face d'elle. « Vous comptez sérieusement revenir sur la mort de mon frère dans votre émission ? Je dois vous dire que je n'en vois pas l'intérêt.

— Comme vous l'avez sûrement remarqué, l'histoire de votre frère intéresse toujours autant les médias et l'opinion publique. Le jury a condamné sa fiancée pour homicide involontaire, alors que beaucoup d'observateurs estimaient qu'elle aurait dû l'être pour meurtre. Par ailleurs, Casey n'est jamais revenue sur sa version des faits.

— Selon laquelle quelqu'un l'avait droguée avec des pilules qu'on a retrouvées ensuite par hasard dans sa trousse de maquillage.

— Elle affirme que n'importe quel invité a pu glisser quelque chose dans son verre. Et quand elle est rentrée avec Hunter à la maison et s'est endormie comme une masse, la même personne a pu facilement dissimuler ces cachets dans sa trousse et faire croire à sa culpabilité.

— À moins qu'elle ne mente.

— C'est réellement ce que vous pensez ? demanda Laurie. Que Casey a tué votre frère ?

— Je ne le pensais pas au départ. J'aimais beaucoup Casey. Et puis zut, si je l'avais rencontrée avant

132

Hunter j'aurais pu lui faire du gringue. Elle était beaucoup plus drôle que son genre de copines habituelles.

— Il aimait un genre particulier de femmes ? »

Andrew haussa les épaules. « Superbes mais rasoir. Bien pour une sortie ou deux, une photo sur le tapis rouge, mais toutes interchangeables. Pas Casey. Cette fille était du vif-argent.

— Je ne suis pas sûre de bien vous comprendre.

— Oh, elle ne faisait rien d'osé, ce n'était pas son genre. Mais elle avait un sacré tempérament. Alors qu'ils sortaient ensemble depuis deux mois, Hunter est parti passer une semaine dans l'île de Kiawa sans la prévenir. Il ne l'a pas appelée une seule fois, pourtant elle savait parfaitement qu'il gardait toujours son portable sur lui. Elle a su où il se trouvait en tombant sur une photo de lui dans un gala destiné à récolter des fonds pour l'élection d'un sénateur de Caroline du Sud. À son retour, elle a refusé de prendre ses appels téléphoniques. Lorsqu'il est venu frapper à sa porte, elle la lui a claquée à la figure. Aucune femme ne l'avait jamais envoyé balader ainsi. » Andrew rit à ce souvenir. « Elle a réussi à retenir son attention. Hunter est devenu un autre homme. Il était fou d'elle.

— Dans ce cas, pourquoi l'aurait-elle tué ?

— Je vais vous répondre, mais dites-moi d'abord ce que vous savez sur mon père.

— J'ai lu sa biographie. Et je sais qu'il a une assistante qui ne répond pas à mes appels et qui est un vrai vampire », ajouta-t-elle en souriant.

Andrew approuva d'un geste du pouce. « C'est un homme bienveillant mais c'est aussi un général cinq étoiles et le fils d'un sénateur. Très vieille école.

Les hommes de son monde ont des devoirs envers la société. Ils dirigent des fondations et sont au service du public. »

Laurie crut lire la suite dans ses pensées : *Ils ne passent pas leur vie à aller à la pêche et à boire.*

Andrew poursuivit : « Et ce genre d'homme a besoin d'un certain genre de femme à son côté, pas de celles qui vous mènent par le bout du nez – *dixit* mon père. Sans parler des enquiquineuses.

— Faites-vous allusion aux disputes que les témoins ont citées au cours du procès ? »

L'accusation avait fait défiler toutes les connaissances de Casey, leur demandant de raconter les querelles passionnées auxquelles se livraient en public Hunter et Casey.

« Ces deux-là pouvaient débattre de tout et n'importe quoi. De politique, bien sûr. Casey était franchement démocrate. Elle détestait quand Hunter la traitait de hippie de Woodstock. On avait à peine commencé les hors-d'œuvre qu'ils étaient déjà en train de se chicaner. Elle aimait les films de Michael Moore. Il trouvait que les tableaux de Jackson Pollock ressemblaient à des barbouillages de gosse. Ils s'opposaient comme deux sénateurs à une séance du Congrès. La plupart des amis de Hunter étaient déconcertés, comme ils l'ont dit au tribunal. Mais il y a une chose qui leur échappait, ainsi qu'à mon père, c'est que Casey et Hunter adoraient ces joutes verbales. Pour eux, c'était aussi amusant qu'une partie de tennis.

— Se disputer sur le cinéma et l'art ne constitue pas un motif de meurtre.

— Je crois que vous ne voyez pas le vrai problème,

Laurie. Casey n'entrait pas dans le moule. Mon père estimait qu'elle n'était pas assez réservée.

— Excusez-moi, mais à notre époque tout le monde n'attend pas d'une femme qu'elle se tienne en silence à côté de son mari.

— Eh bien, mon père n'est pas tout le monde. Une femme d'homme politique – comme l'étaient ma mère ainsi que ma grand-mère – ne devrait pas oser contredire son mari. En outre, Hunter avait été fiancé à une jeune fille du monde. Ses antécédents familiaux plaisaient beaucoup à mon père et Casey n'était pas de taille à rivaliser.

— Vous avez clairement exprimé que votre père n'appréciait pas Casey.

— C'est un euphémisme. Il a d'abord tenu à ce qu'elle signe un contrat prénuptial en béton, espérant la décourager. Je n'ai pas été surpris lorsqu'elle lui a répondu : "Dites-moi où je dois signer. Je n'épouse pas Hunter pour son milieu ni pour ce qui va avec." Mais mon père ne s'est pas arrêté là. Il s'est activement employé à dissuader Hunter de se marier avec elle.

— Êtes-vous en train de me dire que Hunter prévoyait de rompre ses fiançailles avec Casey ? »

Le procureur avait toujours soutenu cette théorie.

« Je n'en suis pas certain, mais disons seulement que j'étais celui qui décevait mon père. Hunter ne l'a jamais déçu. »

Au risque d'anticiper, Laurie se représentait déjà Andrew à l'écran, avec sa forte personnalité et son accent du Sud. Il était parfait. C'était le genre d'émission qu'elle aurait adoré regarder.

« Vous avez dit que Casey avait violemment claqué la porte à la figure de votre frère parce qu'il ne l'avait pas appelée durant un voyage. Est-ce la seule fois que vous l'avez vue se montrer jalouse ou possessive ?

— Certainement pas. Elle connaissait la réputation de Hunter et n'ignorait pas que ses conquêtes précédentes étaient le contraire d'elle. Je crois qu'elle redoutait toujours le pire. Du coup, elle pouvait se montrer extrêmement jalouse et voulait prouver à tout le monde qu'elle n'était pas qu'un flirt de plus. Elle n'hésitait pas à lui faire des réflexions cinglantes en public comme : "C'est elle ou moi ?" Une de ses piques favorites était : "Est-ce que tu comptes attendre que nous soyons mariés pour cesser de te comporter comme un célibataire en chasse ?" »

Andrew décrivait une facette de Casey que Laurie ne connaissait pas.

« Peut-être avez-vous raison et Casey est-elle coupable. » Laurie réfléchissait à voix haute tout en s'adressant à Andrew. « Notre émission a pour principe d'être impartiale. Nous ne ménageons aucun des intervenants. Et il m'importe que votre famille soit représentée. Je vous donne ma parole que la mémoire des victimes est toujours traitée avec respect. Nous voulons que nos téléspectateurs aient conscience qu'il ne s'agit pas seulement de preuves tirées d'un dossier. Nous voulons qu'ils se souviennent de la valeur des vies perdues. »

Andrew détourna le regard en toussotant. Quand il reprit la parole, son accent du Sud avait pratiquement disparu. « Mon frère était un être humain exceptionnel, Laurie, l'un des meilleurs hommes que j'aie jamais eu l'honneur de connaître. Il était extrêmement brillant. J'ai intégré de justesse l'Université du Texas, mais Hunter était diplômé de Princeton et de la Wharton Business School. Avant sa formidable réussite dans l'immobilier, la fortune familiale n'était que de la menue monnaie. Mais il allait démarrer une nouvelle phase de sa vie. Il voulait se consacrer dorénavant au bien public, conseillant le maire sur la manière de construire des logements sociaux abordables. Notre mère n'avait que cinquante-deux ans quand elle est morte d'un cancer du sein. Je me suis barré aux Caraïbes et me suis saoulé pendant un an, tandis que Hunter transformait la mission de notre fondation en sa mémoire. »

Laurie brûlait de lui poser des questions plus directes. Andrew était plein d'admiration pour Hunter. Mais avoir vécu dans l'ombre d'un frère aussi parfait ne l'avait-il pas rempli d'amertume, comme le prétendait Casey ? Et que savait-il au sujet des éventuelles irrégularités financières de la fondation ? Cependant elle ne voulait pas effrayer le seul membre de la famille Raleigh qui avait daigné répondre à son appel.

« Hunter avait-il l'intention de se lancer dans une carrière politique ?

— Oh, certainement, il en parlait sérieusement – peut-être songeait-il à devenir maire de New York une fois le maire actuel arrivé au terme de son mandat. Il aurait été l'un des rares hommes politiques à se lever le matin en se demandant ce qu'il pouvait faire pour améliorer la vie des gens ordinaires. Hunter était tout bonnement aimé et il le méritait. Et si je suis autorisé à raconter tout cela à vos auditeurs, alors je serais heureux de participer à votre émission. Dites-moi seulement quand et où.

— Nous espérons commencer le tournage prochainement. Nous désirons filmer les six participants à l'émission à la table où ils dînaient la nuit du meurtre. Le Cipriani a déjà donné son feu vert pour la salle de bal, en fonction de leur calendrier. Et on m'a dit que vous aviez hérité de la maison de campagne de votre frère. Pensez-vous qu'il serait possible de…

— C'est comme si c'était fait. En réalité, concernant la salle du banquet, notre fondation continue d'utiliser le Cipriani pour un grand nombre d'événements. Nous en avons un dimanche prochain pour nos donateurs les plus importants. Attention, rien d'aussi fastueux que le gala annuel, mais si vous désirez filmer quelques séquences, je suis sûr de pouvoir arranger ça.

— Vraiment ? Cela nous serait d'une grande aide. »

D'autant que le Cipriani avait indiqué à Jerry qu'ils devaient filmer avant dix heures du matin ou bien attendre au moins deux mois avant de pouvoir utiliser la salle de bal pour une journée.

Elle nota la date que lui avait donnée Andrew, se demandant s'ils seraient prêts à tourner d'ici là. S'il ne tenait qu'à Brett, elle serait déjà en train de filmer. « Je suppose que vous n'avez pas la moindre idée de la décision de votre père. »

Il tendit le cou pour regarder au-delà de la bibliothèque et murmura : « Je parie que Mary Jane ne l'a même pas prévenu de votre appel. Je vais lui en parler. À condition que tout cela ne ternisse pas la réputation de Hunter…

— Bien sûr.

— Alors, je peux probablement le convaincre de s'assoir face à vos caméras. Il travaille comme un forcené en ce moment pour terminer ses mémoires, mais il devrait pouvoir vous consacrer quelques minutes.

— Et Mark Templeton ? J'ai cru comprendre qu'il était l'un des proches amis de votre frère et assistait aussi à la soirée de gala. »

Elle s'abstint évidemment de mentionner les soupçons de Casey concernant l'ancien directeur financier de la fondation familiale.

« Je n'ai pas parlé à Mark depuis des années, mais je vais voir ce que nous pouvons faire.

— Par hasard, pourriez-vous également exercer votre magie sur Mary Jane Finder ? Elle faisait aussi partie des convives et nous cherchons à obtenir le plus de témoins possible. Elle a pu observer le comportement de Casey ce soir-là. »

Il feignit de frissonner d'effroi : « Vos caméras ne pourront peut-être pas capter son image, mais j'essaierai.

— Merci Andrew, votre aide est inestimable. »

La grille noire était à peine refermée que Laurie passa un coup de fil à Brett. « Je vois que vous m'appelez depuis votre portable », fit-il remarquer dès que Dana eut établi la communication. « Vous n'êtes donc jamais dans votre bureau ? lança-t-il d'un ton sarcastique.

— Vous allez être satisfait cette fois. Je sors de la résidence des Raleigh. Le frère est partant et je pense que le père suivra.

— Excellent ! Tant que nous avons l'un d'entre eux, ça devrait marcher. Commencez à faire signer les contrats et établissez le calendrier du tournage. Il faut avancer rapidement. »

Elle s'apprêtait à remettre son téléphone dans son sac quand elle le sentit vibrer. L'écran indiquait un appel de Charlotte.

« Hello, répondit-elle. Que se passe-t-il ?

— J'ai rendez-vous avec Angela pour boire un cocktail. Tu veux te joindre à nous ?

— En fait, je l'ai vue il y a deux heures dans mon bureau. Elle était avec sa cousine. Casey vient-elle aussi ? »

Laurie venait de promettre à Andrew Raleigh de garder un regard objectif sur les faits concernant le meurtre de son frère. Il aurait été déplacé de se montrer en train de faire des mondanités avec la femme qui était accusée de l'avoir tué – et était peut-être même coupable.

« Sûrement pas, répondit Charlotte. Elle a raccompagné Angela chez Ladyform après votre réunion et j'ai pu lui parler. Angela regrettait tellement de l'avoir entraînée dans ce maudit centre commercial que nous l'avons laissée piller le placard des échantillons. Elle doit avoir assez de vêtements de sport pour les vingt prochaines années. J'ai l'impression qu'elle a suffisamment attiré l'attention du public ces derniers jours. Angela lui a fourni une voiture avec chauffeur afin qu'elle n'ait pas à affronter le trajet en train pour regagner le Connecticut. Rejoins-nous au Bar Bouloud, juste après le Lincoln Center. »

Passer un peu de temps avec Angela sans la présence de sa cousine tombait bien. Si Laurie arrivait à gagner sa confiance, Angela pourrait l'aider à obtenir l'approbation de sa tante. « Entendu, à quelle heure ?

— Tout de suite ! »

Laurie consulta sa montre. Seize heures quinze. Comme l'avait dit ce soiffard d'Andrew, de toute façon « il n'y a pas d'heure pour l'apéro ». Elle méritait une récompense. Elle tenait enfin son émission.

22

Andrew Raleigh se servit un scotch au bar roulant installé dans ce que son père et son grand-père avant lui avaient nommé la bibliothèque Kennedy. Laurie Moran avait décliné son offre, mais la seule odeur de cette maison lui donnait envie de boire.

À cinquante-trois ans, il s'étonnait encore de la prétention affichée par sa famille. La bibliothèque Kennedy ? C'est loin d'être un monument digne du National Mall, avait-il envie de crier, plutôt une pièce inutile en haut de l'escalier, remplie de livres destinés à la déco plus qu'à la lecture. Puis, le réconfort de l'alcool aidant, il se dit que cette pièce n'était peut-être pas si *inutile* que ça.

À la vue de son père qui arrivait de l'antichambre de la bibliothèque, il remplit à nouveau son verre. « Alors, j'étais comment, papa ? »

Comme convenu, Andrew avait donné rendez-vous à Laurie ici afin que son père puisse suivre leur conversation depuis la pièce d'à côté. « Tu es déjà ivre, coupa le général d'un ton glacial.

— Pas encore, mais ça va venir. »

Andrew reprit sa place dans le fauteuil à bascule mais le regretta aussitôt. Il était un peu plus grand et plus lourd que son père, pourtant il se sentit soudain tout petit devant le vieil homme de quatre-vingts ans. Le général James Raleigh était vêtu de sa tenue la plus décontractée, c'est-à-dire d'une veste de sport bleu marine, d'un pantalon de flanelle grise et d'une chemise blanche empesée. Pour lui, sortir sans cravate revenait à se promener en pyjama en public. En comparaison, Andrew en avait conscience, sa tenue convenait davantage à l'un de ces casinos qu'il affectionnait tant.

Il pensa en regardant son père : Hunter a toujours été ton fils préféré et tu n'as jamais cessé de me le dire.

Il se souvint du jour, il avait dix ans, où sa mère l'avait trouvé dans sa chambre en train de contempler une photo de lui avec Hunter et son père. Il avait éclaté en sanglots lorsqu'elle lui avait demandé pourquoi il la fixait ainsi. Il avait menti en lui répondant que son père, alors parti en Europe pour une mission militaire, lui manquait. La vérité, c'est qu'il avait rêvé la nuit précédente qu'il ne faisait pas vraiment partie de la famille. Comme son père, Hunter était mince et d'allure sportive, avec une mâchoire carrée et une chevelure épaisse digne d'un acteur de cinéma. Andrew avait toujours été plus mou et enrobé.

Tu m'as toujours traité comme ton gros bébé, pensa-t-il, me comparant à mon frère, le brillant séducteur.

En ce moment son père avait la mine renfrognée, comme souvent en présence d'Andrew. « Pourquoi avoir insinué que c'était moi qui avais incité Hunter à rompre ses fiançailles ? Pourquoi avoir tu que tu étais certain qu'il avait décidé de la laisser tomber comme une vieille chaussette dès qu'ils auraient quitté la soirée ?

— Parce que je n'en étais absolument pas certain, *mon cher père* », répondit-il d'un ton plus sarcastique qu'il ne l'aurait voulu. « Et c'est toi qui le pressais de rompre, malgré son amour pour Casey. J'ai accepté de suivre ton plan à l'époque, mais je ne veux pas risquer d'être pris en train de mentir sur une chaîne de télévision nationale. »

Malgré ce qu'il avait dit à Laurie, Andrew n'avait aucune envie de l'aider à monter son émission. Si ce n'avait tenu qu'à lui, il aurait usé de son charme naturel, écouté sa présentation avant de décliner poliment l'invitation. C'était, selon lui, ce que toute famille normale aurait fait. Pas la peine de ressasser les vieux souvenirs. Protection de la vie privée, blablabla. Une excuse facile.

Mais les Raleigh n'avaient jamais été une famille comme les autres. Et James Raleigh n'avait jamais choisi la voie de la facilité. Andrew tenta à nouveau de convaincre son père : « Franchement, papa, je ne crois pas que nous devrions nous impliquer dans cette histoire.

— Lorsque tu auras fait quelque chose pour mériter ton nom de famille, tu pourras donner ton opinion », répliqua son père.

Andrew se sentit encore rétrécir dans son fauteuil. « Bon, je ne comprends toujours pas pourquoi tu n'as pas reçu cette Mme Moran toi-même », grommela-t-il, avalant une nouvelle gorgée de scotch.

Il resta interdit lorsque son père lui arracha son verre de la main. « Parce qu'une simple productrice de télévision s'attend à ce que quelqu'un de ma stature rejette son invitation. Je ne veux pas paraître trop pressé d'y participer. Elle pourrait soupçonner que j'ai quelque chose à dire. Mais toi au contraire, avec tes airs de je-m'en-foutiste toujours d'accord avec tout le monde, tu m'es bien utile. »

Son père comprendrait-il jamais que la personnalité n'était pas un air que l'on prend ou quitte au gré de ses envies comme un simple manteau ? Lui revint en mémoire une visite de son père à la Phillips Exeter, juste avant que l'on conseille à Andrew d'aller s'inscrire dans une école « moins exigeante ». Son père avait passé toute la soirée à vanter les talents « de merveilleux maître de cérémonie » de Hunter lors des enchères organisées par les étudiants destinées à financer les études des élèves dans le besoin. Or tout le monde avait oublié de mentionner que c'était lui, Andrew, qui était parvenu à mobiliser autant de bénévoles pour organiser l'événement. Hunter avait beau être l'élève Raleigh qui suscitait l'admiration générale, c'était avec Andrew qu'ils aimaient se divertir.

« En bref, tu es en train de me dire que j'ai l'air assez crétin pour apparaître dans cette émission. Pourtant, si c'est toi qui insistes pour que nous y participions, que dois-je en conclure ?

— Andrew, n'essaye pas de jouer au plus malin. Nous savons très bien tous les deux que ce n'est pas ton fort. Quand comprendras-tu que nous ne pouvons influencer cette émission que de l'intérieur ? Si nous n'y jouons aucun rôle, nous perdons tout moyen de contrôle. Imagine le genre de mensonges que Casey peut raconter sur ton frère. Sur moi. Sur *toi*, bon

145

Dieu ! Si nous nous désintéressons de cette émission, ces types sans foi ni loi diffuseront ce qu'ils veulent sans que nous puissions rien réfuter. Nous devons absolument y participer. Pourquoi penses-tu qu'elle s'intéresse à Mark Templeton ?

— Parce qu'il assistait au gala. Ils ne veulent négliger aucun invité qui aurait pu remarquer le moindre détail. Bon sang, cette nana veut même parler à Mary Jane !

— Tout le monde n'a pas le temps de regarder la télévision, rétorqua James. Mary Jane dira ce que je lui ordonnerai de dire. Elle a toujours été un loyal petit soldat. Mais tu es naïf de croire que l'intérêt de Mme Moran envers Templeton est une coïncidence. Quand j'aurai expliqué à Mary Jane ce que j'attends d'elle, elle dira clairement que j'ai accepté à contre-cœur de suivre ta suggestion. Et mon rôle se limitera à parler de ton frère avec chaleur.

— Et le mien ?

— Plus ou moins similaire. Si tu te mets à déballer cette histoire sordide dans un programme de télé-réalité, cela paraîtra inconvenant. Alors que tu as eu l'air parfaitement naturel en racontant des histoires sur le caractère exubérant de Casey. Quand l'émission passera à l'antenne, Casey Carter regrettera de ne pas être restée en prison. C'est du bon travail, mon fils. Du bon travail. »

Andrew pouvait compter sur les doigts de la main le nombre de fois où son père l'avait félicité.

23

Il y avait longtemps que Laurie n'était pas entrée dans un bar sans être obligée de se frayer un chemin parmi la foule : le Bar Bouloud, un des endroits branchés de la ville, était divinement désert en cette fin d'après-midi. Le bruit de ses talons résonna sous le plafond voûté tandis qu'elle se dirigeait vers le fond de la salle où Charlotte et Angela étaient installées à une table à l'écart. Elles avaient déjà commandé trois verres de vin et un somptueux plateau de charcuterie débordant de prosciutto, de salami, de pâté et autres salaisons que Laurie s'interdisait de manger.

Angela se pencha vers elle : « C'était vraiment adorable de votre part de nous recevoir aujourd'hui Casey et moi sans rendez-vous », dit-elle en lui serrant la main. « Casey m'a appelée la nuit dernière, ces commentaires sur le Web l'ont rendue dingue. » Elle porta la main à sa bouche. « Oh mon Dieu, le mot est mal choisi. Je voulais dire qu'elle était très inquiète.

— On le serait à moins, dit Laurie. Que, quinze ans après, quelqu'un recommence à parler de vous en utilisant le même pseudonyme donne froid dans le dos. C'est la preuve que non seulement cette personne est toujours obsédée par l'affaire, mais qu'elle veut le faire savoir à Casey. Et lui faire sentir qu'il y a quelqu'un quelque part qui la déteste.

— Eh les filles, interrompit Charlotte avec un petit signe de la main, pour moi vous parlez chinois. N'oubliez pas que c'est moi qui vous ai présentées. Soyez sympas, mettez-moi au parfum !

— Pardon, dit Angela. Je ne voulais pas en parler au bureau, en présence de Casey. Elle est tellement bouleversée. »

Elle ne mit pas longtemps à mettre Charlotte au courant des commentaires signés RIP_Hunter.

« Il peut s'agir d'une seule personne qui est obsédée par Casey, observa Charlotte, comme d'un groupe d'individus différents qui utilisent le même pseudo.

— Je ne comprends pas, dit Laurie. Pourquoi un groupe se rassemblerait pour poster des commentaires négatifs sur Casey en feignant d'être une seule et même personne ?

— Ça n'a rien d'une conspiration. Mais je me souviens, lorsque j'étais à l'université et que j'allais sur les forums Internet pour discuter du dernier divorce de telle ou telle célébrité – ne riez pas –, les gens signaient leurs commentaires sous un nom commun, l'Équipe Jennifer ou l'Équipe Angie. C'était une façon d'alimenter les polémiques sur le Net. Même chose avec les candidats politiques aux élections. Aujourd'hui, on a Twitter. Des milliers de gens utilisent le même hashtag pour signaler qui ils soutiennent. Pour autant qu'on le sache, RIP_Hunter est un identifiant commun permettant de "faire campagne" en sa faveur en soutenant la thèse de la culpabilité de Casey.

— Comment savoir ce qu'il en est exactement ? interrogea Laurie.

— Il faut vérifier si c'est le genre de site où les utilisateurs doivent créer un compte avec un identifiant propre ou si tout le monde peut y accéder en utilisant celui de RIP_Hunter. »

Laurie nota mentalement de creuser cet aspect technique du dossier. Elle espérait que l'avocat de la défense s'était déjà penché sur la question à l'époque, ce qui lui éviterait d'avoir à patauger dans un tas de données informatiques qu'elle maîtrisait assez mal.

« Je ne suis pas particulièrement au courant, dit Angela, mais je me suis creusé la cervelle pour imaginer qui pouvait vouloir s'attaquer à Hunter. Or, je me rends compte que Casey a négligé de mentionner deux pistes : d'abord celle de son ex-boy-friend, Jason Gardner. Il était terriblement jaloux. Il paraissait toujours amoureux d'elle, essayait de la reconquérir bien qu'elle fût fiancée à Hunter. Mais après sa condamnation, il l'a tout simplement démolie. Il a même écrit un bouquin minable de prétendues révélations. Ensuite, on peut regarder du côté de Gabrielle Lawson. Une mondaine pathétique sur le retour déterminée à mettre la main sur un homme tel que Hunter. Tous deux étaient présents au gala. Tous deux se sont arrêtés à notre table. Mais je suis vraiment inquiète : si Casey se replonge dans cette histoire, ça risque de tuer sa mère comme ça a tué son père. »

Angela parlait avec une telle fougue qu'elle ne remarqua pas le regard soucieux qu'échangeaient Laurie et Charlotte. « Angela, dit doucement cette dernière, nous devrions peut-être laisser Laurie profiter de sa soirée ? Comment réagirais-tu si elle nous bombardait de questions sur ce défilé qui nous épuise ? »

Bien que Laurie la connaisse depuis peu de temps, ce n'était pas la première fois que Charlotte semblait deviner ses pensées. Elle parlait volontiers de son travail, quelle que soit l'heure, mais il lui paraissait inapproprié d'aborder librement l'enquête en cours en présence d'un membre de la famille de Casey. Avec son tact professionnel, Charlotte avait trouvé une façon polie de changer de sujet.

« Oh bien sûr, s'exclama Angela, penaude, ce n'est plus l'heure de parler boulot. »

Laurie remercia Charlotte en son for intérieur de lui avoir sauvé la mise. « Pas de problème, dit-elle, mais si cela peut vous rassurer, Jason et Gabrielle figurent sur la liste des gens que nous voulons contacter.

— À propos », dit Angela, cherchant un nouveau sujet de conversation, « êtes-vous mariée, Laurie, ou faites-vous partie de notre club de célibataires ? Vous ne portez pas d'alliance. »

Charlotte passa un bras affectueux autour de l'épaule de son amie : « J'aurais dû te prévenir que ma copine était plutôt directe ! »

Laurie percevait l'embarras de Charlotte, mais elle se sentit plutôt rassérénée à la pensée qu'elle n'avait rien dit de sa vie privée. Elle imaginait toujours que tout le monde était au courant de la mort de Greg.

« Je ne suis pas mariée », dit-elle simplement. Cela lui parut une explication suffisante pour le moment.

« Charlotte considère que je ne devrais pas me préoccuper à ce point de trouver quelqu'un. Que je suis très heureuse ainsi, blablabla. Mais j'avoue qu'on se sent un peu seule parfois quand on n'a pas trouvé l'homme de sa vie. »

Charlotte leva les yeux au ciel : « Tu parles comme si tu avais quatre-vingt-dix ans ! Tu es plus belle aujourd'hui, à quarante ans, que beaucoup de femmes rêveraient de l'être.

— Oh bien sûr, je sors beaucoup, ça me fait une belle jambe, poursuivit Angela en riant. J'ai été fiancée à deux reprises, mais dès que la date fatidique approchait, je me demandais si j'avais vraiment envie de voir la tête de ce garçon tous les matins au réveil.

— Laurie n'a rien à apprendre dans ce domaine », dit Charlotte.

Angela mordit à l'hameçon. « Ah oui ? Racontez-moi tout.

— C'est quelqu'un avec qui j'ai travaillé, c'est compliqué.

— Tu penses vraiment qu'il ne changera pas d'avis et ne reviendra pas dans l'émission ? demanda Charlotte. Ça ne sera plus pareil sans cette voix parfaite. » Elle imita la voix profonde d'Alex : « "Bonsoir. Ici Alex Buckley." »

— Non ! s'exclama Angela, bouche bée. Alex Buckley ? Vraiment ? L'avocat ? »

À tout prendre Laurie aurait préféré continuer de parler de l'affaire Casey, néanmoins elle hocha la tête. « Oui, c'est notre présentateur. Du moins, il l'était, répondit-elle de bonne grâce.

— Bon, je dois avouer que je n'ai encore jamais regardé l'émission. »

Charlotte fit mine de lui donner une petite tape :

« Laurie s'intéresse à l'histoire de ta cousine et toi tu ne t'intéresses même pas à son émission ?

— J'avais l'intention de la voir en streaming ce week-end. Bien sûr, je mourais d'envie de regarder celle du mois dernier qui concernait l'histoire de ta sœur, mais tu m'avais dit préférer que les gens du bureau ne la voient pas, qu'il s'agissait d'une affaire familiale.

— Tu n'étais pas concernée, répliqua Charlotte, tu es l'une de mes meilleures amies !

— Vraiment, interrompit Laurie, vous n'avez pas besoin de vous justifier. »

Le silence revenu à leur table, Angela secoua la tête. « Ça alors, Alex Buckley. Le monde est petit.

— Vous le connaissez ? interrogea Laurie.

— Plus maintenant, mais je suis sortie avec lui, il y a une éternité. »

Charlotte secoua la tête : « Pourquoi diable le raconter maintenant ?

— Parce que c'est une drôle de coïncidence. Et c'était il y a plus de quinze ans. De l'histoire ancienne. »

Elle chassa cette pensée d'un geste de la main.

Charlotte avait toujours l'air désapprobateur.

« Quoi ? Laurie, vous n'êtes pas fâchée, n'est-ce pas ? Croyez-moi, c'était sans conséquence, comme avec Hunter.

— Tu veux dire que tu es sortie avec lui aussi ? s'exclama Charlotte, qui se demanda soudain avec qui Angela n'était pas sortie.

— Ce n'est pas ce que tu crois, Charlotte. On ne se connaissait pas à l'époque. Je sortais tous les soirs de la semaine. J'ai fréquenté des joueurs de base-ball, des acteurs, un journaliste du *New York Times*. Tout cela restait très innocent. Nous étions si jeunes, emportés dans le tourbillon d'une vie sociale où il était de bon ton de venir accompagné. Casey l'a dit aussi : elle pensait connaître tout le gratin de la ville. J'ai vécu la même chose à vingt ans. L'impression de marcher sur un tapis rouge. Et lorsque nous étions tous ensemble, nous étions comme des gosses. Une sorte de club informel du Top 100 des New-Yorkais. Rien de sérieux. »

Elle sourit à ce souvenir. « Mais quand même, le monde est petit ! Si je me souviens bien, j'ai rencontré Alex lors d'un pique-nique à Westchester où je m'étais invitée avec Casey et les Raleigh. Je n'avais personne dans ma vie à cette époque. Alex était brillant, beau garçon. Quelqu'un m'a dit qu'il était l'un des avocats du cabinet juridique des gens qui nous recevaient. Nous avons discuté pendant toute la soirée et plus tard, j'ai risqué le coup de l'appeler à son bureau pour l'inviter à déjeuner. Quand nous nous sommes revus, je me suis rendu compte qu'il n'était même pas encore avocat. Il était stagiaire et encore étudiant à la faculté de droit. J'étais plus âgée que lui – tout le monde s'en fiche aujourd'hui, mais à l'époque j'avais l'impression de jouer les Mrs Robinson* ! Quelle erreur quand j'y repense. Regardez ce qu'il est devenu ! »

Quelque chose dans le regard de Laurie arrêta

---

* Femme mûre qui devient la maîtresse d'un jeune homme dans le film *Le Lauréat* (Mike Nichols, 1968).

Angela. « Je devrais garder les histoires de ma jeunesse pour moi, mais j'insiste, c'était juste un déjeuner. Je suis vraiment désolée si je vous ai ennuyée, Laurie.

— Pas du tout, comme vous dites, le monde est petit. Si vous avez connu Alex avec les Raleigh, cela signifie-t-il qu'il les connaît ? »

Angela haussa les épaules. « Franchement, je n'en sais rien. »

Charlotte fit signe au serveur de les resservir, mais Laurie l'interrompit : « Pas pour moi. Je dois filer. J'ai le dîner de mon fils à préparer.

— Tu es sûre ? Tu ne veux pas me voir cuisiner Angela sur la longue liste de ses amants dans les années quatre-vingt-dix ? »

En réalité, si Laurie était maintenant intriguée par le passé de quelqu'un, ce n'était pas par celui d'Angela.

Elle envoya un texto à Alex : « Aurais-tu une minute ? »

24

La plume du stylo Montblanc du général Raleigh hésitait au-dessus de son bloc de papier, mais il avait été incapable d'écrire une ligne de l'après-midi. Il travaillait à ses mémoires, déjà vendus à un important éditeur. Son écriture était aussi nette et ordonnée que les autres aspects de son existence, et Mary Jane n'avait aucune difficulté à lire ses pages et à les dactylographier pour finaliser ce manuscrit. D'habitude, les phrases coulaient sans problème. Il avait eu la chance de mener une vie pleine de défis, excitante et gratifiante. Il avait vu le monde changer et avait mille histoires à raconter. Il savait qu'on le considérait comme un vieil homme à présent, mais il ne se sentait pas vieux.

Il connaissait les raisons de cette panne de l'écrivain inhabituelle. Il essayait d'écrire le chapitre consacré à la perte de son fils aîné, Hunter. Il avait connu tant de deuils dans son existence. Son frère aîné, son héros, son meilleur ami, était mort jeune au combat. Il avait vu l'amour de sa vie et la mère de ses enfants mourir du cancer à petit feu. Puis trois ans plus tard, Hunter -- l'homonyme de son frère – lui avait été enlevé. Cette mort avait été la pire de toutes. Les guerres et les maladies sont atroces, mais attendues, elles font partie de la vie. Perdre un enfant, voir son enfant assassiné – parfois James s'étonnait de ne pas s'être écroulé, mort de chagrin.

Il posa son stylo sur le bureau. Inutile de s'acharner à écrire dans cet état.

Ses pensées s'arrêtèrent soudain sur l'image d'Andrew aujourd'hui, assis, maussade, dans la bibliothèque. James avait conscience d'avoir été dur avec son fils, mais ce garçon était une telle déconvenue. Il a cinquante-trois ans, pensa-t-il, et je le vois toujours comme un petit garçon. Ça explique tout.

Quel savon leur aurait passé le sénateur, comme son frère et lui appelaient leur père, s'ils s'étaient conduits comme si tout leur était permis ! Andrew était totalement irresponsable. Il considérait l'argent d'un point de vue hédoniste, comme quelque chose qu'on pouvait dépenser par caprice, pour le plaisir. Pour faire la fête, blaguer, sauter d'une pension à une autre, s'adonner au jeu. Je suis sévère avec toi, Andrew, parce que tu comptes beaucoup pour moi. Je ne serai pas toujours là pour te guider. Tu seras bientôt le dernier des Raleigh.

Jusque-là, les efforts de James pour aider Andrew à devenir adulte s'étaient soldés par des échecs, comme tous les jobs qu'il l'avait aidé à obtenir. Il avait eu un bureau à la fondation mais on ne l'y voyait presque jamais. James avait fini par lui dire de laisser tomber. Il avait poussé Hunter à s'investir dans la fondation quand il l'avait entendu parler de son nouvel intérêt pour la politique. Cela avait mal fini, et maintenant la fondation était dirigée par des salariés et non plus par la famille.

Les choses n'auraient pas dû se dérouler ainsi. Si Hunter avait vécu, il aurait fini par choisir une épouse convenable et aurait continué la lignée familiale. Il avait peut-être proposé à Casey de lui passer la bague au doigt, mais il ne serait jamais allé jusqu'à l'autel avec elle. Cela, James en était certain.

Andrew ne s'était certes pas montré exigeant dans le choix de ses compagnes, mais au moins il ne les avait jamais exhibées de manière embarrassante pour la famille. On ne pouvait en dire autant de Hunter. Casey avait été son talon d'Achille. James sentit sa tension grimper au souvenir de ce dîner où elle avait entrepris d'exposer avec flamme ses convictions politiques devant un assistant du ministre de la Justice et une représentante du Congrès récemment élue – comme si elle avait fait quoi que ce soit durant son insouciante jeunesse qui lui permette de justifier une opinion. Il avait finalement suggéré à Hunter de la raccompagner chez elle. Cette fille ne savait pas se tenir, tout simplement.

Il s'aperçut qu'il avait inconsciemment repris son stylo. Il regarda son bloc. Il avait écrit : *Je suis responsable.*

Ce n'était pas la première fois que ces mots surgissaient tout seuls. C'est moi qui lui ai dit qu'il ne pouvait pas faire entrer cette femme dans notre famille, pensa-t-il. Je suis même allé jusqu'à lui dire que s'il avait des enfants avec elle, il était hors de question qu'aucun d'entre eux porte le prénom de Hunter.

J'ai servi dans l'armée pendant quarante-quatre

ans. J'ai côtoyé le mal et été confronté au danger sous bien des formes. Mais je ne l'ai jamais vu assis à ma propre table. Je n'ai jamais cru mettre mon fils en danger en le poussant à rompre avec une femme qui ne le méritait pas.

Je suis responsable.

Et maintenant, cette criminelle s'apprête à pleurer devant les caméras pour s'attirer la sympathie du public. Il ne la laisserait pas faire ! Même s'il lui fallait lutter jusqu'à son dernier souffle, le monde entier apprendrait à la voir telle qu'elle était – une meurtrière qui avait tué de sang-froid.

Il avait dit à Andrew que son rôle se bornerait à arborer un visage sévère au cours de l'émission, mais il avait appris une règle dans l'armée : *Une bonne préparation est la clé du succès.* Andrew se chargerait de révéler que Casey était une psychopathe, mais James agirait en coulisses.

Au moins, Mark Templeton ne dirait rien à personne sur Hunter ou sur la fondation. James s'en était assuré plus tôt dans la journée quand il lui avait parlé, pour la première fois depuis presque dix ans.

25

Laurie descendait du taxi devant le bureau d'Alex quand son portable sonna. C'était Jerry. Il était encore au bureau, ce qui n'avait rien d'étonnant. Elle répondit immédiatement.

« Mauvaise nouvelle, dit-il. Mark Templeton t'a rappelée. Il voulait savoir comment se déroulerait l'émission, et Grace me l'a passé. Je lui ai expliqué. J'espère que tu ne m'en veux pas. »

La mauvaise nouvelle annoncée par Jerry signifiait certainement que Templeton ne participerait pas. « Bien sûr que non, Jerry. Je fais confiance à ton jugement. Je présume que c'est non ?

— Malheureusement.

— C'est bizarre, dit Laurie. C'était un ami très proche de Hunter. »

Casey n'avait peut-être pas tort de faire un lien entre la mort de Hunter et l'audit de la fondation.

« Je n'ai pas voulu aborder la question des finances de la fondation sans en avoir discuté avec toi. J'ai dit que nous désirions lui parler de la nuit du gala. Son refus obéit à une certaine logique. Il dit qu'il aimait profondément son ami et que lui-même avait conclu, au vu des preuves, que Casey était coupable. À présent il est à la tête d'un organisme à but non lucratif respectable et estime préférable de ne pas se mêler – je le cite – des élucubrations de Casey.

— Okay, tu as eu raison de ne pas insister. »

Laurie avait pris une décision identique en n'interrogeant pas le frère de Hunter sur les finances de la fondation. Ce serait à Ryan de le faire quand ils tourneraient. Elle espérait qu'ils en sauraient plus alors sur les raisons qui avaient poussé Templeton à démissionner.

Pour le moment, ils avaient d'autres suspects à interroger. « Je viens de m'entretenir avec Angela, la cousine de Casey. Elle m'a dit que Casey avait dit vrai, que Jason Gardner avait bien tenté de lui faire des avances après leur rupture, et même plus tard, quand elle était fiancée à Hunter.

— Sans blague ? Si la moitié seulement des vacheries qu'il a écrites sur elle dans son livre étaient vraies, on imaginerait plutôt qu'il aurait pris ses jambes à son cou dans la direction opposée.

— Je me disais la même chose. »

L'accusation avait essayé de citer Jason comme témoin au procès de Casey pour attester qu'elle était quelqu'un de jaloux et d'instable. Le juge avait décidé que le témoignage dans son cas était une preuve irrecevable. Ce qui n'avait pas empêché Jason d'écrire ce livre qui faisait de Casey une meurtrière, à l'image de la célèbre Lizzie Borden*.

---

* Lizzie Borden fut impliquée dans un double meurtre en 1892 à Fall River, États-Unis.

« Cherchons ce que nous pouvons trouver d'autre à son sujet.

— D'accord, dit Jerry. Tu comptes revenir au bureau avant la fin de la journée ?

— Non. On se voit demain. »

Il fallait qu'elle parle à Alex.

26

Alex accueillit Laurie dans l'antichambre de son cabinet avec un long baiser. Comme elle aimait sentir son corps près du sien. « C'est drôle, dit-il, c'est moi qui viens habituellement te voir dans *ton* bureau, pas l'inverse.

— Pardon de t'avoir prévenu si tard. »

Elle laissa Alex la précéder dans le couloir.

Alex exerçait seul, mais partageait ses locaux avec cinq autres avocats. Chacun avait son assistant personnel, mais ils formaient ensemble un pool de huit assistants juridiques et six enquêteurs. Le tout ressemblait à une petite entreprise, bien que le décor n'eût rien du genre de cabinet juridique que Laurie imaginait. Au lieu de boiseries sombres, de sièges de cuir confortablement rembourrés et de rangées de livres poussiéreux, Alex avait opté pour une ambiance moderne, claire et aérée, pleine de soleil, de vitres et de tableaux colorés. Quand ils pénétrèrent dans son bureau, il s'approcha de la grande baie vitrée qui donnait sur l'Hudson. « C'est l'heure parfaite où le soleil descend sur l'horizon. Le ciel est superbe ce soir, rose et doré. »

Laurie admirait toujours la façon dont Alex prenait le temps d'apprécier des plaisirs qui n'avaient rien d'extraordinaire pour les autres. Elle se demanda soudain si elle ne commettait pas une erreur en venant ici. Sa réaction était peut-être excessive. Elle enviait l'insouciance de Grace dans le domaine des relations amoureuses. C'était un monde qu'elle ne comprenait pas. Elle avait toujours pensé que Greg était l'âme sœur de toute sa vie parce que rien entre eux n'avait jamais été compliqué. « Mais je rends sans doute les choses plus difficiles qu'elles ne le sont. »

« Et qu'est-ce qui me vaut ce plaisir ? » demanda Alex.

Maintenant qu'elle était là, elle ne pouvait pas lui mentir. Il fallait qu'elle dise quelque chose. « L'autre soir, j'ai eu l'impression que tu évitais de me parler de la condamnation de Casey Carter, une condamnation injustifiée selon elle.

— Vraiment ? » Alex paraissait surpris. « Comme je l'ai dit, je n'étais pas sûr de savoir jusqu'où je pouvais m'engager maintenant que je ne fais plus partie de l'émission. Quand tu as insisté pour connaître mon opinion, j'ai fait de mon mieux pour te la donner, en me basant sur mes souvenirs des minutes du procès. »

Il semblait sur la défensive, quelque chose dans son explication sonnait comme un argument juridique. « Et tu m'as conseillé de ne pas écouter Brett, qui me pressait de prendre une décision. En faisant remarquer que Casey n'avait en réalité rien à perdre, contrairement aux cas de nos émissions précédentes.

— Où veux-tu en venir, Laurie ?

— J'ai eu le sentiment que tu cherchais à me tenir à l'écart de cette affaire. Pourquoi ? »

Alex regardait à nouveau par la baie vitrée. « Je ne sais pas d'où tu sors tout ça, Laurie. Nous avons passé une très bonne soirée chez moi l'autre soir, non ? C'était agréable d'être avec toi et ta famille sans être obnubilé par le travail. Tu avais l'air heureuse quand tu es partie. Je me trompe ?

— Non. Mais c'était avant que je découvre que tu fréquentais la cousine de Casey.

— Que je faisais quoi ?

— Bon, *fréquenter* est peut-être un mot trop fort. Mais tu sortais avec la cousine de Casey, Angela Hart, quand tu étais à l'école de droit. Est-ce pour ça que tu ne voulais pas que je prenne cette affaire ? »

Alex parut chercher dans ses souvenirs.

« Y a-t-il eu tant de femmes que tu ne puisses te rappeler celle-là ? Elle était mannequin, bon sang ! La plupart des hommes s'en souviendraient. »

C'était un coup bas et elle le savait. Dans le passé, Alex lui avait assuré qu'il n'avait jamais été un « homme du monde », bien que célibataire et toujours photographié dans les rubriques mondaines avec à son bras une femme superbe. À présent, elle s'en servait contre lui.

« Un mannequin ? Tu veux dire Angie ? Bien sûr, je me souviens vaguement d'elle. Et elle serait la cousine de Casey Carter ?

— Oui. Et l'amie de Charlotte, dont je t'ai parlé. Elle m'a dit que vous vous étiez rencontrés à une réunion de juristes dans les Hamptons. Elle était avec la famille Raleigh. »

Elle le vit fouiller dans sa mémoire. Il semblait sincèrement ne pas avoir fait le rapprochement.

« C'est exact. Le général Raleigh assistait à ce pique-nique. Tous les étudiants étaient éblouis. Il a fait un tabac en prenant le temps de nous serrer la main à tous.

— Et les fils, Hunter et Andrew ?

— Si je les ai rencontrés, honnêtement je ne m'en souviens pas. Laurie, je ne comprends pas à quoi rime tout ça.

— Tu n'essayais pas de me cacher que tu connaissais Angela Hart ?

— Non. »

Il leva la main droite comme s'il prêtait serment.

« Et tu ne cherchais pas à cacher que tu connaissais Hunter Raleigh ? »

Non à nouveau, accompagné du même geste. « Je ne me souviens même pas de l'avoir rencontré.

— As-tu une autre raison de me dissuader de m'intéresser à ce cas ?

— Laurie, je commence à croire que tu es plus douée que moi pour les contre-interrogatoires. Écoute, je sais toute l'importance que tu attaches à *Suspicion*. C'est ton bébé, entièrement, du début à la fin. C'est à toi et à toi seule de décider ce qui mérite d'être retenu pour ton émission. D'accord ? Je suis absolument certain que ce sera un succès, quoi que tu choisisses, parce que ton instinct ne te trompe jamais. »

Il la prit dans ses bras et l'embrassa sur le front. « D'autres questions ? »

Elle secoua la tête.

« Tu sais que tu es bien plus jolie que n'importe lequel de ces mannequins ?

— Heureusement que vous ne parlez pas sous serment, maître. Je rentre à la maison préparer le dîner de Timmy. Tu veux te joindre à nous ?

— J'aimerais beaucoup, mais je fais un discours à l'université de New York ce soir. Un de mes amis vient d'être nommé professeur émérite à l'école de droit. »

Il l'embrassa encore une fois avant de la reconduire à l'ascenseur. Quand elle se retrouva dans le hall, un sentiment d'angoisse étreignit à nouveau Laurie. Elle revoyait Alex la main levée, jurant de dire la vérité. Non, il n'avait pas eu l'intention de lui cacher qu'il connaissait Angela. Non, il ne se souvenait pas d'avoir rencontré Hunter. Mais pour quelle raison ne voulait-il pas qu'elle se penche sur la condamnation de Casey ? Il n'avait pas répondu à cette question, et l'instinct de Laurie, celui qui ne la trompait jamais, lui hurlait la réponse : il lui cachait quelque chose.

27

Trois jours plus tard, ils étaient réunis dans le bureau de Laurie pour faire le point sur les accords conclus avec tous ceux qu'ils avaient sélectionnés pour l'émission.

Grace passa en revue une liasse d'autorisations signées. « Parmi les gens qui assistaient au gala ce soir-là, nous avons le père et le frère de Hunter, qui ont tous deux clairement déclaré qu'ils croyaient Casey coupable. L'assistante, Mary Jane, a signé. Casey, naturellement, participera, ainsi que sa cousine, Angela. Nous avons la gouvernante, qui confirmera les dires de Casey selon lesquels la photo de Hunter en compagnie du Président se trouvait sur sa table de nuit. Et nous avons la mère de Casey. »

Jerry émit un grognement. « Je ne suis même pas sûr qu'il soit utile d'aller là-bas. Paula est une femme sympathique, mais elle appelle au moins trois fois par jour, pose des questions sur chaque détail. "Est-on sûr que Casey ne sera pas renvoyée en prison ?" "Casey a-t-elle besoin d'un avocat ?" "Pouvez-vous flouter nos visages ?" Elle n'a pas grand-chose à dire sur les preuves elles-mêmes, et j'ai peur que devant la caméra elle se comporte comme une biche aux abois.

— Je vais y réfléchir, dit Laurie. Tu as peut-être raison. »

Les téléspectateurs regarderaient l'émission uniquement pour entendre Casey, parce qu'elle n'avait jamais témoigné au tribunal. Mais il leur fallait quelque chose de nouveau, davantage que la photo manquante.

« Je n'arrive pas à décider si nous devons insister pour avoir Mark Templeton dans l'émission », dit Laurie.

Grace feuilleta ses notes, essayant de mémoriser tous les noms. « C'est le type qui s'occupait du fric ? »

Laurie hocha la tête. « Le directeur financier de la fondation Raleigh, pour être exact. Il a dit à Jerry qu'il préférait éviter que son nom soit associé à celui de Casey en raison de son rôle dans un organisme sans but lucratif, mais il pourrait avoir d'autres motifs de faire profil bas. Qu'au moment de son départ la fondation ait connu des problèmes financiers soulève effectivement quelques questions – surtout si on tient compte des inquiétudes de Hunter concernant la comptabilité, ajoutées au fait que Mark a mis près d'un an à retrouver un job. »

Jerry tapota son stylo sur son carnet de notes. « Est-ce qu'on a d'autres preuves que Hunter s'inquiétait – autres que les déclarations de Casey, je veux dire ? »

Laurie fit le signe du zéro. « Si nous en avions, nous pourrions faire pression sur Mark. Sans cela, nous ne pouvons nous raccrocher à rien. » Laurie regrettait déjà les discussions qu'elle avait avec Alex quand ils passaient ensemble les témoignages au peigne fin, examinant chaque élément sous tous les angles.

« C'est plutôt Casey qui n'a rien de sérieux à avancer, souligna Grace. Si Hunter avait réellement eu des soupçons concernant les finances, quelqu'un ne se serait-il pas manifesté pour avertir la police après son assassinat ? Un de ces juricomptables qu'il avait engagés ?

— À moins qu'il n'ait jamais trouvé le temps de les mettre au courant, dit Laurie. D'après Casey, il avait remarqué quelque chose d'inhabituel et s'apprêtait à engager quelqu'un pour vérifier les comptes. Mais, une fois encore, c'est la parole de Casey. Je serais tentée d'interroger Mark sur ce point, mais je crains qu'il n'avertisse les Raleigh et leur fasse peur. Et ils feraient tout pour éviter le moindre scandale autour de la fondation. Tant que je n'ai pas de preuve concrète, on n'aboutira à rien.

— La bonne nouvelle, annonça gaiement Jerry, c'est que nos deux lieux de tournage sont confirmés. La maison de Hunter dans le Connecticut appartient désormais à son frère, Andrew. Mon impression est que ce type a pratiquement oublié qu'il en était propriétaire. Quand je l'ai appelé pour confirmation, ses mots exacts ont été : *Mi casa es su casa*. Et, bien que la salle de bal du Cipriani soit retenue des mois à l'avance, nous pourrons en profiter grâce à la fondation Raleigh lors de leur prochaine réception de donateurs, mais elle a lieu dimanche prochain. Dans dix jours. Je pense que nous pourrons y arriver. Nous tournerons avant la réception des donateurs – en échange d'une donation substantielle, évidemment. Je suis allé jeter un coup d'œil, ce sera un décor superbe.

— J'ai une autre idée de lieu de tournage, dit Grace. Tiro A Segno dans West Village. C'est à la fois un club privé de tir et un restaurant. Veau à la parmigiana et stand de tir, qui dit mieux ? C'était là que Hunter venait s'entraîner. On pourrait y rencontrer des gens qui se souviennent de lui et de Casey.

— Félicitations, Grace. Bonne idée, dit Laurie. Si seulement les repérages étaient toujours aussi faciles. »

Le procès avait aussi simplifié les choses. Ses émissions précédentes portaient toutes sur des affaires qui n'avaient jamais conduit à une arrestation, encore moins à des actions en justice. Il lui avait fallu rassembler tous les éléments de preuve à partir de documents officiels, d'articles de journaux et des souvenirs déformés d'une quantité de témoins. Pas cette fois. Elle avait passé les jours précédents à consulter les minutes du procès de Casey et avait rédigé un résumé détaillé des principaux arguments invoqués. « Incroyable mais vrai, nous allons peut-être réussir à respecter les délais absurdes de Brett. »

Elle entendit frapper à la porte et cria d'entrer. C'était Ryan Nichols. « Désolé d'être en retard. »

Il n'en avait pas l'air.

28

Une fois Ryan dans la pièce, la conversation, jusqu'alors pleine de naturel et de vivacité, prit un ton contraint. « J'ignorais que vous alliez vous joindre à nous, dit Laurie.

— Vous m'avez envoyé un e-mail indiquant l'heure. Vous pensiez que je ne viendrais pas ? »

Son message n'avait rien d'une invitation, encore moins d'une directive. Pour se montrer coopérative avec leur nouveau compagnon de jeu, elle l'avait simplement tenu au courant de leur réunion de l'après-midi qui avait pour but d'arrêter le calendrier de la production. « Habituellement, Alex n'intervenait pas avant que nous ayons une liste complète de témoins prêts à être filmés, lui dit-elle. Puis, naturellement, nous nous réunissions tous pour mettre au point la stratégie des questions. »

Ryan dit d'un ton sec : « Laurie, je me sentirai plus à l'aise si je suis impliqué dès le départ. J'en ai parlé avec Brett. »

Jerry et Grace échangèrent un regard anxieux, comme un frère et une sœur voyant leurs parents se disputer. Ils savaient que Ryan faisait ce qu'il voulait de Brett, et que Laurie n'était pas en situation de se plaindre de sa participation. Ils savaient aussi parfaitement qu'elle avait eu l'habitude de tester ses idées auprès d'Alex, en qui elle avait toute confiance.

À contrecœur, Laurie fit signe à Ryan de s'asseoir. « Nous étions en train de passer en revue les accords déjà obtenus. » Elle lui tendit la liste qu'ils avaient établie.

« Il n'y a pas grand-chose de très intéressant pour nous, dit-il d'un ton dédaigneux. Il serait utile d'avoir certains de leurs amis, pour savoir comment Casey et Hunter se comportaient quand ils étaient ensemble.

— Nous y avons déjà pensé, répliqua Laurie, mais les amis de Casey l'ont tous laissée tomber quand elle a été arrêtée, et ceux de Hunter ont naturellement une opinion partiale sur elle.

— Qui vous dit qu'elle est partiale ? rétorqua-t-il. Cette fille est peut-être aussi épouvantable qu'ils le disent. »

Jerry s'éclaircit la voix, cherchant à faire tomber la tension : « Et ce type avec qui sortait Angela ?

— Sean Murray, lui rappela Laurie. Il a appelé hier et ne désire pas participer à l'émission. Il est marié à présent et a trois enfants. Il dit qu'aucune femme n'a envie qu'on lui rappelle la liaison de son mari avec une autre, surtout avec quelqu'un comme Angela. Il m'a demandé si elle était toujours aussi belle.

— Cruellement belle, fit remarquer Grace. Difficile de ne pas la détester.

— Sean a déclaré que, de toute façon, il n'avait rien à nous dire. Il n'était pas en ville le soir du gala et n'avait pas vu Hunter et Casey depuis au moins deux semaines. Tout ce qu'il peut dire, c'est qu'ils semblaient très amoureux. Pour lui, leurs disputes n'étaient rien de plus que de vives discussions auxquelles ils prenaient plaisir. Mais après l'arrestation de Casey, il s'est mis à lire tous les articles de presse et s'est demandé s'il n'y avait pas un aspect plus sombre dans leur relation qui lui avait échappé. »

Ryan haussa les sourcils. « Plutôt malin. Qu'avons-nous comme autres suspects ? »

Jerry avait une réponse toute prête.

« J'ai regardé les noms que tu m'as communiqués, *Laurie* », dit-il, appuyant intentionnellement sur son nom pour lui redonner le contrôle de la réunion. « J'ai eu Gabrielle Lawson au téléphone, tu sais, cette femme très en vue, et je t'ai pris un rendez-vous avec elle à quinze heures aujourd'hui. »

Grace l'interrompit : « Pardon, mais c'est quoi une femme très en vue ? Je suis assistante, Laurie productrice, Jerry assistant à la production, et Ryan ici présent est un super avocat. Qu'est-ce qui fait de quelqu'un une personne en vue ? »

Laurie sourit. « Dans le cas de Gabrielle Lawson, je dirais qu'il s'agit généralement d'un membre d'une famille connue qui aime voir dérouler le tapis rouge sous ses pieds et lire son nom dans les rubriques mondaines. »

Une fois Grace satisfaite par cette réponse, Jerry poursuivit : « La veille du jour où Hunter a été tué, une chronique mondaine intitulée *The Chatter* a publié une photo de Gabrielle paraissant au mieux avec Hunter durant une réunion de collecte de fonds pour le club Garçons et Filles. » Il tendit à Laurie une copie de la photo en question. Gabrielle regardait

Hunter avec adoration. « Par une étrange coïncidence, la journaliste s'appelle Mindy Sampson, la même blogueuse qui n'a cessé de poster des commentaires sur Casey depuis sa libération. Quand Mindy était chroniqueuse dans la presse, elle traquait Hunter, prétendant qu'il avait repris sa vie de play-boy et était sur le point de rompre ses fiançailles avec Casey parce qu'il s'était entiché de Gabrielle, qui ne cachait pas son intérêt pour lui. »

Quinze ans plus tard, c'étaient les posts continuels de cette Mindy qui incitaient Brett à les presser de démarrer la production.

« J'ai aussi trouvé cet article dans *Whispers* la semaine dernière, ajouta Jerry.

— J'aimais bien cette chronique ! s'exclama Grace. On y trouvait des informations anonymes : des scandales, des ragots, sans qu'aucun nom soit cité. »

Laurie lut à voix haute le passage que Jerry avait souligné. « *Qui parmi les hommes les plus recherchés de la ville pourrait retrouver l'univers des célibataires au lieu de prendre le chemin de l'autel ?* Et on pense que c'était Hunter ? demanda-t-elle.

— La presse l'a certainement cru après l'arrestation de Casey, dit Jerry. Ça, plus la photo de Hunter et de Gabrielle, suggérait que tout n'allait pas pour le mieux dans le meilleur des mondes. »

En ce qui concernait Gabrielle, Laurie avait une petite idée de ce qu'elle dirait si Ryan l'interviewait pour l'émission. « Gabrielle a témoigné au procès de Casey, pour déclarer que Hunter avait flirté avec elle à la réception de la collecte de fonds. Ses mots exacts étaient qu'"il ne se comportait pas comme un homme qui était déjà pris". Au gala, elle était venue à leur table, avait passé ses bras autour du cou de Hunter et l'avait embrassé. Le procureur avait utilisé ces faits comme la preuve supplémentaire d'une rupture proche avec Casey. »

Voyant le regard brillant de Jerry, Laurie comprit que l'histoire se corsait.

« Mais aujourd'hui nous en savons plus que l'avocate de Casey il y a quinze ans. Trois mariages suivis de trois divorces, et entre-temps des liaisons tapageuses dont elle régalait la presse, qu'elles soient réelles ou imaginaires. Beaucoup de ses avances auprès d'hommes riches et influents avaient été repoussées. Une de ses cibles, le réalisateur Hans Lindholm, avait même obtenu une ordonnance restrictive lui interdisant de l'approcher. »

Laurie, Grace et Jerry avaient de vagues souvenirs de ce bref scandale, mais Jerry avait rassemblé d'autres détails. « D'après la requête de Lindholm, il a fait la connaissance de Gabrielle au festival du film de Tribeca, où elle s'était invitée à des événements auxquels il assistait. Selon ses déclarations, elle était allée jusqu'à attirer l'attention d'une chroniqueuse mondaine à qui elle avait juré qu'ils étaient tous les deux en train de chercher un appartement.

— Qui était cette chroniqueuse ? demanda Laurie, haussant les sourcils.

— La seule et unique Mindy Sampson. Naturellement, il n'est pas possible de confirmer que Gabrielle était la source de Mindy, mais le tribunal a bel et bien rendu l'ordonnance restrictive. »

Grace plissa le front. « On se croirait dans *Liaison*

fatale. Peut-être a-t-elle décidé que si elle ne pouvait avoir Hunter, personne ne le pourrait. Elle a tué Hunter et fait porter le chapeau à Casey.

— On dirait que même Grace commence à avoir une autre vision de cette histoire, dit Laurie. Comme vous le savez, j'ai rendez-vous avec Gabrielle cet après-midi. Je voulais aussi faire quelques recherches personnelles sur Jason Gardner. »

Elle se tourna vers Ryan. « C'est l'ex-petit ami de Casey. Il était alors un jeune banquier et était assis à la table de son patron au gala de la fondation Raleigh.

— Il lui aurait été extrêmement facile de les suivre ce soir-là, ajouta Grace.

— Ryan, expliqua Jerry, Grace est notre experte maison en conclusions instantanées.

— En d'autres termes, dit Grace, vexée, je suis celle qui a du flair concernant les gens. Et au début, j'étais cent pour cent certaine que Casey était coupable.

— Bienvenue au club, fit sèchement Ryan.

— Mais j'ai ouvert les yeux, continua Grace. Et Jason est mon suspect numéro un. Réfléchissez. Votre ex est récemment fiancée à Monsieur Je-Suis-Le-Roi-Du-Pétrole. Votre énorme société réserve une table au gala, où Hunter Raleigh sera nécessairement au centre de l'attention. Toute personne normale préférerait se trouver n'importe où à New York, sauf dans cette salle. Et pourtant Jason est là. Je vous le dis, ce type était malade de jalousie.

— Tu tiens peut-être une piste, dit Laurie. Casey comme Angela prétendent que Jason a essayé de reconquérir Casey, même après l'annonce de ses

176

fiançailles. Et comme Gabrielle, Jason a quelques cadavres dans son placard depuis que Casey a été inculpée de meurtre. Il a suscité l'étonnement général en écrivant un livre bourré d'indiscrétions immédiatement après son arrestation. Depuis, il a divorcé deux fois. Ses deux épouses se sont plaintes à la police parce qu'il passait constamment devant chez elles après leur séparation. Il a même eu une altercation avec le nouveau petit ami de sa deuxième femme dans un restaurant. Elle a insinué qu'il avait un problème de drogue. »

Ryan l'interrompit d'un geste. « Je ne vois pas comment vous pourrez convaincre l'un ou l'autre de me parler devant la caméra. »

Laurie crut voir Jerry et Grace sursauter en entendant le mot *me*. Mais Jerry lui sauva la mise : « Laurie peut se montrer très persuasive. Ceux qui sont innocents jouent le jeu parce qu'ils nous font confiance. Et les autres, qui ne le sont pas vraiment, feignent de nous faire confiance parce qu'ils craignent de paraître coupables. »

Laurie n'aurait su mieux expliquer les choses. « Si Gabrielle et Jason se joignent à nous, cela suffira pour commencer le tournage. Et si nous avons de nouvelles pistes, nous pourrons toujours organiser une deuxième session d'interviews.

— On dirait qu'on avance », dit Ryan.

Oui, pensa-t-elle, et pas grâce à toi.

Jerry glissa son stylo dans la spirale de son carnet. « Dommage que nous n'en sachions pas plus sur l'état des finances de la fondation.

— Pourquoi ? demanda Ryan.

— Parce que Casey nous a dit qu'elle avait des soupçons concernant Mark Templeton. Il plane des doutes sur la fondation depuis son départ. Elle pense que Hunter avait l'intention de demander un audit des comptes.

— Selon les médias à l'époque, les actifs de la fondation avaient sérieusement diminué, expliqua Laurie.

— C'est très intéressant », murmura Ryan d'un ton pensif, mais il n'en dit pas plus. « Très intéressant. »

Il ne fit pas part des conclusions qu'il tirait de cette information, si toutefois il en tirait. Ce type était totalement inefficace.

« Il faut que je me sauve, annonça Laurie. J'ai rendez-vous avec Gabrielle dans une demi-heure, et elle habite du côté de Gramercy Park. »

Elle s'étonna de trouver Ryan quelques minutes plus tard devant les ascenseurs. « J'ai dit à Brett que je participerais aux interviews. Attendez-vous une voiture ou dois-je appeler mon chauffeur ? »

29

Pour un homme qui avait assuré avec succès la défense dans de multiples procès d'assises, Ryan paraissait un peu nerveux. Son regard allait fébrilement du hall d'entrée à l'ascenseur tandis que le portier annonçait leur arrivée.

« Ça n'est tout de même pas la première fois que vous parlez à un témoin potentiel, murmura Laurie.

— Bien sûr que non, mais en général la personne est inculpée ou assistée de son avocat. »

Le portier leur annonça que Mme Lawson allait les recevoir. « Étage du penthouse », précisa-t-il.

Gabrielle Lawson était une de ces femmes qui pouvaient avoir n'importe quel âge entre quarante et soixante ans, mais Laurie savait qu'elle en avait cinquante-deux, l'âge qu'aurait eu Hunter Raleigh s'il avait vécu. Elle portait un élégant tailleur-pantalon blanc orné d'une discrète broche en or, et ses cheveux roux étaient coiffés en un parfait chignon haut perché. Elle avait peu changé depuis la photo publiée par *The Chatter* quinze ans plus tôt, sur laquelle elle regardait Hunter avec adoration.

Pendant le premier quart d'heure de leur conversation, Laurie avait à peine croisé deux fois le regard de

Gabrielle. Elle était complètement fascinée par Ryan, de vingt ans plus jeune qu'elle. D'après tout ce que Laurie avait lu à son sujet, elle était particulièrement déterminée à attirer l'attention d'hommes qui avaient réussi, de préférence séduisants. Deux critères que Ryan remplissait à la perfection.

Gabrielle ignora les questions sur sa rencontre avec Hunter au gala de la fondation Raleigh, et se mit en tête d'interroger Ryan. « Comment êtes-vous passé de présentateur de télévision à producteur ? demanda-t-elle.

— En réalité, je ne suis pas...

— Simplement producteur », embraya Laurie, coupant la chique à Ryan. « Il est aussi la nouvelle vedette de l'émission. C'est lui qui interrogera du début à la fin tous les participants. Il est vraiment au cœur de *Suspicion*. »

Elle se dit qu'être au cœur d'une émission de télévision basée sur l'actualité ne lui conférait pas l'aura du metteur en scène de cinéma couronné de prix que Gabrielle avait déjà pris en chasse, mais c'était probablement suffisant pour qu'elle lui fasse des avances.

Elle espérait que Ryan lui emboîterait le pas et utiliserait cette dynamique en leur faveur, mais il demanda à Gabrielle si elle avait bien été mariée et divorcée trois fois.

« Je ne vois pas de raison de m'étendre sur ce sujet, dit-elle doucement.

— Je pense que Ryan aimerait savoir si vous êtes réellement allée saluer Hunter à sa table le soir du gala. »

Elle lui avait déjà posé la question, mais Gabrielle

sembla l'entendre pour la première fois maintenant qu'elle avait été attribuée à Ryan.

« Voyons… Si j'ai parlé à Hunter ce soir-là ? Bien sûr. Assez longuement. »

Laurie nota que l'avocat de la défense avait demandé à chacun des témoins de l'accusation s'ils les avaient vus ensemble. Personne ne les avait vus, sinon un court moment où Gabrielle s'était approchée de la table de Hunter et lui avait passé les bras autour du cou avec effusion. C'était un point délicat, visant à affaiblir l'argument de l'accusation selon lequel Casey aurait tué Hunter parce qu'il avait l'intention de rompre leurs fiançailles en faveur de Gabrielle. Mais l'avocate de Casey n'avait pas pour autant suggéré que Gabrielle aurait pu mettre à profit ce moment pour verser une drogue dans le verre de Casey.

« Nous sommes restés discrets, dit Gabrielle d'un air modeste. Hunter n'avait encore rien dit à Casey. Il était très respectueux. Jamais il n'aurait voulu mettre l'une de nous dans l'embarras. Il aurait rompu tranquillement, et nous aurions attendu un temps convenable avant de nous montrer en public.

— C'était raisonnable en effet », dit Laurie, qui n'en croyait pas un mot. « Puisque les choses étaient restées confidentielles, comment Mindy Sampson a-t-elle pu obtenir une photo de vous deux assistant à une collecte de fonds pour le Boys and Girls Club ? »

Gabrielle eut un sourire entendu, comme si elles étaient deux copines échangeant les derniers potins. « Vous savez comment ça se passe. Parfois, il faut un peu précipiter les choses. Il ne m'est jamais venu à l'esprit que Hunter pourrait être tué à cause de cette photo, sinon je serais restée plus discrète.

— Vous admettez donc que vous avez donné cette photo à Mindy ? » insista Ryan, comme s'il piégeait un témoin au cours d'un contre-interrogatoire.

Laurie retint une grimace. Ryan se montrait trop affirmatif et péremptoire. Alex n'aurait pas fait cette erreur. Bien entendu, Gabrielle repoussa aussitôt l'accusation.

« Dieu du ciel, non ! J'ai vu un photographe s'approcher et je me suis penchée pour la photo. C'est tout. »

Laurie essaya à nouveau d'attirer l'attention de Gabrielle. « Et comment était Casey ? J'ai entendu dire qu'elle était dans un état épouvantable au gala.

— C'est peu dire », répondit Gabrielle, enfonçant le clou. « Elle était visiblement ivre, bafouillait, tenait à peine debout. C'en était gênant. Hunter était hors de lui. Croyez-moi.

— Comme Hans Lindholm quand il a fait émettre une ordonnance restrictive à votre endroit ? » demanda Ryan.

Gabrielle lui jeta un regard assassin. « Vous êtes sans doute joli garçon, monsieur Nichols, mais votre mère ne vous a pas appris les bonnes manières. »

Laurie se répandit en excuses et adressa à Gabrielle un chaleureux sourire. « Ryan est un jeune avocat, expliqua-t-elle. Les écoles de droit ne passent pas beaucoup de temps à enseigner les règles de l'étiquette. »

Gabrielle rit. « Je m'en aperçois.

— Des millions de gens regardent notre émission.

Seriez-vous prête à partager vos observations avec nos téléspectateurs ? »

Gabrielle hésita, jetant à Ryan un regard sceptique.

« Ce serait essentiel pour battre en brèche les protestations d'innocence de Casey. Dans notre émission nous voulons être sûrs d'entendre les *deux* femmes qui ont compté dans la vie de Hunter. »

Le visage de Gabrielle s'éclaira. « Absolument, dit-elle. Je lui dois bien ça. C'est pour cette raison que mes autres mariages n'ont jamais duré. Je n'ai jamais pu remplacer mon Hunter. »

Gabrielle souriait encore en signant suivant le pointillé.

En se dirigeant vers l'ascenseur, Laurie se prit à regretter le soutien d'Alex. Alors que la présence de Ryan l'horripilait, elle avait souvent demandé à Alex de s'impliquer dans les interviews préliminaires. S'il avait été là, ils auraient sur-le-champ échangé leurs opinions. En revanche, connaître le point de vue de Ryan ne l'intéressait pas, et elle revint à ses propres impressions.

Elle croyait Gabrielle quand elle avait décrit l'état pitoyable de Casey, qui pouvait s'expliquer par l'absorption involontaire de drogue. Cependant, elle ne la croyait pas quand elle disait avoir eu une relation avec Hunter. Et elle s'était entendue avec Mindy Sampson pour faire paraître cette photo d'elle et de Hunter dans le journal, c'était certain. Son obsession l'aurait-elle poussée à tuer Hunter ? Laurie n'en avait aucune idée.

Les portes de l'ascenseur s'étaient à peine refermées que Ryan la prit à partie. « Je vous défie de recommencer à me critiquer devant quelqu'un ou à vous moquer de moi de la sorte. Je connais mon boulot.

— C'est vous qui auriez dû vous excuser, y compris auprès de moi, rétorqua Laurie. Vous êtes peut-être un bon avocat d'assises, mais vous semblez avoir choisi un job dont vous vous souciez peu d'apprendre les règles. Vous avez failli bousiller cette interview.

— Vous appelez ça une interview ? Plutôt un gentil pas de deux.

— Gabrielle a accepté de participer au tournage, ce que vous déclariez être impossible il y a une heure. Nous ne sommes pas procureur fédéral. Nous n'avons pas le pouvoir de citer des témoins. Nous obtenons des témoignages en étant chaleureux tout en restant vagues, non en nous montrant sarcastiques et hostiles. Les questions difficiles se présentent plus tard, au moment du tournage.

— Allons donc, cette femme ne sait rien qui puisse nous intéresser. Hunter Raleigh a été assassiné par Casey Carter. Point final. »

Laurie le devança de trois pas en franchissant le hall de l'immeuble. Elle monta à l'arrière de la voiture qui attendait. « Il vous reste beaucoup à apprendre, et vous n'en avez pas conscience. Si vous sabotez ce projet, je me fiche que votre famille connaisse Brett ou non – je ne travaillerai plus jamais avec vous. Et maintenant, je prends *votre* voiture pour aller à *mon* prochain rendez-vous. »

184

Elle referma la portière, abandonnant Ryan sur le trottoir. Elle avait encore le feu aux joues quand elle donna au chauffeur la seule adresse qu'elle avait pour Jason Gardner.

30

Quinze ans auparavant Jason Gardner avait assisté
au gala de la fondation Raleigh. C'était alors un jeune
analyste plein d'avenir pour la plus grande banque
d'affaires du monde. Laurie s'attendait donc à trouver
l'ex-petit ami de Casey milliardaire et à la tête d'un
fonds spéculatif. Or, quand elle se présenta à l'adresse
indiquée sur son profil LinkedIn, elle découvrit un
petit bureau dans un immeuble poussiéreux donnant
sur l'entrée du Holland Tunnel. Le nom de la firme
était GARDNER EQUITY, mais à la vue de l'ameuble-
ment bon marché, elle supposa que Jason détenait très
peu de capital.

La réceptionniste était plongée dans un magazine
people et mâchait du chewing-gum. Quand Laurie lui
dit qu'elle souhaitait voir M. Gardner, elle pencha la
tête en direction de la seule autre personne présente
dans le bureau. « Jason, Mme Moran est ici. »

Le curriculum vitae de Jason n'était pas le seul à
avoir pris un coup durant ces quinze dernières années.
L'homme qui se leva de son bureau dans un angle
de la pièce n'avait que quarante-deux ans, mais des
rides profondes creusaient son visage et il avait les
yeux injectés de sang. Il ne ressemblait plus en rien au

beau jeune homme dont la photo ornait la quatrième de couverture de son livre-témoignage, *Avec Casey la Dingue*. Laurie se dit que la drogue et l'alcool que ses ex-femmes avaient mentionnés à la police faisaient encore sentir leur influence néfaste.

« Puis-je vous être utile en quelque chose ? demanda-t-il.

— J'ai quelques questions à vous poser concernant Casey Carter. »

Son visage vieillit soudain d'une dizaine d'années.

« J'ai entendu aux informations qu'elle avait été libérée. Difficile de croire que quinze années puissent passer aussi vite. »

Le regard de Jason était perdu au loin, comme s'il regardait ces années défiler.

« Je ne pense pas qu'elles soient passées rapidement pour Casey.

— Non, sans doute pas. »

Laurie n'avait pas lu le livre de Jason en entier, mais suffisamment pour savoir qu'il avait passé son ex-petite amie à la moulinette. Le livre décrivait une jeune femme ambitieuse et avide de pouvoir qui avait laissé tomber son boy-friend quand elle s'était entichée de Hunter Raleigh.

Laurie sortit son exemplaire de sa mallette. « Certains pourraient avoir été surpris par votre décision d'écrire ceci. D'après la rumeur, vous étiez très amoureux de Casey.

— C'est vrai, je l'aimais, dit-il tristement. Elle était franche, énergique, drôle. Je ne sais pas comment elle est aujourd'hui, mais à cette époque, comment vous dire ? – je me sentais plus vivant avec Casey. Mais parfois une personnalité comme la sienne a son revers. La frontière est fragile entre spontanéité et chaos. Par certains côtés, Casey était une entreprise de démolition à elle toute seule.

— Comment ça ? »

Il haussa les épaules. « C'est difficile à décrire. On avait l'impression qu'elle ressentait tout avec trop d'intensité. Son intérêt pour l'art ? Elle ne se contentait pas d'apprécier un tableau, il l'émouvait aux larmes. Si on la critiquait dans son travail, elle en était malade pendant une nuit entière, se demandant ce qu'elle avait fait de mal. Et il en a été de même avec moi. Quand nous nous sommes connus à l'université, nous étions comme deux âmes sœurs. Lorsqu'elle est venue s'installer à New York, j'espérais que ce serait avec moi, mais j'ai compris que son job chez Sotheby's l'intéressait davantage. Puis elle a voulu préparer son master et commencé à faire des projets pour créer sa propre galerie. Elle me demandait sans cesse pourquoi je ne travaillais pas davantage. Pourquoi d'autres étaient promus plutôt que moi. Comme si je ne lui suffisais pas. Quand elle a rompu, elle m'a dit qu'elle avait besoin d'un temps de réflexion. J'ai cru que nous étions seulement un peu en froid, que ça allait s'arranger. Mais deux semaines plus tard, j'ai vu une photo d'elle avec Hunter Raleigh dans les rubriques mondaines. J'ai eu le cœur brisé. J'ai cru devenir fou. Tout est allé de mal en pis dans mon travail. Comme vous pouvez le constater, tout ça ne m'a pas vraiment amené au zénith de ma carrière. »

Jason Gardner donnait l'impression d'accuser

Casey de ses échecs. On imaginait sans effort qu'il en blâmait tout autant Hunter.

« Pourtant, on m'a dit que vous avez tenté de la reconquérir, même après l'annonce de ses fiançailles.

— Vous êtes bien renseignée. Je l'ai fait une seule fois, et grâce à une bonne dose de whisky. Je lui ai dit qu'un snob comme Hunter étoufferait en elle la moindre trace de vie. Comment me serais-je douté que la situation serait exactement l'inverse ?

— Vous pensez qu'elle l'a tué ? »

Dans son livre Jason ne formulait jamais la moindre opinion sur la culpabilité de Casey.

« Je reconnais que je n'aurais pas dû intituler mon livre *Avec Casey la Dingue*. C'était injuste. En réalité, c'est mon éditeur chez Arden, Holly Bloom, qui a insisté. Mais Casey était têtue comme une mule, et son tempérament justifiait ce titre. Quand nous étions ensemble, elle ne supportait pas que je parle à une autre femme. Je me demande parfois ce qu'elle aurait fait si Hunter l'avait larguée comme elle m'a largué. »

Après le départ de Laurie, Jason attendit que l'ascenseur descende pour dire à Jennifer – la dernière d'une longue série d'assistantes incompétentes acceptant de travailler pour le piètre salaire qu'il pouvait offrir – de prendre un moment de repos. Puis il composa un numéro qu'il n'avait pas utilisé depuis des années. Son agent répondit, puis le mit en attente un bref instant. L'homme qui finit par prendre l'appel ne semblait pas particulièrement heureux d'avoir de ses nouvelles.

« Une productrice de télévision est venue me voir, elle m'a demandé de lui parler de Casey, expliqua Jason. C'est pour une émission appelée *Suspicion*. Ils veulent m'interviewer. Qu'est-ce que tu en penses ?

— Signe. Participe à l'émission. Tu vendras peut-être plus de bouquins.

— Je n'aurai pas l'air très brillant.

— Ce ne sera pas une nouveauté. Contente-toi de signer le contrat. »

Jason se sentit nauséeux en raccrochant le téléphone. Il avait dit la vérité à Laurie Moran. Il aimait vraiment Casey. Mais la femme qu'il aimait avait été arrêtée pour meurtre, et il n'y avait rien qu'il puisse faire pour l'aider. Il ne pouvait qu'en profiter, et il ne s'en était pas privé. Et pour ça, il se haïssait. Il ouvrit le tiroir du haut de son bureau, avala un des calmants qu'il y conservait, et dont le nombre diminuait, tentant de ne plus penser à Casey.

31

Jamais Laurie n'avait vu un club de tir de ce genre. Tiro A Segno, coincé entre trois brownstones banales dans McDougal Street, dans le West Village, ressemblait à une maison particulière, dont le seul signe distinctif était le drapeau italien qui flottait fièrement au-dessus de l'entrée. Dans le hall, Laurie fut accueillie par des sièges recouverts de cuir, des meubles d'acajou et un billard – pas une arme en vue. On y humait une odeur d'ail et d'origan, pas de poudre.

« Vous ne vous attendiez pas à ça, n'est-ce pas ? lui demanda son hôte. L'expression de surprise qu'affichent les nouveaux venus me réjouit chaque fois.

— Merci beaucoup de me recevoir ainsi au débotté, monsieur Caruso. » Laurie avait appelé le club en sortant du bureau de Jason Gardner, à quelques blocs de là. « Comme je l'ai mentionné, mon équipe de production a appris que votre club était un des endroits préférés de Hunter Raleigh.

— Appelez-moi Antonio, je vous en prie. Et ravi de pouvoir vous être utile. Vous me dites "émission de télé" – et ma réaction est "aaah, nous ne sommes pas tellement fans des caméras". Mais vous me dites ensuite que vous voulez parler de Hunter Raleigh.

C'était un homme charmant, vraiment charmant. Et en plus, vous êtes la fille de Leo Farley. Bien sûr, vous êtes la bienvenue ici. Votre père est membre d'honneur à vie du club. »

À l'exception peut-être des malfaiteurs qu'il avait arrêtés au cours de sa carrière, tous ceux qui connaissaient son père le considéraient comme un ami.

Elle était venue au club dans l'intention de poser des questions sur Hunter et Casey, mais à présent elle comprenait pourquoi Grace avait suggéré que ce serait un lieu de tournage idéal. « Je vois pourquoi votre club est tellement apprécié, Antonio.

— Il a été transformé au fil des années, évidemment. Le décor n'était pas aussi élégant. Certains vieux clients se plaignent encore de la disparition du terrain de boules. Aujourd'hui, les gens viennent plutôt pour la cuisine, les vins et se retrouver, mais naturellement nous avons encore le stand au sous-sol. Uniquement des exercices de tir, comme vous le savez peut-être. Et pas de pistolets, uniquement des carabines.

— Est-ce que Hunter avait amené ici Casey, sa fiancée ? »

Une ombre voila momentanément le visage d'Antonio. « Oui, bien sûr. Quelle fin tragique ! Naturellement, il avait amené ici de nombreuses femmes, avant d'être fiancé.

— Mais avec Casey ses habitudes de célibataire avaient changé, n'est-ce pas ?

— Apparemment. La deuxième fois que je les ai vus ensemble, j'ai dit à Hunter : "Vous devriez vous marier ici", et il s'est borné à sourire. Vous connaissez le dicton, *Chi mi ama, ama il mio cane* ? Autrement dit : *Quiconque m'aime aime aussi mon chien*. Mais cela veut dire en réalité : Quiconque m'aime m'aime tel que je suis, avec tous mes défauts. C'est le genre de sentiment que Hunter éprouvait pour Casey.

— Pardonnez-moi si j'interprète, Antonio, mais à vous entendre, Casey avait des défauts. »

Il haussa les épaules. « Comme je viens de le dire, ce fut une fin tragique. »

Laurie sut alors qu'il lui serait impossible d'obtenir de qui que ce soit une opinion objective sur Casey quand elle était une jeune femme. Les souvenirs de chacun avaient été tranformés irrémédiablement par le fait qu'elle avait été reconnue coupable du meurtre de Hunter.

« Il paraît que Casey était très douée pour le tir, dit-elle.

— Vous êtes bien renseignée. Hunter disait en riant qu'elle s'y était mise uniquement par esprit de compétition. Elle avait fait de l'athlétisme à une époque.

— Du tennis, rectifia Laurie. À l'université.

— C'est exact. Hunter disait qu'il n'avait aucune chance contre elle sur un court. Et elle progressait rapidement pour se mesurer à lui dans son sport de prédilection. Elle était très bonne tireuse.

— La police a trouvé des traces de balles sur les murs du salon et de la chambre où il a été tué. Cela ne vous paraît pas bizarre que Casey l'ait manqué deux fois ?

— Je ne saurais me prononcer. Nous n'utilisons que des cibles ici. Je ne l'ai jamais vue pratiquer le ball-trap ou tirer sur d'autres cibles mobiles. C'est beaucoup plus difficile que ce que croient les gens. C'est pourquoi dans les cours de self-défense on vous dit qu'il vaut mieux prendre la fuite devant un bandit armé, surtout si vous courez dans tous les sens. En plus, l'adrénaline et l'alcool, si j'ai bien compris, peuvent avoir affecté son adresse. Ainsi, le fait qu'elle l'ait manqué n'est pas une preuve déterminante dans un sens ou dans l'autre », ajouta-t-il avec un sourire.

Laurie remercia encore Antonio pour le temps qu'il lui avait consacré et promit de transmettre ses amitiés à Leo. En ce qui concernait son émission, quelques photos de ce trésor de Greenwich Village ajouteraient une touche de couleur locale, mais pour ce qui était de savoir qui avait tué Hunter Raleigh, elle n'était pas plus avancée.

32

En attendant Gabrielle Lawson, Mindy Sampson s'était installée au fond de la salle du Rose Bar de l'hôtel Gramercy Park. Il n'y a pas si longtemps, tout le monde, depuis l'hôtesse à l'entrée jusqu'à la célébrité de Hollywood assise dans le box à sa droite, l'aurait reconnue. Pendant plus de vingt ans, sa photo avait orné *The Chatter*, la rubrique à scandales la plus lue des New-Yorkais. Elle faisait exécuter un nouveau portrait d'elle tous les ans, mais portait toujours un maquillage clair, un rouge à lèvres rouge vif et gardait la même chevelure d'un noir profond. Sa physionomie était devenue un symbole. Avant les Kardashian, les Kanye West et les Gwyneth Paltrow, Mindy Sampson avait compris l'importance de devenir soi-même une marque.

Et la marque de Mindy était celle d'une créatrice de tendance. Qui s'habillait avec le plus d'élégance ? Quel couple célèbre méritait d'être encensé, et lequel méprisé ? Le play-boy milliardaire était-il coupable, ou victime d'une accusation malveillante ? Mindy avait toujours la réponse.

C'était l'époque où les journaux vous laissaient encore de l'encre sur les doigts.

Puis une année, son rédacteur en chef lui avait dit d'« attendre » avant de se faire faire une nouvelle photo de rubrique. Il y aurait peut-être du changement, l'avait-il avertie.

Mindy était alors célèbre pour ses chroniques, mais elle avait toujours un flair de journaliste. Elle avait vu le vent tourner dans la salle de rédaction. Les recettes publicitaires diminuaient. Le journal devenait chaque mois moins épais. Les anciennes stars, considérées comme l'ossature du journal, coûtaient trop cher. Des stagiaires étaient prêts à travailler gratis, et les salaires des diplômés de fraîche date étaient bon marché.

Un mois plus tard, on lui avait appris la « nouvelle ». On allait transférer sa rubrique, qu'elle avait créée, développée et dont elle avait fait une marque, à la « rédaction ». Pas de signature. Pas de photo emblématique. Elle savait que « rédaction » signifiait ramassis de petites nouvelles glanées dans les dépêches.

Elle n'était pas partie facilement. Elle les avait menacés de faire un procès pour sexisme. Pour jeunisme. Elle y avait même ajouté une demande d'indemnité pour syndrome de douleur chronique. Le journal avait craint de devoir faire face à des années de procédure et à un scandale public. Mais elle avait dit à son avocat qu'elle ne demandait que deux choses : six mois de salaire d'indemnité et la propriété du nom. Ils pouvaient donner le nom qu'ils voulaient à leur rubrique édulcorée, mais elle emporterait la marque *The Chatter* avec elle.

Ils l'avaient peut-être passée par pertes et profits comme une antiquité qui avait fait son temps, mais ce n'était pas la première fois qu'on la sous-estimait. Elle avait compris avant eux que l'avenir des médias se jouait sur Internet. Elle avait utilisé son indemnité de départ pour lancer son site, et c'était elle qui avait engagé des stagiaires bénévoles. Au lieu d'un salaire, elle se rémunérait avec la publicité, les lecteurs qui cliquaient sur les annonces et les placements de produits. Et au lieu de voir ses textes révisés par une kyrielle de correcteurs, il lui suffisait à présent d'un clic pour les publier.

Elle appuya sur « Envoyer ». Un nouvel article était enregistré, comme par enchantement, tout ça pendant qu'elle attendait Gabrielle Lawson. De toutes les personnalités que Mindy avait connues au cours des années, Gabrielle faisait partie des plus étonnantes. Elle se comportait comme une star de Hollywood de l'ancien temps. Et vivait sur le même pied, grâce à un fonds constitué par un oncle fortuné qui n'avait jamais eu d'enfants, plus les pensions alimentaires obtenues à la suite de ses trois divorces. Elle était lucide et organisée, mais semblait habiter une réalité parallèle dans laquelle son ego démesuré jouait le rôle principal.

Par exemple, quand elle avait quelque chose à communiquer à Mindy, il était hors de question pour elle d'utiliser le téléphone ou l'e-mail. Elle aimait la rencontrer au fond d'un bar. Dans son univers particulier, elle était Bob Woodward* et Gabrielle sa Gorge Profonde. Quelle nouvelle allait-elle apprendre aujourd'hui ?

---

* Célèbre journaliste américain d'investigation qui a dévoilé le scandale du Watergate en 1974.

Lorsque Gabrielle arriva, elles passèrent les premières minutes à boire du champagne en bavardant de tout et de rien. Comme toujours, Mindy promit à Gabrielle de publier d'elle une photo flatteuse. Une promesse qui ne lui coûtait rien. Gabrielle avait été pour elle une source prolifique pendant des années, et elle voulait continuer à lui faire plaisir.

Aujourd'hui, cependant, la réunion clandestine s'avéra une perte de temps. Gabrielle ne lui dit rien qu'elle ne connût déjà. S'agissant de Casey Carter, Mindy n'avait jamais manqué d'informations.

33

Ce soir-là au dîner, une odeur de beurre, de thym et de poulet rôti emplissait l'appartement de Laurie. « C'était un vrai régal, papa. »

Leo était censé retrouver quelques-uns de ses anciens camarades de la police au Gallagher's Steakhouse. Mais quand Laurie était arrivée, le dîner était au four. La réunion avait été annulée. Deux de ses amis, encore en activité, avaient été appelés à Times Square pour une alerte à la bombe. Deux heures plus tard, le département de la police avait annoncé qu'il s'agissait d'une fausse alerte. Le conducteur d'un camion avait par inadvertance laissé son moteur tourner alors qu'il montait en vitesse chez sa sœur pour donner un cadeau à sa nièce – il s'était ensuite attardé avec la famille. Bref, la ville était sûre, et Laurie put apprécier un délicieux dîner.

Timmy regardait fébrilement les vidéos qui avaient été transmises à Leo sur son téléphone plus tôt dans la soirée. « Maman, ils ont évacué trois blocs – au milieu de Times Square ! Ils avaient des véhicules blindés et des chiens renifleurs. Et grand-père a été au courant de tout avant même que les informations n'en parlent. »

Leo allongea le bras et tapota l'épaule de Timmy, mais il avait l'air mélancolique.

Après que Timmy fut sorti de table, Laurie demanda à son père : « Ton job te manque toujours, hein ? Être au cœur de l'action ? »

Elle lui avait posé la même question des centaines de fois en six ans. Il lui faisait toujours la même réponse, à quelques variantes près, disait que le meilleur job de toute sa vie avait été de participer à l'éducation de son petit-fils. Mais ce soir, il répondit franchement : « Parfois, oui. Je me souviens de ce jour effroyable en 2001. Nous savions tous que le monde était en train de changer d'une manière inimaginable, mais j'avais l'impression d'être utile. Ce soir, j'ai préparé un poulet. C'est une vie plus tranquille. »

Elle ne sut que répondre et se contenta de l'embrasser silencieusement sur la joue, avant de desservir la table.

Elle ne fut pas surprise de voir Leo la suivre dans la cuisine et lui demander des nouvelles de son émission. Il lui était difficile d'expliquer les sentiments mitigés qu'elle éprouvait. D'un côté, elle avait eu de la chance de pouvoir rassembler si vite autant d'éléments connexes.

En théorie, Gabrielle et Jason étaient tous deux des suspects crédibles. Elle savait, d'après les rapports de police de l'époque, que chacun avait déclaré être rentré chez lui après le gala, ce qui signifiait que l'un des deux aurait pu aller dans le Connecticut et tuer Hunter. Mais il lui manquait une preuve formelle désignant un coupable autre que Casey.

« Je ne sais pas, papa, tu avais probablement raison. Je n'ai peut-être rien à ajouter à l'enquête d'origine, après tout. »

Il s'appuya au comptoir de la cuisine, les bras croisés. Elle le revit à la tête de son commissariat, avant l'appel national du « Take Your Daughter to Work Day » qui incitait les parents à emmener leurs enfants à leur travail une fois par an. Elle avait peine à croire qu'un quart de siècle s'était écoulé depuis.

« Écoute, pour moi le système fonctionne bien dans quatre-vingt-dix-neuf pour cent des cas, ce qui veut dire qu'il y a peu de chances, à mon avis, que cette femme soit innocente. Mais je suis aussi ton père, donc je suis de ton côté, en fin de compte. À chaque émission, tu es submergée par une quantité d'histoires. Tu parviens à en faire un spectacle passionnant, et en même temps à faire éclater la justice dans un nombre impressionnant de cas. Rappelle-toi seulement que ton objectif principal est de produire un bon spectacle de télévision. Laisse les spectateurs décider ce qu'ils pensent de Casey. »

C'était un excellent conseil, mais le désir de vérité prenait toujours le dessus chez Laurie. « Au fond, j'aurais dû être dans la police à la place.

— Trop contestataire, dit-il avec un clin d'œil. En outre, Timmy sera le prochain membre de la famille à porter une plaque. Tu verras. Est-ce que tu as discuté de ces personnes avec Alex ? Discuter avec lui t'a toujours été profitable.

— Il l'a fait *autrefois* », dit-elle, insistant involontairement sur le dernier mot. « Maintenant qu'il ne travaille plus pour le studio, j'hésite à l'ennuyer avec des discussions de travail. »

Leo secoua la tête. « Quand te rendras-tu compte que rien de ce que tu lui demandes n'est une charge ? Alex s'intéresse à toi. Si tu le laisses venir à toi, je suis certain qu'il sera plus qu'heureux de donner son avis. »

Il s'intéresse à toi, pensa-t-elle. Si tu le laisses venir à toi… Les mots se répercutèrent dans sa tête, et puis, brusquement, elle se mit à pleurer.

Son père la prit par les épaules. « Laurie, ma chérie, qu'y a-t-il ?

— J'ai essayé, papa. Tu ne sais pas à quel point j'ai essayé de le laisser venir. »

Son père la berçait doucement, lui disait que tout allait s'arranger, mais une vague d'émotion la submergea. Le soir où Alex lui avait dit qu'il quittait l'émission. Le moment où Brett avait annoncé qu'il avait engagé le neveu de son meilleur ami. La fatigue de ces derniers jours, à travailler du matin au soir. Et, finalement, cette certitude, en son for intérieur, qu'Alex lui avait menti.

« Quand j'ai essayé de lui parler du cas de Casey l'autre soir chez lui, il a semblé mal à l'aise. J'ai cru qu'il se sentait coupable parce que je critiquais Ryan. Mais j'ai découvert qu'il connaissait la cousine de Casey, Angela. » Les mots se bousculaient dans sa bouche. « Et il a rencontré Hunter et sa famille à un pique-nique. Puis, quand je lui en ai parlé lundi il est resté… évasif. J'ai bien vu qu'il me cachait quelque chose.

— Veux-tu que je l'appelle ? Que je lui parle d'homme à homme ? »

Elle rit et essuya ses larmes. « Combien de fois dois-je te dire que les femmes adultes ne peuvent pas demander à leur père de régler leurs problèmes ?

— Mais ce ne devrait pas être un problème, Laurie. Nous connaissons Alex. C'est un homme bon et honnête.

— Je sais. Mais c'est toi qui m'as appris à me fier à mon instinct. Et je te dis qu'il y a une bonne raison pour laquelle Alex ne souhaite pas que je lui parle de cette affaire. Il cache quelque chose. »

Son père était sur le point de produire un autre argument en sa faveur quand Timmy entra en trombe dans la pièce. Ses deux mains tendues arrivaient à peine à tenir sa tablette. « Regarde, maman, j'ai quelque chose pour toi. »

La dernière fois qu'il lui avait montré quelque chose sur son iPad c'était un jeu dans lequel des plantes se battaient contre des zombies. Elle était trop occupée pour s'y intéresser en ce moment.

« Je ne pense pas avoir le temps de regarder un nouveau jeu, Timmy.

— Ce n'est pas un jeu, insista-t-il. J'ai placé sur Google une alerte sur ton nom, et il y a une nouvelle entrée. Une blogueuse du nom de Mindy Sampson a écrit tout un truc sur ton émission. »

34

Casey La Dingue est-elle en train de jouer avec le feu ?

Salut à tous, amis de The Chatter. *Est-ce que vous suivez les bouffonneries de Katherine « Casey » Carter depuis qu'elle est sortie de tôle ? Moi oui, et Casey n'a pas chômé. Toutes les ex-détenues ne se rendent pas directement de la prison au luxueux centre commercial le plus proche pour une débauche d'achats. Où avait-elle l'intention d'étrenner sa nouvelle garde-robe ? On se le demande.*

Mais au lieu de reprendre sa place sur la scène mondaine, Casey semble s'être lancée dans un tout autre carrousel. Cette fois, elle est à la recherche de quelqu'un qui pourrait ajouter foi aux mêmes protestations d'innocence qu'elle répand depuis la nuit où on l'a trouvée avec le sang de Hunter Raleigh sur les mains.

Il semblerait qu'elle ait trouvé une poire en la personne de Laurie Moran, la productrice de Suspicion. *La série, qui recycle des affaires restées en plan, a connu un grand succès en élucidant des cas depuis longtemps classés sans suite.* The Chatter *peut certifier que Casey a rencontré à deux reprises Laurie*

Moran personnellement depuis sa sortie de prison,
une fois à son domicile et une fois au bureau de Lau-
rie Moran au Rockefeller Center. Pour Casey, appa-
raître dans une émission aussi prestigieuse serait un
vrai coup de pub.

Mais attendez la suite ! Moran peut se montrer
aimable en présence de Casey, mais il semblerait
qu'elle ait plus d'un tour dans son sac.

Laurie sentait le regard de son père qui lisait
par-dessus son épaule. « Le mélange de métaphores
à lui seul devrait être considéré comme un délit,
marmonna-t-elle.

— Chut, lui intima Leo. Lis la suite. »

Casey a peut-être cru que la productrice avait
l'intention de présenter son point de vue sur l'af-
faire, mais elle ferait sans doute mieux d'y réfléchir
à deux fois. Il se trouve que sa nouvelle copine
Laurie a rencontré deux fois des anti-Casey pur
sucre comme Gabrielle Lawson et Jason Gardner.
Nos avisés lecteurs de The Chatter *se souviendront*
que les déclarations de ces deux individus bien
informés ont été redoutables durant le procès de
Casey.

Lawson était cette femme somptueuse prête à
prendre la place de Casey auprès de Hunter à l'au-
tel. Jason est l'ex-petit ami dépité qui a déblatéré sur
ses crises de fureur incontrôlées.

Avec des amis de ce genre, pas besoin d'enne-
mis. Douze jurés ont jugé à l'unanimité que Casey
avait tué Hunter dans un accès de rage après qu'il
avait rompu leurs fiançailles. Sans une avocate
pour défendre l'accusée, il se pourrait bien qu'une

journaliste réputée comme Laurie Moran parvienne à convaincre le reste du pays que Casey est une criminelle qui a agi de sang-froid et s'en est tirée à bon compte.

Casey, si vous lisez ces lignes, vous pensez sans doute qu'une émission de télévision peut vous aider à tourner la page, mais réfléchissez-y à deux fois. Pensez-vous vraiment que Gabrielle et Jason vont changer leurs témoignages ? Vous jouez peut-être avec le feu.

The Chatter *vous conseille de rester chez vous, et de garder le silence.*

Laurie rendit la tablette à son fils.

« Maman, comment ce site en sait-il autant sur ton émission ? Est-ce que tout ce qu'ils disent est vrai ? »

Chaque mot sans exception, pensa Laurie. Elle savait déjà – ou du moins soupçonnait fortement – que Gabrielle fournissait souvent des tuyaux à Mindy Sampson, mais cette chronique contenait plus d'informations que Gabrielle n'était capable d'en obtenir à elle seule. Gabrielle savait que Laurie avait l'intention de couvrir le procès de Casey dans sa prochaine émission. Elle pouvait probablement spéculer sans trop de risque que tout producteur de télévision responsable irait interviewer l'ex-petit ami auteur d'un livre de démolition en règle. Mais de là à savoir combien de fois Laurie avait rencontré Casey et où ? Celui qui était capable de l'affirmer devrait jouer aux courses.

Elle repassait l'ensemble de la chronique dans

son esprit sans avoir aucune idée de celui ou celle qui avait pu si bien renseigner Mindy Sampson sur l'émission. Puis elle se rappela un incident qui s'était déroulé quelques heures plus tôt. *Vous êtes peut-être un bon avocat d'assises, mais vous semblez avoir choisi un job dont vous vous souciez peu d'apprendre les règles.*

Ryan Nichols. Voulait-il lui donner une leçon ? Elle s'efforça de balayer cette hypothèse. Ma parole, elle devenait paranoïaque. Mais Grace, Ryan et Jerry étaient les seuls à avoir pu faire fuiter tant d'informations. Elle avait une confiance absolue en Grace et Jerry, mais ignorait tout de son nouveau présentateur, sinon qu'il était tellement avide de paraître à l'écran qu'il avait abandonné une carrière d'avocat prometteuse pour un job à plein temps à la télévision. Ce genre de potins allait créer un surcroît d'intérêt pour l'émission. Brett, le meilleur ami de l'oncle de Ryan, récompensait ceux dont les idées faisaient grimper l'audience.

Comme on dit, ce n'est pas parce que vous êtes paranoïaque que quelqu'un n'est pas en train de vous attendre au tournant.

Elle se demandait encore si elle devait faire confiance à Ryan quand son téléphone sonna sur le comptoir. C'était Alex. Pour la première fois depuis qu'elle le connaissait, elle hésita avant de prendre l'appel.

Finalement, après trois sonneries, elle répondit par un : « Salut toi.

— Salut toi.

— Comment s'est passée la conférence à la NYU ? »

Elle ne lui avait pas parlé depuis qu'elle était allée à son bureau l'interroger sur ses contacts d'autrefois avec la famille Raleigh.

« Très bien. Mon ami était fier comme Artaban d'avoir été nommé professeur émérite. Pour moi ce n'est rien de plus qu'un titre mais je me suis réjoui de le voir honoré. Le buffet t'aurait impressionnée. Ils avaient ces petits macarons "Baked by Melissa" que tu aimes tant.

— Ils sont aussi délicieux que ravissants. Irrésistibles ! »

Elle se représenta son sourire au téléphone. Sans qu'elle s'en aperçoive, vingt minutes passèrent tandis qu'ils discutaient agréablement d'un article de politique locale paru dans le *Post* du jour, d'un nouveau client d'Alex, de tout et de rien.

Et, au moment où elle commençait à se reprocher ses stupides accès de paranoïa – à propos de Ryan, à propos d'Alex –, il lui demanda à brûle-pourpoint : « Alors, tu as pris la décision de couvrir le cas de Casey ? »

C'était plus une constatation qu'une question. À sa connaissance, seul *The Chatter* avait rapporté la nouvelle. Elle n'imaginait pas Alex suivant régulièrement les posts de Mindy Sampson. Elle savait que Timmy avait activé une alerte à son nom sur Google, Alex en avait-il fait autant ? De deux choses l'une, soit il tenait particulièrement à être au courant de ce qui concernait Casey, soit ce n'était qu'imagination de sa part.

Elle n'avait qu'un moyen de le savoir : « On dirait que tu as lu l'article ? »

Il eut une hésitation, lui sembla-t-il. « Quel article ?

— Sur un blog appelé *The Chatter* », dit-elle. Ce n'est qu'après avoir parlé qu'elle se rendit compte qu'il n'avait pas répondu directement à sa question, comme l'autre soir lorsqu'elle lui avait demandé s'il avait une raison de vouloir qu'elle reste à l'écart de cette affaire. « Je me demande comment Mindy a entendu parler de l'émission, continua-t-elle. Et, par-dessus le marché, elle connaissait les noms de deux de mes témoins. »

Silence à l'autre bout de la ligne.

« Tu es là, Alex ?

— Excuse-moi, je réfléchissais.

— Je suppose qu'avec une affaire aussi média-tisée, il n'est pas étonnant qu'on ait appris que je m'informais ici et là, dit-elle, pensant tout haut. Et les témoins dont elle a cité les noms sont les plus plausibles.

— Ou alors quelqu'un au sein de la production lui fournit les informations, dit Alex d'un ton sérieux.

— Il m'est venu à l'esprit que Ryan Nichols nour-rissait peut-être des arrière-pensées.

— Ou quelqu'un veut s'assurer que tu n'arriveras pas à retourner l'opinion à propos de Casey. Tu ne veux vraiment pas revenir sur ta décision, Laurie ? Je pourrais peut-être t'aider à trouver un autre cas qui satisferait Brett. »

Elle ne pouvait ignorer l'impression qu'il lui

cachait quelque chose, quelque chose de fondamental.

« Alex, je t'en prie, si tu as des informations...

— Je n'en ai pas.

— Tu n'en as pas ou tu ne peux rien dire ? »

Il garda à nouveau le silence.

« Alex, pourquoi tu ne m'aides pas ?

— Tu es intelligente, Laurie. Tu sais que tu as affaire à des gens très puissants.

— Alex...

— Promets-moi seulement d'être prudente. »

Il coupa la communication avant qu'elle puisse demander pourquoi.

Six heures plus tard, Laurie se réveilla au milieu de la nuit, le cerveau en ébullition. Elle prit son téléphone portable sur la table de chevet et consulta ses e-mails. Il y avait un nouveau message de Jason Gardner, annonçant qu'il avait décidé de raconter son histoire à l'émission. « Mieux vaut dire toute la vérité », disait-il, mais Laurie avait l'intuition qu'il avait d'abord téléphoné à son éditeur. Le livre serait sûrement réimprimé dans les jours qui suivraient.

Mais ce n'était pas à cause de l'ex-jules de Casey qu'elle avait voulu aller sur sa messagerie. Elle rédigea un e-mail pour le chef du service informatique des studios Fisher Blake. *Tu te souviens de ces vieux messages en ligne au sujet de l'affaire Hunter-Raleigh ? Postés par RIP_Hunter ? Envoie-moi sans attendre tout ce que tu as.*

Les posts de RIP_Hunter. Les informations confidentielles de Mindy Sampson. La réserve d'Alex. Quelque part dans ses rêves, tout semblait lié. Demain, pensa-t-elle. Demain, les choses seront peut-être plus claires.

35

Paula tournait en rond dans le salon. Casey se demandait parfois si sa mère ne disposait pas ses meubles en fonction de ses déambulations.

« Je le savais, disait-elle à mi-voix. Casey, tu t'es fourrée dans un guêpier en parlant à cette femme de la télévision. Tu n'es pas sortie de prison depuis deux semaines, et te voilà déjà dans tous les médias. »

Casey était assise en tailleur dans un fauteuil en face de sa cousine Angela et de son amie Charlotte. Angela était à New York avec Charlotte quand Casey l'avait appelée, paniquée, à cause du dernier post de Mindy Sampson. Charlotte avait insisté pour conduire Angela en voiture dans le Connecticut. Maintenant qu'elle était là, elle aurait voulu être un grain de poussière invisible sur le canapé, loin du regard critique de sa mère.

Heureusement qu'elle ne joue pas au poker, pensa Casey. Elle n'aurait plus de toit sur la tête, tant ses expressions sont faciles à déchiffrer. Sa mère ne faisait pas confiance à Laurie Moran, ce qui signifiait qu'elle ne faisait pas plus confiance à son amie Charlotte.

« Comment sais-tu que tu peux te fier à cette productrice, Casey ? protestait Paula. Elle se soucie de toi comme d'une guigne. Tout ce qui l'intéresse, c'est l'Audimat. C'est un conflit d'intérêts. C'est probablement elle qui fournit ces petites annonces aux tabloïds pour créer le buzz.

— Nous n'en savons rien, maman. »

Paula cessa brusquement de faire les cent pas. « FERME-LA, CASEY ! » Casey ne se souvenait pas d'avoir jamais entendu sa mère utiliser cette expression. « Qu'est-ce qui te passe par la tête ? Comme si les drames étaient une drogue. Tu attires ce genre de catastrophes dans ta vie, et tu n'écoutes personne. C'est pour ça que tu te retrouves dans un pétrin pareil ! »

Le silence tomba sur la pièce tandis que Casey lançait un regard noir à sa mère. « Vas-y, dis-le, maman. Tu crois que c'est moi. Tu l'as toujours cru. »

Sa mère secoua la tête, mais ne réfuta pas l'allégation.

Angela saisit la main de sa tante. « Ça suffit, dit-elle doucement. Il est tard, et vous êtes toutes les deux bouleversées. Pourquoi ne pas en reparler demain, après une bonne nuit de repos ? »

Paula leva les deux mains dans un geste d'impuissance. « À quoi bon ? Elle n'en fera qu'à sa tête. »

Casey ne fit rien pour empêcher Paula de gagner sa chambre. Une fois sa mère partie et hors de portée de voix, elle eut l'impression d'être délivrée d'un poids et se laissa aller dans son fauteuil. « Je ne sais pas combien de temps je vais encore pouvoir la supporter. Une de nous deux va y rester.

— Ne dites jamais ça, même en plaisantant », la reprit Charlotte.

Casey aurait bien aimé dire à l'amie d'Angela de s'occuper de ses affaires, mais elle se retint. En dehors de Laurie Moran, Charlotte était la seule nouvelle venue dans sa vie à s'être montrée attentionnée envers elle depuis sa libération. Et voilà que je m'irrite contre elle. Ai-je toujours été aussi mauvaise ? Ou est-ce la prison qui m'a rendue ainsi ?

« Vous ne pouvez pas comprendre », dit-elle, réservant son animosité à sa mère. « Mes parents m'ont soutenue, mais ils n'ont jamais cru que j'étais victime d'un coup monté. Est-ce que vous vous rendez compte que ma mère va jusqu'à prier pour moi à l'église ? Elle ne cesse de répéter que j'ai payé ma dette à la société, comme si j'en avais une. Croyez-moi, parfois je préférerais regagner ma cellule. »

Angela reprit la parole d'un air hésitant : « Ne m'en veux pas si je te dis ça, Casey, mais elle a peut-être raison quand elle dit que tu t'es fourrée dans un guêpier. RIP_Hunter poste des commentaires sordides à ton sujet. Et le site de *Chatter* a toutes les informations sur l'émission, comme s'ils avaient un complice à l'intérieur.

— Sûrement pas Laurie, dit Charlotte spontanément.

— Que ce soit Laurie ou non est sans importance, dit Angela. Mais écoute : tu voulais cette émission pour prouver ton innocence et maintenant elle risque de se retourner contre toi. J'ai d'abord pensé que Gabrielle et Jason pouvaient être des suspects crédibles, mais sans nouvelles preuves, ils ne feront que répéter toutes les horreurs qu'ils ont débitées sur toi au tribunal. Tu veux vraiment que tout ce qui a été dit de négatif à ton sujet soit répété devant les caméras ?

— Qu'est-ce que tu veux dire exactement ? demanda Casey.

— Que tu devrais encore réfléchir, Casey. Ta mère a peut-être raison...

— De penser que je suis *coupable* ! » Sa voix vibrait de colère.

Elle sentait le regard de Charlotte la transpercer.

« Non, dit doucement Angela. Elle a raison de penser que tu devrais te tenir à l'écart pendant un certain temps. Prendre le temps de t'installer dans une nouvelle vie.

— C'est hors de question ! s'écria Casey. Je sais que vous vous méfiez de moi, mais vous ne comprenez pas. Je ne fais pas ça pour laver mon nom. C'est pour Hunter. Je le lui dois.

— Tu ne peux pas te considérer comme coupable...

— Mais je le suis. Tu ne comprends pas ? Quelqu'un m'a droguée et l'a tué. Si je n'avais pas bu ce soir-là, nous aurions compris plus tôt qu'il y avait quelque chose d'anormal. Nous aurions quitté le gala et serions allés aux urgences. Je ne me serais pas évanouie. Il ne serait pas rentré chez lui. Mais j'ai cru que j'avais seulement bu un peu trop de vin. Sans moi, il serait encore en vie. »

Elle éclata en sanglots et Angela la prit dans ses bras. Lorsqu'elle fut en état de parler à nouveau, Casey s'adressa à Charlotte Pierce : « Dites-moi, Charlotte. Puis-je vraiment faire confiance à Laurie Moran ? »

Charlotte répondit immédiatement : « Sans hésiter.

— Alors, c'est entendu. Je ne veux plus entendre parler d'abandonner l'émission. J'en ai assez de me taire. »

La nuit dans son lit, Casey chercha en vain à entendre les pas de sa mère dans la maison. Elle songea à aller frapper à sa porte pour s'excuser de leur altercation, mais elle n'avait pas envie de reprendre la discussion. Elles clarifieraient les choses le lendemain matin.

Elle prit son iPad et relut le post de Mindy Sampson. *Pensez-vous vraiment que Gabrielle et Jason vont changer leurs témoignages ? Vous jouez peut-être avec le feu.*

En regardant la photo retouchée du visage de Gabrielle Lawson, elle sentit son sang bouillonner. Elle aurait presque accepté de passer à nouveau quinze ans en prison pour que cette horrible bonne femme ait le sort qu'elle méritait.

Les informations données par Mindy Sampson n'étaient pas toujours exactes, mais elle ne se trompait pas en parlant des sentiments de Casey envers Gabrielle Lawson. Le mot rage ne suffisait pas à décrire ce qu'elle avait ressenti en lisant la chronique de *Chatter* à propos de Hunter et de cette femme infecte. Ne s'était-il pas rendu compte de l'effet produit ? Toutes les femmes du bureau parlaient de moi comme d'une idiote.

Ce que les gens considéraient comme un caractère difficile était simplement une passion pour les idées et la discussion. Mais ce jour-là ? Ce jour-là, elle était vraiment hors d'elle.

Alors qu'elle sombrait peu à peu dans le sommeil, elle se surprit à parler à voix haute, espérant que celui à qui elle s'adressait l'entendrait. « Je suis désolée, Hunter. Tellement, tellement désolée. »

36

Une semaine plus tard, les papiers s'entassaient sur toute la surface du bureau habituellement parfaitement ordonné de Laurie. Trois tableaux blancs, couverts d'inscriptions colorées, encadraient sa table de réunion.

Jerry se passait les doigts dans les cheveux avec une telle vigueur que Laurie craignit de le voir devenir prématurément chauve. Quand ils avaient commencé à préparer l'émission, tout s'était mis en place. La famille de Hunter avait accepté de participer. Les repérages avaient été un jeu d'enfant : les sites principaux étaient le Cipriani et la maison de campagne, aujourd'hui propriété du frère de Hunter. Les minutes du procès avaient permis à Laurie de connaître les faits à l'avance. Mais à présent, ils étaient noyés sous la paperasse – à trois jours du tournage – et Laurie regrettait d'avoir cédé aux exigences de Brett qui voulait toujours aller plus vite.

La plus grande partie du désordre régnant dans le bureau était imputable à l'obsession de Laurie : identifier l'utilisateur d'Internet qui se présentait sous le pseudo de RIP_Hunter.

« Confidentialité, foutaise ! » s'exclama Jerry,

accentuant chaque syllabe pour souligner son énervement. Il doit bien y avoir un moyen de savoir qui a posté tous ces messages. »

Monica, vingt-neuf ans, menue, de petite taille, employée au département informatique, essaya pour la énième fois de calmer leurs espoirs. D'autres membres du service avaient plus d'expérience, mais Laurie avait une totale confiance en Monica pour tout ce qui touchait à l'informatique. Elle était travailleuse, perfectionniste et, plus important, capable d'expliquer les détails techniques de manière intelligible.

« Tu oublies, expliqua Monica, qu'il y a quinze ans Internet était considéré par la plupart des gens comme un tableau d'affichage informatisé. Son utilisation était considérée comme un truc d'avant-garde, mais l'information, pour sa plus grande partie, circulait dans une direction seulement. On affichait une page et on la lisait. L'idée de répondre, et encore plus d'engager une conversation, était révolutionnaire. Les fournisseurs postaient leurs contenus, mais il était impossible de répondre.

— Quelle époque bénie », soupira Laurie.

Autant qu'elle s'en souvienne, seuls des points de vue extrêmes étaient exprimés sur la Toile. Son propre site débordait d'éloges de spectateurs, mais Laurie ressentait toujours la morsure des commentaires les plus critiques.

Monica pianotait sur le clavier avec entrain. « L'envie de participer existait, continua-t-elle, mais les pages des grands médias ne créaient pas un forum. Les premiers utilisateurs constituèrent leurs groupes d'adeptes grâce aux forums de discussion. Par bonheur, j'ai trouvé des sites anciens dont le contenu était archivé. Il a fallu des jours pour imprimer toutes les conversations qui traitent du meurtre de Hunter et du procès de Casey. Si ces sites étaient encore en activité, je pourrais essayer de trouver un opérateur qui accepterait de partager leurs adresses IP avec nous. Mais ces sites ne sont plus opérationnels.

— Tu pourrais nous la refaire en langage courant ? demanda Grace.

— Ce que nous regardons en ce moment, expliqua Monica, ce sont de simples mots, comme s'ils étaient dactylographiés sur une machine à écrire, les données sous-jacentes ne sont pas accessibles. Il faudrait que je sois médium pour vous dire qui a écrit ces trucs. »

Le meurtre de Hunter avait eu une couverture médiatique nationale. Aux yeux du public, Casey était passée en un clin d'œil du statut de petite amie éplorée à celui de « présumée coupable ». Avec l'aide de Monica, ils passèrent aussi en revue des milliers de commentaires *on line* écrits par des internautes qui suivaient le procès, se retrouvaient tous sur des forums Internet et débattaient du procès avec passion.

La première étape fut d'identifier tous les commentaires portant la signature RIP_Hunter. Quand il leur fut possible de lire ces posts dans leur ensemble, ils remarquèrent deux tendances. L'auteur parlait généralement avec autorité, comme s'il disposait d'informations confidentielles sur Casey et sur Hunter. Par exemple : *Tous les amis de Casey savent*, ou : *Casey a toujours eu un caractère impossible, c'était une frimeuse*, ou encore : *et aussi sa voie a toujours été toute tracée*. Tout au long du procès, quelqu'un « trollait » Casey et transmettait des ragots à Mindy Sampson.

Ce fut Jerry qui remarqua une autre caractéristique, plus subtile. L'auteur avait des tics de langage. Par exemple « et aussi » revenait régulièrement : *Quiconque connaît Casey vous dira qu'elle veut toujours avoir le dernier mot, et aussi être le centre de l'attention.*

Monica chercha si l'auteur de ces notes signées RIP_Hunter avait posté d'autres commentaires, et repéra un groupe de cinquante-sept personnes qui semblaient indiquer une connaissance de première main du dossier, et une vingtaine qui utilisaient la formule « et aussi », avec certains chevauchements entre les deux groupes.

« Bravo pour tes talents de détective, dit Laurie, mais que faire de tout ça à présent ? » Elle se laissa tomber sur le canapé du bureau, gagnée par la migraine.

Elle attrapa un bloc et fit une liste de toutes les questions restées sans réponse. Qui était RIP_Hunter ? Qui avait filé des tuyaux à Mindy Sampson sur son émission ? Pourquoi Alex lui avait-il recommandé de se montrer prudente ? Y avait-il un rapport avec le fait qu'il avait connu le général James Raleigh à l'école de droit ? Hunter avait-il fait auditer les comptes de la fondation ? Était-ce la raison du départ de Mark Templeton quatre ans plus tôt ?

Laurie se rappela le principe du rasoir d'Occam, dit principe d'économie : l'explication la plus simple est en général la bonne. Un seul élément pouvait-il réunir tous ces fils épars ?

Elle s'aperçut à peine que le téléphone sonnait et que Grace y répondait, jusqu'à ce que cette dernière lui annonce que l'assistante du général, Mary Jane, était à l'appareil. « Elle veut savoir combien de temps elle doit réserver pour l'interview du général et la sienne. J'ai proposé d'aménager le planning s'ils avaient d'autres obligations, mais elle a dit que l'emploi du temps du général était toujours très serré. Elle a dit qu'Arden le poussait à écrire, comprenne qui pourra.

— Il écrit ses mémoires », dit Laurie. Quelque chose dans la question de Grace la tracassait, mais elle n'arrivait pas à savoir quoi. Sans doute parce qu'elle ne savait pas combien de temps il faudrait à Ryan pour procéder à ses interviews. S'habituerait-elle un jour à travailler avec lui plutôt qu'avec Alex ? « Demande-lui s'il peut nous accorder une heure. Je présume qu'elle sera plus accommodante. »

Parmi les suspects identifiés par Casey, Mary Jane semblait la moins plausible. Hunter s'était peut-être inquiété des motifs de la nouvelle assistante mais, quinze ans plus tard, elle semblait continuer à assumer fidèlement son rôle de secrétaire. Et le général Raleigh n'était visiblement pas homme à se laisser facilement abuser.

Pendant que Grace retournait au téléphone, Laurie reprit sa liste de questions, mais l'appel de Mary Jane continuait à l'intriguer. *Arden.* Où avait-elle entendu ce nom récemment ? Qui d'autre lui avait parlé d'un éditeur ? Puis elle se souvint de sa conversation avec Jason, l'ex-petit ami de Casey. « Je reconnais que je n'aurais pas dû intituler mon livre *Avec Casey la*

Dingue. C'était injuste. En réalité, c'est mon éditeur chez Arden, Holly Bloom, qui a insisté. » Que le livre de Jason et celui du général soient publiés par le même éditeur était-il une simple coïncidence ?

« Jerry, quand tu as parlé à Mark Templeton, est-ce que tu l'as questionné sur le délai écoulé entre sa démission de la fondation Raleigh et son nouveau job chez Holly's Kids ?

— Non. Comme je l'ai dit, je voulais lui donner l'impression que nous souhaitions juste lui parler de l'attitude de Casey et de Hunter lors du gala. Je pensais que c'était à toi de décider s'il fallait ou non le questionner sur les rumeurs concernant les finances de la fondation. »

Laurie se dirigea vers son ordinateur, entra *Holly's Kids* dans son navigateur et ouvrit le site de l'association à but non lucratif dont Mark Templeton était le directeur. Elle cliqua sur la liste des membres du conseil d'administration. Son regard tomba immédiatement sur un nom en particulier. Holly Bloom, comme dans Holly's Kids, enregistrée comme à la fois membre du conseil et fondatrice. Elle cliqua sur la biographie de Holly, puis tourna l'écran vers Jerry. « La Holly de Holly's Kids est la présidente des éditions Arden, qui éditent le livre de Jason Gardner et les futurs mémoires du général Raleigh. »

Jerry avait les yeux rivés à l'écran. « Waouh ! C'est comme si le ciel me tombait sur la tête. »

Laurie ne savait toujours pas qui avait tué Hunter Raleigh, ou même si Casey Carter était innocente. Mais elle était en train de mettre en place plusieurs pièces du puzzle. Si elle ne se trompait pas, Casey n'avait jamais eu de procès équitable.

Elle prit son téléphone et appela son père. « Papa, j'ai un service à te demander. Tu connais encore quelqu'un dans la police d'État du Connecticut ?

— Bien sûr. Je suis peut-être à la retraite, mais mon vieux fichier Rolodex me sert toujours.

— Peux-tu voir si un de tes collègues qui a travaillé sur l'affaire Hunter Raleigh serait disposé à me parler ? Rien d'officiel, bien sûr. » Elle se souvint de son air mélancolique la semaine passée. « Tu pourrais m'accompagner ? »

37

Le lendemain matin, Leo attendait devant son immeuble, au volant d'une voiture de location, warnings allumés.

« Merci d'être là, papa, dit Laurie en grimpant sur le siège du passager.

— Et merci pour ça, ajouta-t-il en lui tendant un des deux gobelets de café calés sur le tableau de bord.

— Tu es le meilleur père et le meilleur chauffeur du monde. »

La veille, Leo avait demandé à son ami, l'ancien commissaire de la police d'État du Connecticut, d'organiser une réunion avec l'inspecteur Joseph McIntosh, enquêteur principal dans l'affaire du meurtre de Hunter Raleigh.

« À propos, qui me remplace aujourd'hui ? demanda-t-il.

— Kara.

— Parfait, Timmy l'aime bien. »

Si Timmy s'obstinait à essayer de persuader Laurie qu'il n'avait besoin de personne pour le conduire à l'école et le ramener en l'absence de son grand-père, toutes ses protestations cessaient quand il s'agissait de Kara, qui aimait le sport, faisait des pancakes au chocolat et partageait l'intérêt grandissant du petit garçon pour le jazz.

« S'agissant de ton rôle dans la vie de Timmy, tu es titulaire du poste, papa. Sais-tu où nous allons ?

— J'ai déjà branché le GPS. Inspecteur McIntosh, nous voilà ! »

L'inspecteur Joseph McIntosh faisait encore partie de la police d'État du Connecticut, mais il avait aujourd'hui le grade de lieutenant. Il ne parut pas particulièrement enchanté de voir Laurie, mais se montra beaucoup plus chaleureux envers Leo. « Le commissaire Miller ne tarit pas d'éloges sur vous, commissaire Farley. »

Dès qu'ils abordèrent les éléments de preuve, il fut clair que l'inspecteur McIntosh ne doutait pas de la culpabilité de Casey. « Il faut que vous sachiez que l'avocate de la défense a été jusqu'à suggérer que c'était moi qui avais fourré le Rohypnol dans le sac de Casey Carter. Jusqu'à ce que nous ayons trouvé ces pilules, nous étions de son côté. Elle semblait sincèrement affolée quand nous sommes arrivés. Nous avons cherché des traces de poudre sur ses mains, comme l'oblige le protocole. À nos yeux, elle était une des victimes. Elle avait perdu son fiancé à la suite d'un acte de violence terrible. Apparemment, son malaise cette nuit-là l'avait sauvée d'une mort probable. Et quand sa cousine est arrivée, c'est elle qui nous a suggéré d'analyser le sang de Casey Carter pour voir si elle avait été droguée. Mme Carter y a consenti et nous avons demandé au médecin présent sur la scène du crime d'effectuer un prélèvement. Plus tard, on a eu la confirmation qu'elle avait du Rohypnol dans l'organisme. À ce moment-là, nous pensions encore qu'il était possible que l'assassin l'ait droguée.

— Comment décririez-vous le père de Hunter, James, quand vous lui avez appris la mort de son fils ? demanda Laurie. A-t-il soupçonné Casey ? »

McIntosh lui adressa un sourire ambigu. « Je vois où vous voulez en venir. Une famille puissante, qui veut des réponses. Vous vous demandez qui tirait les ficelles. »

Laurie s'efforçait seulement de donner du sens à tout ce qu'elle avait appris, mais en effet, c'était ce qu'elle se demandait. Ce n'était un secret pour personne que James avait tenté de dissuader Hunter d'épouser une femme qu'il considérait comme une source d'ennuis. Quand Hunter avait été tué, peu de temps après que Mindy Sampson l'avait photographié en compagnie de Gabrielle Lawson, il n'avait pu que soupçonner Casey – dont la jalousie était bien connue dans la famille – d'être la meurtrière.

Était-il possible que le général Raleigh ait tenté d'infléchir le cours de la justice ? Celui qui se cachait derrière les posts de RIP_Hunter admirait visiblement le jeune homme. Le général aurait-il pu les écrire ? À l'époque du meurtre, il devait avoir environ soixante-cinq ans, plutôt âgé pour apprendre à utiliser Internet, mais Mary Jane pouvait l'avoir aidé. Avait-il été plus loin et soudoyé la police pour qu'elle tende un piège à Casey ? S'il en était ainsi, et que Mark Templeton était au courant, cela expliquait pourquoi le général faisait en public l'éloge de son directeur financier

227

démissionnaire, même si la fondation Raleigh battait de l'aile. Ce n'était pas une coïncidence si la femme qui publiait les mémoires du général avait également engagé Templeton dans son association, après avoir, en outre, publié le livre dévastateur de Jason Gardner sur Casey. Mais pourquoi Alex l'avait-il mise en garde contre cette affaire ? se demanda-t-elle à nouveau.

Elle n'était pas prête à partager ses soupçons avec le lieutenant McIntosh. « Le général a-t-il soupçonné Casey tout de suite, ou cette conviction s'est-elle formée peu à peu ?

— Il a d'abord éprouvé un choc et un chagrin épouvantables. Ensuite, il a demandé si Casey était saine et sauve. Quand j'ai dit qu'elle l'était, il a répliqué, je cite : "Écoutez, pour moi il ne fait aucun doute que c'est elle qui l'a tué." Donc, oui, on peut dire qu'il la soupçonnait. » Il eut un petit rire amusé. « Mais je ne reçois d'ordres de personne, pas même du général Raleigh. Nous avons mené une enquête serrée, et toutes les pistes menaient à Casey.

— Avez-vous appris où elle s'était procuré le Rohypnol ? »

Il secoua la tête. « Ç'aurait été intéressant, mais il était facile de se procurer ce genre de drogue, même à cette époque. J'ai appris que votre émission va rouvrir l'enquête sur cette affaire. Je me demande ce que vous espérez prouver. Nous avions les moyens, le mobile et l'opportunité. »

Laurie écouta patiemment McIntosh développer son raisonnement. Les moyens : future épouse de Hunter, Casey avait été gagnée par sa passion pour le tir et savait où il rangeait ses armes. Elle avait commencé par tirer sur Hunter dans le salon. Quand elle l'avait manqué, Hunter avait couru se réfugier dans la chambre, peut-être dans l'intention de s'enfermer dans la salle de bains, ou de saisir une autre arme pour se défendre. Une fois qu'il avait été pris au piège dans la chambre, Casey avait tiré les deux coups fatals.

Le mobile : en se fiançant avec un membre de la famille Raleigh, Casey accédait à une classe sociale supérieure. Elle pouvait aussi se montrer extrêmement jalouse avec Hunter. Son père le poussait à rompre avec elle et, quelques jours seulement avant sa mort, Hunter avait été photographié en compagnie de cette mondaine, Gabrielle Lawson. Par la suite, même certains des anciens amis de Casey envisageaient la possibilité qu'elle ait « perdu la boule » si Hunter avait rompu leurs fiançailles.

L'occasion : Casey avait simulé son malaise pour se créer un alibi partiel, affirmant qu'elle dormait au moment du meurtre. Puis, après avoir abattu Hunter, elle avait pris du Rohypnol afin de faire croire que quelqu'un l'avait droguée.

« Vous auriez dû voir son visage quand sa propre avocate a changé de registre lors des conclusions, poursuivit McIntosh. Elle est passée de "elle n'a rien fait" à : "Bon, peut-être l'a-t-elle fait, mais elle avait perdu l'esprit." Casey semblait vouloir l'expédier dans la tombe, elle aussi. Vous voyez à quel point notre position était forte. Même la défense s'était rendue à l'évidence. Si vous voulez mon avis, ce jury n'a pas eu le cran d'envoyer une jeune et jolie femme en prison à perpétuité. Homicide sans préméditation ?

Comment croire qu'il s'agissait d'un meurtre commis sous l'impulsion du moment sans expliquer pourquoi elle avait ces pilules dans son sac ? Elle avait une raison de les avoir. »

Ce fut Leo qui interrompit le récit du lieutenant : « Et c'est pourquoi la défense vous a accusé de les avoir dissimulées dans son sac ou d'avoir falsifié les preuves.

— Elle a évoqué cette possibilité, en effet. Elle a dit que le véritable assassin les y avait peut-être placées, mais elle a été jusqu'à suggérer que les pilules que j'avais trouvées dans le sac de Casey n'étaient pas celles qu'on avait envoyées au labo. Qu'elles avaient été échangées d'une façon ou d'une autre. Mais encore une fois, Casey n'était même pas soupçonnée à ce moment-là. Nous avons laissé sa cousine la ramener à son appartement en ville pendant que nous passions la scène du crime au peigne fin. Dans une affaire d'homicide, nous ne laissons rien de côté. Croyez-moi, la dernière chose à laquelle je m'attendais était de trouver dans son sac ce qu'on appelle communément des "roofies".

— Aviez-vous l'autorisation de fouiller son sac ? demanda Laurie.

— Non, il était resté sur la scène du crime, sur le canapé derrière un coussin. Et il était renversé, les pilules clairement visibles.

— Vous avez su immédiatement de quoi il s'agissait ? »

McIntosh hocha la tête. « Elles portaient la marque d'un laboratoire pharmaceutique, et elles sont malheureusement utilisées de plus en plus fréquemment par des individus peu recommandables. »

Laurie n'en perdait pas une miette. « Avez-vous trouvé une photo encadrée de Hunter avec le président des États-Unis quand vous avez fouillé la maison ? Elle était dans un cadre de cristal. »

Il secoua la tête. « Je n'en ai aucun souvenir. Pas sûr que je m'en souviendrais, cependant, et j'ai une sacrée bonne mémoire. Pourquoi ? »

Elle lui parla de la photo qui se trouvait sur la table de nuit de Hunter avant le meurtre, mais qui n'apparaissait sur aucune photo de la scène de crime.

— La gouvernante a pu se tromper. Hunter avait un appartement et un bureau en ville. Il avait pu l'emporter ailleurs. Ou peut-être a-t-il été brisé. Il peut y avoir des millions d'explications. Quoi qu'il en soit, l'absence d'une photo ne permet pas de fonder un doute raisonnable. »

Laurie comprit à la façon dont Leo évitait de la regarder qu'il partageait cet avis.

Elle changea de sujet : « Quel souvenir avez-vous de Mark Templeton ?

— Le nom me dit quelque chose.

— Il était directeur financier de la fondation Raleigh et un des meilleurs amis de Hunter.

— Oh, bien sûr. Un type sympathique. Il était effondré.

— Avez-vous vérifié s'il avait un alibi correspondant à l'heure du crime ? »

McIntosh partit d'un rire moqueur. « Vous ratissez vraiment large, ma parole ! Eh bien, je n'utiliserais pas ce terme, mais nous avons l'emploi du temps de toutes les personnes auxquelles nous avons parlé cette nuit-là. Le père de Hunter avait invité dans son club privé quelques donateurs importants à prendre un dernier verre après le gala. Son chauffeur l'a ensuite raccompagné chez lui, et il a une assistante à demeure dans sa résidence. Aussi, au cas où vous soupçonneriez aussi le général Raleigh » – le sarcasme était manifeste –, « son alibi est en béton. Mais les autres invités à la table de Hunter sont rentrés chez eux seuls après le gala. »

Laurie connaissait le plan de table par cœur : Hunter, Casey, le père et le frère de Hunter, Mary Jane Finder, la cousine de Casey, Angela, et Mark Templeton. Ni Mark ni Angela n'étaient accompagnés. Le fiancé d'Angela à l'époque, Sean Murray, n'était pas à New York, et l'épouse de Mark était restée chez elle avec ses enfants. Après avoir vérifié chaque nom avec le lieutenant, Laurie lui demanda s'il avait connaissance de l'appel téléphonique que Hunter avait passé à un ami en se rendant au gala pour lui demander le nom d'un détective privé.

« Nous l'avons su parce que l'ami en question nous a contactés après le meurtre. Hunter désirait vérifier les antécédents d'une personne, mais il n'a pas eu la possibilité de l'identifier. À mon avis, il s'agissait probablement de Casey. Peut-être commençait-il à partager les inquiétudes de son père et voulait-il en savoir davantage sur la femme qu'il projetait d'épouser.

— C'est un des arguments qu'a utilisés l'accusation, dit Laurie. Mais c'était pure spéculation. Il est tout aussi possible qu'il ait voulu vérifier ses soupçons concernant l'assistante de son père, Mary Jane. Il était déterminé à la faire renvoyer. Mary Jane assistait au gala ce soir-là, mais a-t-elle accompagné le général quand il a emmené les donateurs à son club ? »

Le lieutenant plissa les yeux, cherchant à retrouver cette information dans sa mémoire. « Non, elle n'y était pas. Mais elle nous a dit le lendemain qu'elle l'avait entendu rentrer chez lui quand elle venait de se coucher, et c'est elle qui a répondu au téléphone lorsque nous avons appelé pour dire que des coups de feu avaient été tirés.

« Donc vous ne savez pas exactement à quelle heure elle est rentrée du gala. Elle aurait très bien pu aller dans le Connecticut et en revenir avant que vous appeliez chez le général. En fait, il se pourrait tout aussi bien qu'elle soit rentrée après lui et ait menti en disant l'avoir entendu rentrer.

— C'est possible, dit McIntosh avec un sourire ironique. Mais peu probable. »

Laurie commença à ranger ses notes dans son sac. « Merci encore de nous avoir consacré du temps, lieutenant. Je dois dire que je ne m'attendais pas à vous trouver aussi coopératif. »

Il leva les deux mains. « Pour moi, si je fais mon boulot correctement, vous pouvez tout examiner à la loupe, je ne suis pas inquiet. Vous ne croyez tout de même pas que Hunter a été assassiné par son meilleur ami ou par l'assistante de son père ? »

Un sourire amusé flottait toujours sur ses lèvres.

« Saviez-vous que Hunter, non seulement recherchait un détective privé, mais qu'il était aussi préoccupé par de possibles malversations à la fondation ? »

Le sourire de McIntosh disparut instantanément. « *Voilà autre chose !* Je m'en serais souvenu. Personne n'a jamais rien mentionné de ce genre.

— C'est une simple supposition pour l'instant. » Laurie ne voyait aucune raison de lui dire que Casey était sa seule source. « Mais Mark Templeton a démissionné de manière imprévue quatre ans plus tard, alors que les actifs de la fondation avaient fondu, et il est resté ensuite plusieurs mois sans retrouver de travail. »

Le lieutenant fronçait les sourcils, comme si un souvenir lui échappait.

« Cela vous évoque quelque chose ? demanda Laurie.

— Peut-être. Je vous ai dit que nous avions passé la maison au peigne fin, n'est-ce pas ? Il y avait une note sur le bureau de Hunter où étaient griffonnés deux numéros de téléphone. D'après les relevés téléphoniques, il ne les avait jamais appelés. Mais voilà : les deux numéros en question étaient ceux de gros cabinets comptables spécialisés dans la juricomptabilité et, dans la marge à côté des numéros, Hunter avait écrit : *demander à Mark.*

— Je présume qu'il s'agit de Mark Templeton. Lui en avez-vous parlé ?

— Bien sûr. Templeton a répondu qu'il n'avait aucune idée du sens de cette note. La famille Raleigh avait peut-être besoin d'un nouvel expert-comptable et Hunter voulait lui demander son avis. Mais comme je le dis souvent, prenez votre loupe et jouez les Fantômette. Je sais que nous avons condamné la vraie coupable. »

38

Le père de Laurie boucla sa ceinture avant de lui demander : « Crois-tu vraiment que Hunter ait pu être assassiné parce que la fondation avait des problèmes ?

— Je n'en suis pas sûre, mais j'ai la nette impression qu'à un moment ou un autre le père de Hunter a mis son grain de sel dans les rouages de la justice. »

Elle expliqua le rôle de l'éditrice du général, Holly Bloom, auprès de Mark Templeton *et* de Jason Gardner.

« Tu ne crois quand même pas que le général était dans le coup ?

— Bien sûr que non. »

Cette possibilité était inimaginable. James Raleigh était un héros national et il était de notoriété publique qu'il adorait son fils aîné. Même si Laurie avait eu des doutes à son sujet, il pouvait justifier de ses faits et gestes jusqu'au moment où il avait été averti de la mort de Hunter.

« Pourquoi chercherait-il à couvrir l'assassin de son propre fils ?

— Uniquement s'il pensait que son autre fils était coupable. D'après Casey, Andrew Raleigh pouvait se montrer très agressif envers son frère aîné, surtout quand il avait bu. Même Andrew a toujours clairement indiqué que Hunter était son fils préféré. Ou peut-être le général croyait-il sincèrement que Casey était coupable. Se trompait-il ?

— Mais peut-être avait-il raison, Laurie. Même s'il s'est arrangé pour faire publier le bouquin de Jason Gardner, même s'il a quelque chose à voir avec les posts de RIP_Hunter, même s'il s'est employé à dénigrer Casey – elle pourrait malgré tout être coupable. »

Peut-être, pensa Laurie.

Ils n'étaient qu'à deux jours du tournage, et elle avait davantage de questions que de réponses. Elle savait maintenant que la police avait trouvé des numéros de juricomptables sur le bureau de Hunter, avec une note disant *demander à Mark*. Ce qui confirmait l'allégation de Casey : Hunter s'intéressait à des malversations concernant la fondation. Il ne lui restait plus qu'à refaire un tour du côté de Templeton.

En attendant, elle avait encore une chose à faire avant de regagner New York. Elle avait programmé le GPS : leur destination se trouvait sur la gauche.

« Tu viens avec moi ? demanda-t-elle.

— Non merci. Je n'ai jamais beaucoup aimé les avocats avant de rencontrer Alex. Je crois que je vais me contenter de lui. »

L'avocate à qui Laurie rendait visite était celle qui avait défendu Casey : Janice Marwood.

39

Laurie sonna à la porte du cabinet de Janice Marwood. N'obtenant pas de réponse, elle l'ouvrit et entra. C'est un drôle de bureau, s'étonna-t-elle. Un regard rapide autour d'elle lui suffit pour se rendre compte que l'endroit avait probablement été une maison particulière au début du vingtième siècle. À sa gauche, l'ancienne salle de séjour avait été convertie en réception, avec quelques sièges et une table sur laquelle étaient disposés quelques magazines.

Mais il n'y avait aucun signe de vie – et personne en vue.

« Hou hou ? » lança Laurie en s'avançant dans l'espace de réception. Elle entendit des pas dans le couloir et une femme apparut, un pot de beurre de cacahuète dans une main, une cuiller dans l'autre. « Je suis là. »

Laurie se présenta, même si elle avait comme l'impression que la femme qui était devant elle savait qui elle était. « J'ai téléphoné plusieurs fois à propos de Casey Carter. »

Janice Marwood finit d'avaler sa bouchée de beurre de cacahuète et lui serra rapidement la main. « Désolée, je me débats avec une quantité d'affaires en ce moment. Je vous jure que j'allais vous appeler aujourd'hui, quoi qu'il arrive. »

Laurie ne la crut pas une seule seconde. « Avez-vous reçu la clause que nous vous avons faxée ? Il est temps que je vous parle. Nous commençons le tournage dans deux jours. » En l'occurrence, faxé signifiait envoyé de multiples fax, e-mails et lettres recommandées. Jerry avait appelé Janice Marwood tous les jours. Et pourtant, Laurie n'avait eu aucun retour de la part de l'avocate qui avait défendu Casey à son procès.

« Le tribunal n'autorise pas la présence de caméras dans son enceinte, mais nous avons la permission de filmer devant le bâtiment. Nous serions prêts à le faire ici si c'est plus pratique pour vous. Avant tout, nous aimerions connaître vos réflexions. C'était il y a quinze ans, et Casey n'a jamais cessé de clamer son innocence. »

Janice remuait les mâchoires comme si elle était encore en train de mastiquer. « Ouais. Casey a le droit de renoncer à la clause de confidentialité entre l'avocat et son client, mais en ce qui me concerne, j'ai vérifié, je n'ai pas à participer à une émission de télévision contre mon gré, donc la réponse est non. »

Laurie avait imaginé différents scénarios en arrivant chez l'avocate, mais pas celui-ci. « Vous avez un devoir de loyauté envers votre cliente. Elle a passé une grande partie de sa vie en prison et aujourd'hui elle cherche à tout prix à blanchir son nom. Vous êtes censée être son avocate. Je suis désolée, mais je ne vois pas où se situe le conflit dans ce cas.

— Mon job est – *était* – de la défendre au cours du

procès. Et en appel. Mais la procédure est terminée. Je ne suis pas une star de la télé. Et ce n'est pas mon job d'apparaître devant des caméras.

— Casey a signé les documents.

— C'est très bien, mais elle ne peut pas me forcer à vous parler, pas plus qu'elle ne peut m'ordonner où aller dîner ce soir. J'ai sorti les dossiers de son procès des archives. Elle peut utiliser ces documents comme bon lui semble. Et je suis prête à répondre à toute demande de consultation de sa part. Mais en ce qui concerne votre émission, je n'y participerai pas. »

Une fois de plus, Laurie regretta qu'Alex ne soit pas à ses côtés. On aurait été en droit de supposer que l'avocate de Casey aurait au moins feint de vouloir relever le défi, par respect pour sa cliente, mais maintenant qu'elle se dérobait, Laurie n'était pas en position de la contredire. Sans attendre sa réponse, l'avocate l'avait entraînée dans l'entrée puis conduite dans une pièce meublée d'une table de conférence sur laquelle trônaient deux boîtes d'archives marquées C. CARTER.

« Que seraient devenues ces boîtes si je n'étais pas venue à New York aujourd'hui ?

— Comme je vous l'ai dit, j'étais sur le point de vous appeler. FedEx devait les prendre demain matin. »

À nouveau, Laurie en doutait fort. « Pendant le procès, quelqu'un harcelait Casey sur Internet. Vous y êtes-vous intéressée ?

— Tout ce que j'ai se trouve dans ces dossiers.

— Un des jurés a même entendu dire par sa fille que Casey avait avoué. Il l'a signalé au juge. Pourquoi n'avez-vous pas demandé l'ajournement du procès ? »

Janice Marwood poussa une des boîtes dans la direction de Laurie. « Avec tout le respect que je vous dois, madame, je n'ai aucune explication à vous donner sur la stratégie employée lors du procès. Maintenant, avez-vous besoin d'aide pour emporter ces boîtes ? Parce que c'est tout ce que je peux vous offrir. »

Alex avait accordé un C moins à Janice Marwood. Laurie l'aurait volontiers gratifiée d'un énorme F.

Quand elle sortit, chargée des boîtes, elle vit son père dans la voiture, qui pianotait sur le volant. Elle le soupçonna d'être en train d'écouter Sixties Channel, sa station de radio favorite.

Il commanda l'ouverture du coffre dès qu'il l'aperçut et sauta de la voiture pour l'aider. « On dirait que ça s'est bien passé, dit-il en s'emparant d'une des boîtes.

— Pas du tout », déplora Laurie.

Elle n'en avait aucune preuve, mais elle se demandait si le père de Hunter avait pu influencer l'avocate de Casey.

40

Il était dix-sept heures trente quand Leo et Laurie arrivèrent à New York. Il essaya de persuader sa fille de rentrer directement chez elle, mais elle voulait mettre au propre les notes qu'elle avait prises dans le Connecticut et elle travaillait toujours mieux aux studios.

Elle avait l'habitude de trouver Jerry au bureau tard le soir, mais elle s'étonna d'y voir aussi Grace. Et Ryan, qui lui fit un signe en passant dans le couloir, un café de Bouchon Bakery à la main.

« Pourquoi Ryan est-il là ? demanda-t-elle à Grace.

— Il a traîné dans les parages en attendant que son bureau soit prêt. Il était censé l'être il y a plusieurs heures, mais tu connais la lenteur légendaire des types de la maintenance. Ils n'avaient pas commencé à peindre avant ce matin. Bon, Ryan en a profité pour faire un peu mieux connaissance avec Jerry et moi. Je crois qu'il a hâte de ne plus être le petit nouveau de la classe. »

Laurie remarqua un sac de biscuits Bouchon sur le bureau de Grace, assorti au gobelet de Ryan. Elle comprit sans mal pourquoi Grace s'était attardée à son travail.

Laurie s'arrêta devant le bureau de Jerry et frappa à la porte ouverte.

« Ne me dis pas que Ryan a entrepris de faire du gringue à mon assistante pendant mon absence. »

Jerry éclata de rire. « Tu connais Grace. C'est une aguicheuse de première, mais ça ne va pas plus loin. En outre, elle trouve que Ryan Nichols se prend beaucoup trop au sérieux. La seule raison pour laquelle son bureau n'est pas prêt, c'est qu'il a donné des instructions aux installateurs, précisé la place de chaque meuble, où accrocher chaque portrait de lui-même, au centimètre près. » Laurie ne fut pas peu satisfaite de voir Jerry lever les yeux au ciel.

Il lui paraissait incroyable que Brett ait attribué un bureau à Ryan. La possibilité d'en mettre un à la disposition d'Alex n'avait jamais été envisagée.

« J'allais t'appeler », dit Jerry d'un ton pressant. « Je crois avoir trouvé quelque chose d'intéressant. »

Une fois qu'ils furent installés dans le bureau de Laurie, il expliqua les raisons de son excitation. « Je pensais à l'article de *Whispers* sur lequel nous sommes tombés – celui qui concernait probablement Hunter. »

Peu de temps avant que Mindy Sampson publie la photo de Hunter en compagnie de Gabrielle Lawson, sa chronique *Whispers* avait révélé sous forme d'« information anonyme » qu'un des hommes les plus recherchés de New York était sur le point de rompre ses fiançailles. Laurie s'en souvenait.

« J'ai pensé que nous étions peut-être passés à côté de quelque chose en enquêtant sur Mark Templeton.

Les articles à propos de son départ de la fondation Raleigh suggéraient vaguement des irrégularités financières, pas davantage. » Les comptes rendus notaient simplement qu'il avait quitté son poste, que les actifs avaient diminué, et qu'il n'avait pas encore de nouvelles responsabilités. Des malversations avaient peut-être affecté les finances de la fondation, et Templeton était peut-être concerné, mais il n'y avait pas assez de preuves pour que les journalistes évoquent directement cette possibilité.

Laurie voyait où l'entraînaient les pensées de Jerry. « C'est dans ce cas que les rubriques à scandale utilisent les "informations anonymes", dit-elle. Le journal ne peut pas être poursuivi s'il ne donne pas de noms. » Quand elle s'était informée sur Templeton, elle avait fait des recherches dans les médias sur son nom et sur la fondation Raleigh. Mais une information anonyme qui omettait intentionnellement des détails spécifiques ne sortirait jamais dans une recherche aussi ciblée. « Tu as trouvé quelque chose ? demanda-t-elle.

— Je crois. » Il lui tendit une sortie papier d'un ancien *Whispers*, daté de plusieurs mois après la démission de Templeton. *Quel ancien responsable financier anonyme d'une association à but non lucratif, appartenant à une dynastie politique, elle aussi anonyme, a été vu il y a deux jours entrant dans le tribunal fédéral accompagné d'un avocat ? Des accusations vont-elles en découler ? À suivre.*

« Très bon travail, Jerry. Il est possible qu'ils parlent de quelqu'un d'autre, mais "association à but non lucratif" et "dynastie politique" ? Cela ressemble fort à Templeton. Est-ce qu'on peut approcher le journaliste qui a écrit ça ? Il pourrait confirmer de manière non officielle ?

— Malheureusement, j'ai déjà essayé. *Whispers* ne signait jamais les informations de ses contributeurs. J'ai tenté le coup et contacté le journaliste qui dirigeait la rubrique financière à l'époque, mais il m'a dit que ça ne lui rappelait rien. Il pense que le journaliste chargé des affaires criminelles avait pu dénicher cette nouvelle, mais il est mort il y a plusieurs années. »

S'il leur était impossible de faire préciser les détails de cette histoire par le journaliste, il leur fallait trouver un autre moyen. Templeton avait clairement laissé entendre qu'il n'avait pas l'intention de parler de son activité à la fondation Raleigh. Il ne leur restait qu'une seule autre option.

Elle demanda à Grace où était le bureau attribué à Ryan par le studio, puis l'y trouva en train d'arranger les coussins de son nouveau canapé. « Vous avez toujours des contacts avec le bureau du procureur fédéral ? »

Ryan n'y avait travaillé que trois ans après son stage à la Cour suprême, mais il y avait acquis une expérience impressionnante dans la lutte contre la criminalité en col blanc. « Bien sûr », dit-il avec un clin d'œil. « Tout le monde ne peut pas être riche et célèbre. »

Jusqu'à présent, il n'était ni l'un ni l'autre, eut envie de rétorquer Laurie. L'ami de son oncle lui avait peut-être procuré un job et un bureau, mais Laurie savait combien il était payé. L'esprit économe de Brett n'épargnait personne.

Laurie lui tendit une copie de l'article anonyme que Jerry avait découvert. « Il est possible que ce qui s'est passé entre Mark Templeton et la fondation Raleigh ait été suffisamment sérieux pour qu'il ait engagé un avocat. Que signifierait, en revanche, qu'il se présente au tribunal accompagné de son avocat, et qu'on ne trouve aucune trace de charges contre lui ? »

Ryan lut rapidement le document puis s'intéressa à une balle de baseball qui était posée sur son bureau. Il la fit passer d'une main dans l'autre. « Il a peut-être été appelé à témoigner devant un grand jury. Ou, plus probablement, il avait rendez-vous avec des procureurs, éventuellement en tant qu'informateur.

— Vous serait-il possible d'en savoir plus ?

— Certainement. Mais même si on a découvert un truc louche à la fondation, ça peut n'avoir aucun rapport avec le meurtre de Hunter.

— Si Templeton avait appris que Hunter était sur sa piste, ce pouvait être un motif de poids pour le réduire au silence.

— Je ne vois pas les choses ainsi. » Il continuait à jouer avec la balle. « Les cols blancs n'aiment pas se salir les mains. »

Elle résista à la tentation de lui citer toutes les affaires qui contredisaient son affirmation. « Pouvez-vous vous renseigner oui ou non ?

— Je vous l'ai dit, pas de problème. »

Elle l'avait remercié et se dirigeait vers la porte quand il lui lança : « Attention, Laurie ! »

Il eut l'air surpris quand elle attrapa sans effort la balle qui fondait sur elle. « Merci », dit-elle en la glis-

sant dans la poche de sa veste. Elle souriait en rega-
gnant son bureau. Peut-être la lui rendrait-elle un jour.

Elle se préparait à quitter le bureau quand elle reçut
un texto de Charlotte. *Tu as le temps de prendre un
verre ?*

Laurie se souvenait à peine de l'époque où elle était
libre de faire ce que bon lui semblait après son travail. *Mon fils ne me reconnaîtra peut-être plus si je
ne rentre pas à la maison. Veux-tu faire un saut chez
nous à la place ?*

Elle se sentit stupide dès l'instant où elle appuya
sur la touche « Envoyer ». Elle voyait mal Charlotte
passant un vendredi soir chez elle avec son père et
son fils.

*Seulement si ton chouette père est là. J'apporterai
le vin.*

Laurie sourit. Charlotte était vraiment une bonne
copine.

41

« Dois-je en ouvrir une autre ? » Leo brandissait
une bouteille du cabernet favori de Laurie.

Charlotte regarda son verre vide. « Voyons. À nous
trois, nous venons de finir une bouteille.

— Alors, c'est non ? demanda Leo.

— Sûrement pas. Faites sauter le bouchon, lieutenant Farley.

— En fait, corrigea Laurie, papa a pris sa retraite
avec le grade de premier adjoint du commissaire de
police.

— Mes excuses pour la rétrogradation, Leo. »
Voyant Timmy débarrasser les assiettes sales, Charlotte parut impressionnée. « Quel parfait jeune homme
tu as là. »

Le visage de Laurie s'épanouit en un large sourire.

« Dites, si vous prenez encore du vin, est-ce que
ça veut dire que je peux avoir de la glace ? demanda
Timmy depuis la cuisine.

— Je suppose que c'est équitable », répondit
Laurie.

Timmy était de retour avec une boule de chocolat
et une boule de vanille avant que Leo ait fini de servir
le vin. Laurie se tourna vers son amie. « Charlotte,

dis-nous-en un peu plus sur le défilé de mode que tu prépares.

— Tu es sûre ? Les hommes n'ont peut-être pas envie d'entendre parler chiffons.

— Bien sûr que nous en avons envie », dit Leo, bien que Laurie sût que son père n'était absolument pas intéressé par la logistique d'un défilé de mode.

« Ce n'est pas un défilé typique. Comme nous produisons des vêtements de sport pour de vraies femmes, nous embauchons des athlètes célèbres et des actrices à la place des modèles habituels. Et même certaines employées de Ladyform ou leurs amies. Des gens comme vous et moi. »

Les dents de Timmy étaient couleur chocolat quand il sourit. « Vous devriez prendre ma mère. C'est une personne normale. Enfin, ça dépend de ce qu'on entend par normal.

— Charmant, dit Laurie.

— JP. » C'était la nouvelle version de Timmy pour *je plaisantais*. « Où cela aura-t-il lieu, miss Pierce ? »

Charlotte sourit à nouveau devant la bonne éducation de Timmy. « À Brooklyn. Quelqu'un sait-il où se trouve DUMBO ? »

Leo intervint : « Cela signifie Down Under the Manhattan Bridge Overpass. » Puis il donna l'explication du surnom à Timmy.

L'endroit était situé entre les ponts de Brooklyn et de Manhattan. C'était une friche industrielle utilisée surtout comme débarcadère des ferrys. Puis un promoteur astucieux avait acheté les terrains, les avait aménagés pour accueillir des galeries d'art et des start-up, et leur avait accolé ce nom branché. Aujourd'hui, DUMBO était un paradis pour les hipsters.

« L'endroit nous a paru idéal, dit Charlotte, tout excitée. C'est un des derniers entrepôts authentiques. L'autorisation a été obtenue pour l'aménager en appartements, mais le promoteur n'a pas encore trouvé le financement. Pour l'instant, c'est une structure de deux étages avec sols de béton, poutres et briques apparentes. Très industriel. Nous aurons un thème différent à chaque étage, et les gens circuleront à travers tout le bâtiment au lieu de regarder les modèles défiler sur un podium. J'ai l'impression de monter une pièce de théâtre à Broadway. »

Quand Timmy eut fini sa glace, Laurie annonça : « Bon, mon bonhomme, c'est l'heure d'aller au lit, nous sommes peut-être vendredi soir, mais tu as entraînement de foot demain matin.

— Et je serai sur la touche pour t'encourager, dit Leo. Je vais rentrer chez moi maintenant. J'ai été content de vous revoir, Charlotte. »

Charlotte insista pour laver les verres avec Laurie avant de partir. « Merci pour cette délicieuse soirée, Laurie. Mais tu m'as un peu gâché l'existence. Je pense qu'il faudrait que j'aie un enfant.

— Vraiment ?

— Non. Ou JP, comme dirait Timmy. Sérieusement, il est très attachant. Je crois qu'il faut que je parte moi aussi. Je redoute la journée de demain. Je dois appeler un type du service comptable chez lui, un samedi matin, et lui dire qu'il doit suivre un stage de sensibilisation aux mauvais usages d'Internet lundi à la première heure. Je suis sûre que ça lui fera du bien.

— Qu'est-ce qu'il a fait ?

— Regardé des sites tout à fait répréhensibles sur son ordinateur au bureau. Notre service informatique tient une liste mensuelle de l'utilisation d'Internet.

— C'est courant de faire ça ?

— De nos jours, c'est presque indispensable. Ton studio le fait certainement. Je suis sûre que c'est inscrit en petits caractères quelque part dans les contrats des employés. Quoi qu'il en soit, je dois étouffer ce genre de dérives dans l'œuf, et je veux le faire moi-même. Nous sommes une entreprise familiale. J'ai la responsabilité de conserver notre culture d'entreprise. Avant que je parte, je voulais te demander comment ça va avec Alex. » Laurie avait dit à Charlotte que les choses étaient un peu compliquées entre eux depuis quelque temps, mais sans entrer dans les détails. « Du nouveau ? »

Laurie secoua la tête. « C'est une longue histoire que je n'ai pas le temps de te raconter maintenant. Je suis sûre que tout va s'arranger. »

Une fois la porte refermée derrière Charlotte, Laurie vérifia l'écran de son téléphone. Aucun nouvel appel.

Elle n'était pas vraiment sûre que tout allait s'arranger avec Alex.

42

Deux jours plus tard, Laurie arpentait la salle de bal du Cipriani. Elle se souvenait d'y être venue avec Greg quand ils choisissaient un lieu de réception pour leur mariage. En dépit des prix astronomiques, ses parents avaient insisté pour qu'ils la visitent. Elle s'était exclamée, s'émerveillant devant ce décor majestueux avec son haut plafond et ses colonnes de marbre : « Ils sont devenus complètement fous, Greg ! En invitant toutes les personnes que nous connaissons, nous remplirions à peine la moitié de la salle. C'est un lieu royal, et le prix va avec. »

Malgré les protestations de Leo : « Tu es ma seule fille » et : « C'est le seul mariage que j'aurai jamais à payer », ils avaient tenu à choisir un endroit plus modeste. Et tout avait été parfait.

Elle revoyait le sourire de Greg tandis que son père la conduisait à l'autel.

Une voix la ramena au présent : « C'est très festif, n'est-ce pas ?

— Magnifique », renchérit Laurie. En réalité, la seule chose dans la salle qui n'avait pas l'air *festif* était la personne qui se tenait à côté d'elle, l'assistante du général Raleigh, Mary Jane. On aurait cru que son visage se fendrait en deux si elle tentait ne serait-ce qu'un petit sourire.

« Suivant les instructions du général, j'ai fait décorer les tables à l'avance pour que vous puissiez filmer avant l'événement de ce soir. À votre demande, nous avons choisi un décor similaire à celui du gala, le soir qui a précédé la mort de Hunter. » L'air renfrogné de Mary Jane trahissait sa désapprobation.

Laurie ne lui rappela pas que le studio avait accepté de faire une généreuse donation à la fondation, qui couvrait plus que la dépense. « La famille occupait la table principale, précisa Mary Jane, désignant la table ronde la plus proche de l'estrade.

— Et par famille, vous entendez… ? »

Laurie savait très bien qui s'y trouvait, mais elle voulait l'entendre de la bouche de Mary Jane.

Celle-ci sembla désorientée par la question, mais commença à énumérer les membres de la famille : « Andrew et Hunter, Casey et sa cousine, le général et moi. »

Laurie remarqua la manière dont Mary Jane s'associait au général, comme s'ils étaient ensemble. « Six personnes seulement ? s'étonna-t-elle. Le dessus du panier, en quelque sorte.

— Bien sûr, il y avait aussi le directeur financier de la fondation. Sa femme n'était pas présente parce que leur baby-sitter s'était décommandée à la dernière minute.

— Ah oui », dit Laurie, comme si la mémoire venait juste de lui revenir. « Quel est son nom déjà ? »

Mary Jane resta impassible et ne répondit rien. « Vous commencez probablement tôt dans la journée.

252

Il faut absolument que les caméras aient disparu dans trois heures. Les invités doivent arriver peu après.

— À ce propos, Mary Jane, l'interview du général était prévue demain dans le Connecticut... » Ils avaient l'intention d'interroger James et Andrew Raleigh dans la maison de campagne où Hunter avait été assassiné. « ... Mais, comme mon assistant a dû vous l'expliquer, nous aimerions mettre en boîte votre séquence dès aujourd'hui.

— On verra comment se déroule la journée. Pour l'instant, la collecte de fonds est ma priorité.

— Mais vous avez déjà accepté de participer. Nous avons un planning à respecter.

— Il le sera. Les trois heures qui vous sont accordées passeront vite. Au pire, je serai à votre disposition demain. J'accompagnerai le général à New Milford. »

Bien sûr que vous allez l'accompagner. Cet homme avait servi son pays dans toutes les régions du monde mais, à en croire Mary Jane, il ne pouvait rien faire sans elle à ses côtés.

D'autres qu'elle se seraient extasiées sur la parfaite décoration florale des tables mise en place par Mary Jane, mais Laurie était emballée pour des raisons qui n'avaient rien à voir avec la réception prévue quelques heures plus tard. Elle était excitée parce qu'elle adorait participer à un tournage. Elle aimait cette sensation d'impatience au moment de raconter une histoire – pas uniquement avec des mots, mais avec des images, des pauses dramatiques, des effets sonores. De toute façon, elle réaliserait une émission de bonne qualité, elle le savait. Et, avec un peu de chance, ils pourraient aussi éclairer la justice.

Elle trouva Ryan en train de faire les cent pas dans le couloir, près des téléphones publics. « Alors, prêt pour vos débuts dans *Suspicion* ? »

Il leva un doigt pour la faire patienter pendant qu'il finissait d'articuler en silence des mots inscrits sur un pense-bête. « Fin prêt. »

Ce n'était pas l'impression qu'il donnait. Il avait l'air nerveux et portait encore la serviette que la maquilleuse avait coincée dans son col de chemise. Alex était l'un des rares avocats qui semblaient complètement à l'aise devant une caméra de télévision. Contrairement à certains ténors du barreau qui restaient pétrifiés quand on les filmait, les présentateurs étaient bons à condition d'avoir un téléprompteur ou des phrases toutes prêtes. Elle ignorait comment Ryan se comporterait.

« C'est la nouvelle mode ? » demanda-t-elle en désignant son cou.

Il baissa les yeux, apparemment embarrassé. « OK, dit-il en retirant la serviette.

— Avez-vous de nouvelles infos sur l'avocat engagé par Mark Templeton ?

— J'y travaille. »

Il était pour l'instant plus préoccupé par ses notes que par sa question.

« Lorsque vous avez appelé le bureau du procureur général, que vous ont-ils dit ?

— Je vous l'ai dit, Laurie, j'y travaille. Laissez-moi un peu plus de temps. »

Pour autant qu'elle le sache, *j'y travaille* était le code pour *j'ai complètement oublié*. Mais ce n'était pas le moment de lui faire un sermon sur la communication au sein de l'équipe. Le tournage allait commencer et ils devaient se concentrer.

Leur premier témoin, Jason Gardner, venait d'arriver.

43

Tandis que Ryan questionnait Jason Gardner, le regard de Laurie passait de la conversation sur le plateau à sa transcription sur l'écran à côté du cameraman. Il fallait espérer que la version télévisée serait meilleure que la réalité. Surprenant l'expression inquiète du cameraman, elle comprit qu'ils n'auraient pas cette chance.

Jerry se pencha pour lui glisser à l'oreille : « On dirait qu'ils font un concours à qui parlera le plus vite. Je ne saurais dire lequel est le plus nerveux. Et c'est quoi ces notes ? Même en zoomant pour pouvoir couper les mains de Ryan en post-production, il aura les yeux baissés en permanence.

— Coupez ! cria Laurie. Désolée les amis. Tout va bien mais on a un problème d'éclairage. Trop de halo autour des lustres. Ce sera réglé dans quelques minutes à peine. » Elle fit signe à Ryan de la suivre dans le couloir. Une fois seuls, elle tendit la main : « Donnez-moi vos notes. Toutes vos notes.

— Laurie…

— Je suis sérieuse. Vous n'en avez pas besoin. Nous avons tout revu, à l'endroit et à l'envers. » Elle n'avait pas une admiration particulière pour Ryan, mais son CV était en béton. Il ne serait jamais Alex, mais il pouvait certainement faire mieux que ce qu'elle venait de voir devant la caméra. « Il ne s'agit pas d'un exposé devant la Cour suprême. Il n'y a pas de juge ici. Le juge, c'est le public. Il faut qu'il ait confiance en vous, et il ne vous suivra pas s'il vous sent mal à l'aise.

— Mais j'ai noté toutes mes questions…

— Non », dit-elle, lui ôtant ses notes des mains. « Vous les avez à l'esprit, vous, le diplômé de Harvard. Dites-moi cinq choses que vous voulez savoir sur Jason Gardner. »

Il la regarda, visiblement contrarié. « Imaginez que je suis le professeur Machinchose qui vient vous poser une colle dans un amphithéâtre bourré à craquer. Vite : cinq objectifs. »

Il débita cinq points aussi vite que s'il récitait l'alphabet. Elle fut impressionnée.

« Voilà, vous êtes fin prêt. »

La séance reprit. Au bout de cinq minutes, Ryan revint avec Jason sur la chronologie du gala. Son attitude était naturelle et son aisance grandissait de minute en minute. Laurie se sentit moins tendue.

D'après ses dires, Jason n'avait parlé à Casey que quelques minutes après être arrivé à la réception vers huit heures et demie. Elle semblait avoir bu un verre de vin ou deux, mais son comportement n'en paraissait pas affecté et elle ne se plaignait de rien. Jason avait vu Casey partir avec Hunter, mais lui-même était resté avec ses collègues jusqu'à la fin de la réception avant de rentrer seul. Quand Ryan eut fini de le questionner sur le déroulement du gala, il avait déjà atteint un des cinq buts qu'il s'était fixés : établir que Jason n'avait pas d'alibi pour l'heure où Hunter avait été assassiné.

« Maintenant, vous nous avez dit que votre société avait acheté une table au gala, c'est exact ?

— Tout à fait. Acheter une table est un des moyens pour une société de soutenir une cause charitable.

— Et votre société n'avait qu'une table ?

— Oui, pour autant que je m'en souvienne.

— Cela fait huit places. Mais votre société emploie plus de cent analystes financiers, sans parler du personnel administratif et commercial. Comment la direction détermine-t-elle qui assistera à ce genre d'événements ? Vous y êtes forcés ?

— Oh non. On est volontaires.

— Ainsi vous saviez à l'avance que vous assisteriez à un gala donné au profit de la fondation Raleigh ?

— Naturellement.

— Et vous saviez que vous y rencontreriez votre ex-petite amie et son fiancé, Hunter Raleigh. »

Jason parut enfin comprendre où le menaient ces questions, mais il était trop tard pour faire marche arrière. « Oui, je suppose que c'est exact.

— Voilà ce qui me trouble, Jason. Votre livre *Avec Casey la Dingue* décrit une femme et une relation qui... bref, je pense que le titre en dit assez. Si vous pensiez que Casey était instable à un point qui touchait à la folie, pourquoi avez-vous assisté volontairement à un gala donné par la famille de son fiancé ?

— Eh bien, je pensais que ce serait un joli geste.

258

— Donc vous étiez toujours en bons termes avec elle ? »

Il haussa les épaules.

« Et ceci malgré l'épisode que vous racontez dans votre livre, ce jour où vous êtes sorti en trombe de votre salle de bains parce que vous aviez peur qu'elle vous agresse physiquement ?

— Je ne suis pas sûr que *peur* soit le mot exact.

— Devons-nous produire un exemplaire de votre livre ? Vous y dites je crois mot pour mot que vous craigniez pour votre vie et que vous regrettiez de ne pas avoir caché les couteaux de cuisine.

— C'est un peu exagéré. Visiblement, l'éditeur voulait vendre le livre. »

Ryan avait trouvé son rythme. Il venait de mettre le doigt sur un second point : le livre de Jason était très différent d'un témoignage sous serment dans une cour de justice.

« Toujours à propos de votre livre, publié par les éditions Arden. Je crois que votre éditrice est une femme du nom de Holly Bloom. Puis-je vous demander comment vous en êtes venu à être publié dans cette maison ?

— Que voulez-vous dire ? J'avais un agent et c'est lui qui s'en est occupé.

— D'accord. Mais votre agent a-t-il fait le tour de toutes les maisons d'édition de New York, ou a-t-il contacté uniquement Mme Bloom ?

— Je n'en sais franchement rien. Il faudrait que vous lui posiez la question. Son nom est Nathan Kramer. »

Laurie reconnut le nom de l'agent qui avait négocié

le contrat concernant les futurs mémoires de James Raleigh, que publierait aussi Holly Bloom chez Arden. Ryan s'étonna de ces coïncidences. « Jason, est-il vrai que le général Raleigh vous a aidé à faire publier le livre très négatif que vous avez écrit sur Casey ? »

Le regard de Jason fit le tour de la salle comme celui d'une bête aux abois. Ryan se pencha en avant, Laurie s'attendait à l'entendre lâcher un commentaire sarcastique, voire hostile.

Au lieu de quoi il posa une main réconfortante sur l'épaule de Jason. « Cela ne me choque pas plus que ça, vous savez. Le fils du général avait été assassiné. Vous étiez l'ex de Casey. Quand il a compris que vous aviez une histoire à raconter, n'était-il pas normal qu'il vous aide ? C'était gagnant-gagnant.

— C'est ça, dit Jason nerveusement. Nous voulions tous les deux que la vérité éclate. »

Un troisième point était au menu : le général avait mis son grain de sel dans l'écriture du livre de Jason.

« Mais certaines choses ont été déformées en route, ajouta Ryan.

— C'est vrai.

— Jason, je tiens à vous remercier d'avoir été si coopératif aujourd'hui. Je voudrais juste vous poser une question qui pourrait nous aider à comprendre une chose que Casey et sa famille nous ont dite. Nous n'allons pas jouer à "qui a dit quoi". Je pense que nous savons tous qu'une relation amoureuse, ce n'est pas toujours simple. Il y a des hauts et des bas. Un jour, nous sommes fous amoureux, le lendemain pleins de ressentiment. N'est-ce pas ? »

Ryan avait passé le bras autour des épaules de Jason

à présent, comme s'ils étaient de vieux camarades se racontant leurs histoires de cœur.

« À qui le dites-vous ! » répondit Jason.

À présent, il mangeait dans la main de Ryan.

« Bon, je voudrais seulement que vous me disiez la vérité sur une dernière chose. Vous aimiez toujours Casey, n'est-ce pas ? C'est la vraie raison pour laquelle vous êtes allé au gala ce soir-là. Elle pensait que vous ne deviez plus vous voir maintenant qu'elle était fiancée. Alors vous vous êtes rendu à ce gala pour tenter, une dernière fois, de la reconquérir. »

Jason ne dit rien. Ryan insista : « C'est ce que Casey nous a raconté. Sa cousine Angela aussi.

— Oui, bon. Comme vous l'avez dit, c'était compliqué. Nous étions dingues l'un de l'autre, puis plus du tout, puis ça recommençait comme par magie. Notre relation était dingue. Nous étions dingues. » Ryan venait juste de mettre le doigt sur son quatrième point, et le choix du mot n'aurait pu être plus approprié. « J'ai voulu essayer une dernière fois – un geste grandiloquent pour déclarer mon amour, mais si elle choisissait Hunter, je laisserais tomber.

— Donc vous êtes venu au gala sans la prévenir et vous lui avez ouvert votre cœur. Mais elle a refusé de vous revenir, n'est-ce pas ? »

Jason secoua la tête. « Elle a dit qu'elle comprenait enfin ce qu'était l'amour. Que ça n'avait pas besoin d'être compliqué. Je n'oublierai jamais ses mots : "Hunter m'apaise."

— Et ça vous a fait quel effet d'apprendre que vous la rendiez folle, et que Hunter l'apaisait ? »

Jason s'écarta brusquement de son nouvel ami. « Attendez. Vous ne croyez tout de même pas que…

— Je me contente de poser des questions, Jason.

— Écoutez, je vous ai tout dit. Ma carrière ne se déroulait pas comme prévu et j'étais à court d'argent. La famille Raleigh proposait de m'aider à publier un livre, j'ai accepté. Nous étions tous fatigués de voir Casey jouer les petites innocentes. Mais si vous croyez que j'ai tué Hunter et que j'ai piégé Casey, c'est probablement *vous* qui êtes dingue. Je demande un avocat. Vous ne pouvez pas diffuser ça », bégaya-t-il en arrachant le micro attaché à son revers.

Dès la minute où Jason eut quitté la salle, Laurie leva les deux mains et applaudit Ryan. « Pas mal pour le petit nouveau. »

Il s'inclina, l'air moqueur.

Quatre points avaient été établis : Jason aimait toujours Casey, son livre n'était pas fidèle à la réalité, son contenu avait été influencé par le père de Hunter, et il n'avait pas d'alibi. Mais avait-il tué Hunter Raleigh ? Ils n'avaient pas encore de réponse à la cinquième question de Ryan, mais ils progressaient.

Et Ryan n'était certes pas Alex, mais il s'était montré à la hauteur.

« Laurie », dit-il pendant que l'équipe faisait une pause, « merci de m'avoir un peu bousculé. Vous aviez raison. J'avais juste besoin d'être moi-même. J'ai un instinct infaillible. Comme on dit, derrière chaque grand homme il y a une femme. »

Toute la bienveillance que Laurie commençait à éprouver à son égard s'envola, comme l'air d'un ballon qui se dégonfle. C'est plutôt que *derrière chaque homme impudent il y a une femme qui lève les yeux au ciel*, soupira-t-elle.

Grace et Jerry s'avançaient vers eux, l'air excité. « Gabrielle Lawson est arrivée, annonça Grace.

— Et tu ne *croiras* pas ce qu'elle a sur le dos, dit Jerry. Un rêve devenu réalité. »

Laurie avait dit aux participants qu'une tenue de ville conviendrait pour le tournage, mais, visiblement, Gabrielle Lawson avait ses propres codes vestimentaires. Il avait beau n'être que trois heures et demie de l'après-midi, elle apparut dans une robe ivoire pailletée, coiffée et maquillée, prête à fouler un tapis rouge qui n'existait pas. Quelque chose dans la robe parut familier à Laurie.

En remerciant Gabrielle d'être venue, elle se rappela où elle l'avait vue. « Gabrielle, n'est-ce pas la robe que vous portiez au gala il y a quinze ans ?

— C'est exact, répondit-elle avec empressement. Je savais qu'un jour elle aurait une importance historique. Je la portais la dernière fois que j'ai vu Hunter. Je l'ai conservée dans une housse pour le jour où le musée du Costume m'appellerait. Et elle me va toujours comme un gant. »

Pendant que Jerry ajustait le micro de Gabrielle, Grace murmura à l'oreille de Laurie : « Je me souviens d'avoir dit que Casey avait des yeux de cinglée, mais cette femme bat tous les records. Préviens-moi si tu as besoin des mecs avec leurs camisoles de force et filets à papillons. »

44

Laurie contrôla l'écran pour s'assurer que tout ce qu'elle voyait devant elle apparaissait sur le film. Gabrielle Lawson se penchait en avant sur sa chaise – presque à 45° –, regardant intensément Ryan dans les yeux. Si ses remarques caustiques l'avaient déstabilisée quand il l'avait interrogée dans son appartement, il n'y paraissait plus.

Moqueur, Jerry passa une note à Laurie : *On devrait leur trouver une chambre à l'hôtel !*

Ryan dirigeait les opérations comme un professionnel – sérieux devant les caméras, suffisamment chaleureux pour inciter Gabrielle à se confier. Il commença par donner une version abrégée de sa déposition devant le tribunal. Selon elle, Hunter s'était rendu compte que Casey était « rustre » et « pas assez sophistiquée » pour qu'il l'épouse. Il était prêt à s'engager sérieusement avec elle, Gabrielle, « après un laps de temps convenable ».

Ryan suivit alors la même ligne de contre-interrogatoire que Janice Marwood, démontrant que personne n'avait pu prouver que Gabrielle et Hunter avaient une relation. Gabrielle avait une explication pour tout. Hunter était « discret ». Ils n'étaient pas assez « indélicats » pour se montrer en public. Ils avaient une « entente particulière » et un « accord tacite » concernant leur futur engagement mutuel.

Ryan hochait la tête poliment, mais Laurie le voyait s'engager en territoire inconnu. « Gabrielle, quinze ans ont passé, et il n'y a toujours pas moyen de savoir avec certitude si Hunter envisageait de quitter Casey pour vous – seul mobile qu'elle aurait eu pour le tuer. Que diriez-vous à ceux qui pensent que vous mentez, ou que vous avez imaginé toute cette histoire, prenant vos désirs pour des réalités, dans une sorte de fantasme ? »

Elle laissa échapper un petit rire enfantin. « Eh bien, que c'est tout simplement stupide.

— Pourtant, ce ne serait pas la première fois que vous seriez accusée de ce genre de comportement. Le nom de Hans Lindholm ne vous est pas inconnu, je présume ? »

Même la couche de fond de teint qui recouvrait le visage de Gabrielle ne put masquer sa soudaine pâleur. « C'était un malentendu.

— Nos téléspectateurs connaissent sans doute le nom du célèbre metteur en scène. Ils se souviennent peut-être qu'il a obtenu une ordonnance restrictive à l'encontre d'une femme qu'il avait rencontrée dans un festival. Il soupçonnait même cette femme d'avoir propagé le bruit qu'ils allaient vivre ensemble. Mais ce que nos téléspectateurs ignorent sans doute, c'est que cette femme, c'était vous.

— C'était il y a longtemps. » Le regard de Gabrielle était fuyant.

« Et la journaliste qui a rapporté – sans aucune

preuve – que vous alliez vous installer ensemble était une femme du nom de Mindy Sampson. Celle-là même qui avait publié la photo où vous figurez avec Hunter, spéculant qu'il n'allait peut-être pas se marier avec Casey après tout.

— Où voulez-vous en venir ? demanda Gabrielle.

— Il semblerait que Mindy Sampson ait eu ses propres sources pour connaître – ou du moins rapporter – votre supposée liaison. Est-il vrai que *vous-même* étiez à l'origine de ces deux informations ?

— Vous déformez la réalité.

— Ce n'est pas mon intention, Gabrielle. » La voix de Ryan était douce, comme celle d'un ami. « Nous avons évoqué le sujet en privé il y a deux semaines. Vous vous souvenez ?

— Vous avez été très grossier alors, fit-elle remarquer, manifestement revenue des sentiments amicaux qu'elle pouvait avoir eus pour lui.

— Je suis vraiment désolé que nous ayons débuté sur un malentendu. Je veux seulement m'assurer de bien comprendre votre version des faits. Vous avez admis lors de notre entrevue que vous aviez pu – je cite – "vous pencher sur Hunter en apercevant le photographe". Et que – je cite – "parfois il faut un peu précipiter les choses". Il se pourrait que vous ayez mis Mindy au courant d'une relation qui n'en était encore… disons, qu'à son premier stade, comme on planterait une graine, avec l'espoir de la voir éclore. En a-t-il été de même avec Hans Lindholm ? »

Elle hocha la tête, hésitante. « Comme je l'ai dit, c'était un malentendu. J'ai été choquée quand il m'a accusée de harcèlement. C'était horriblement humiliant.

— Et avez-vous aussi *planté une graine* avec Hunter ? Avez-vous appelé Mindy Sampson pour qu'elle convoque un photographe à la réunion du club Garçons et Filles, et vous êtes-vous penchée sur Hunter au moment où il s'apprêtait à vous photographier ? »

Gabrielle fit un signe de dénégation. « Non. J'avoue que j'ai fait appel à Mindy à propos de Hans. S'il s'apercevait que je pouvais faire parler de lui, cela éveillerait son intérêt pour moi. Mais si j'ai pensé à l'appeler, c'est parce que c'est *elle* qui, longtemps auparavant, m'avait fait signe au sujet de Hunter.

— Vous voulez dire qu'elle vous avait contactée ?

— Elle disait avoir entendu des rumeurs selon lesquelles Hunter s'intéressait à moi et comptait assister à la réunion du club Garçons et Filles quelques jours avant le gala des Raleigh. Elle a ajouté que Casey était occupée par une vente chez Sotheby's ce soir-là et qu'elle ne serait pas présente. C'est elle qui m'a suggéré d'aller à cette soirée. Elle enverrait un photographe. Hunter était si heureux de me voir. Il s'est montré si gentil, m'a posé un tas de questions sur ce que j'avais fait depuis que nous nous étions quittés. Je vous assure, il y avait quelque chose entre nous. Nous nous comprenions. Il allait la quitter pour moi. »

Jerry gribouilla une autre note pour Laurie. *Il ne le savait pas lui-même !*

Gabrielle commençait visiblement à fantasmer, mais Ryan parvint à garder une expression neutre.

« Vous dites que Mindy Sampson vous avait contactée à propos de rumeurs qui vous visaient, Hunter et vous. Ça vous a surprise ? »

Gabrielle prit le temps de réfléchir soigneusement à la question. Quand elle finit par parler, le ton de sa voix avait changé. Elle semblait soudain lucide et réfléchie.

« Tout le monde pensait que le père de Hunter n'approuvait pas le choix de Casey. Et le bruit courait que Hunter était prêt à céder aux pressions de sa famille. Alors oui, c'est vrai, je suppose que j'avais envie de croire qu'il se souvenait avec émotion de nos sorties et se disait qu'il était peut-être judicieux de me choisir moi.

— À votre avis, comment Mindy Sampson a-t-elle pu savoir que Hunter assisterait à une cérémonie sans Casey ?

— Franchement, j'ai toujours cru que c'était par le père de Hunter. Je l'ai dit, parfois il faut un peu précipiter les choses. Peut-être a-t-il pensé que son fils avait besoin d'être orienté vers un autre genre de femme.

— Vous êtes certaine que le général Raleigh pressait Hunter de rompre ses fiançailles ?

— Je ne peux pas en être certaine, mais vous devriez interroger le frère de Hunter, Andrew. Le soir du gala, il était encore plus ivre que Casey. Je l'ai croisé alors qu'il allait se chercher un énième scotch au bar et lui ai dit quelque chose comme "Je croyais que vous étiez là pour prendre des contacts ?". Il a répondu que personne ne se souciait de sa présence, et qu'il allait quitter les lieux parce que Hunter et son père monopolisaient tout l'oxygène de la salle. Il se plaignait de voir son frère se comporter comme s'il était le plus doué et le plus riche, alors que c'était à lui qu'on avait confié les affaires de la famille. J'ai fait une plaisanterie car toute cette conversation me paraissait incongrue. Il a dit alors : "Si j'étais fiancé à une fille comme Casey Carter, mon père la jugerait trop bien pour moi. Mais pour le fils élu elle n'est pas assez bien. Eh bien, bon vent, général Raleigh." Puis il a levé son verre comme pour porter un toast et ajouté : "Continuez sur cette voie, et ce minable sera bientôt le seul fils qui vous restera." À dire vrai, quand j'ai appris le meurtre de Hunter, je me suis souvenue de l'humeur sombre d'Andrew ce soir-là. Mais ils ont arrêté Casey et – cela va sans dire – c'est bien elle qui a tué mon Hunter. »

45

Dès que Gabrielle Lawson fut partie, Laurie consulta sa montre. Il leur restait une demi-heure avant d'être obligés de remballer leur matériel. Elle chercha l'assistante du général sans la trouver.

Apercevant une jeune femme qui s'occupait de la décoration florale près du podium, Laurie lui demanda si elle savait où elle était. En se dépêchant, Ryan pourrait l'interviewer tout de suite, ce qui permettrait de consacrer à Andrew et James Raleigh la séance du lendemain à la campagne.

La préposée aux fleurs lui apprit qu'elle avait vu Mary Jane monter dans une voiture dans la 42ᵉ Rue moins de dix minutes auparavant. Laurie composa le numéro de Mary Jane sur son portable. Elle reconnut la voix sévère de son interlocutrice. « Oui.

— Ici Laurie Moran. Nous avons un créneau dans notre planning, pourriez-vous nous consacrer quelques minutes ?

— Pourquoi ne pas nous parler demain quand vous serez moins pressés ?

— Cela ne prendra pas longtemps, promit Laurie. Et puisque vous étiez tellement impliquée dans l'organisation de ce gala, il nous paraît plus approprié de vous interviewer au Cipriani.

— Écoutez, je crains que ce ne soit impossible. Je suis en route pour aller récupérer les plans de table de la soirée que j'ai bêtement oubliés chez le général. Avec cette circulation, je ne serai pas de retour avant au moins trois quarts d'heure. »

Laurie pensa que cette femme était plus susceptible d'oublier la date de son anniversaire que les plans de table d'une réception de la fondation Raleigh. L'obstruction systématique de Mary Jane commençait à l'agacer.

« Avez-vous une raison particulière de refuser d'être interviewée, Mary Jane ?

— Bien sûr que non. Mais vous n'êtes pas la seule à avoir un travail à faire.

— À propos de travail, saviez-vous que Hunter ne vous appréciait pas et essayait de vous faire renvoyer ? »

Un long silence suivit avant que Mary Jane réponde : « Je crains qu'on ne vous ait mal renseignée, madame Moran. Maintenant, je vous prie, tenez parole et faites en sorte que votre équipe ait quitté les lieux pour mon retour. »

Quand elle raccrocha, Laurie eut la certitude que Mary Jane leur cachait quelque chose.

46

Après avoir plié bagage, Jerry, Grace et Ryan se retrouvèrent dans le bureau de Laurie pour passer en revue les événements de leur première journée de tournage. Comme toujours, Jerry et Grace furent d'avis divergents concernant Andrew Raleigh.

« Il était énervé et parlait à tort et à travers, soutenait Jerry. Moi, si j'étais accusé de meurtre chaque fois que je m'emporte contre mon frère, je serais aujourd'hui dans le couloir de la mort.

— Mais non, tu n'y es pas du tout ! » Grace leva l'index, signe qu'elle ne doutait pas de ce qu'elle avançait. « C'est une chose de dire que ton frère est un raseur ou un vantard, mais appeler Hunter le *fils élu* ? C'est l'expression d'un profond ressentiment, à la fois contre le frère et contre le père. C'est une affaire qui relève de la psychanalyse.

— Si nous ne progressons pas plus vite, dit Laurie, c'est moi qui devrai faire appel à un psy. »

Après une séance si bien menée face aux caméras, Laurie s'attendait à voir Ryan prendre le contrôle de la discussion, mais jusqu'à présent il était resté silencieux, absorbé par la consultation de ses messages téléphoniques.

Laurie était enfant unique, son fils aussi, et elle avait peu d'expérience des rivalités entre enfants d'une même famille. Elle avait vu Andrew en action, et constaté qu'il était porté sur la boisson. Elle n'avait pas de mal à l'imaginer parlant irrespectueusement, mais sans mauvaises intentions, dans un bar. En outre, elle avait senti lors de leur rencontre dans l'hôtel particulier familial qu'il était le fils en disgrâce d'une famille extrêmement brillante. Les propos qu'il avait tenus à son père à peine quelques heures après le meurtre de son frère étaient troublants.

« Nous savons que le général a reçu en privé un cercle de donateurs importants après le gala, dit Laurie, mais Andrew est soi-disant rentré directement chez lui.

— Tu vois ! s'exclama Grace. Ça explique tout. Hunter est parti tôt parce que Casey était malade. Andrew s'est probablement dit, voilà l'occasion de m'affirmer et de montrer ce que je vaux. Et puis papa ne l'a même pas invité à la petite fête qui a suivi. Je suis sûre qu'il a craqué.

— Ça n'a aucun sens, répliqua Jerry. Pourquoi aurait-il tendu un piège à Casey ? Et comment aurait-il justement eu du Rohypnol à portée de main ? »

Une idée trottait dans la tête de Laurie, mais elle n'arrivait pas à la formuler. Elle regarda Ryan pour voir s'il avait quelque chose à leur communiquer, mais il continuait à pianoter sur son téléphone. Elle se força à se concentrer. Elle se remémora les remarques de Jerry à propos du Rohypnol, puis repensa à l'interview de Gabrielle.

« Le père, marmonna-t-elle.

— Un vrai tyran, dit Jerry. Décide de tout au travail comme à la maison. Tu sais ce que je pense ? Je pense que Hunter aimait vraiment Casey. Qu'il n'allait pas céder aux pressions de son père. Et c'est pourquoi Andrew a dit que si ça continuait comme ça, il serait le seul fils Raleigh qui resterait. Hunter allait peut-être choisir Casey malgré l'opposition de sa famille. Mais le général avait d'autres projets. Il a comploté avec Mindy Sampson – ou fait intervenir son assistante, Mary Jane, pour ne pas se salir les mains – afin d'obtenir la photo de Gabrielle et de Hunter ensemble. Il a semé la discorde. Puis, après l'assassinat de Hunter, il a continué à jouer de son influence, contrôlant les comptes rendus de la presse, répandant des commentaires sur le Web pour être sûr que Casey soit condamnée.

— Oui ! s'exclama Laurie. Et ça pourrait expliquer le Rohypnol. Depuis le début, c'est cette drogue qui ne colle dans aucun scénario. Vous croyez que le père de Hunter peut être coupable ? »

Sur ce point, Grace et Jerry étaient d'accord. Ils secouèrent la tête. Le général adorait son fils, en outre il avait un alibi.

« Non, songeait Laurie à haute voix. Il n'a pas tué Hunter. Mais il a pu verser la drogue dans le verre de Casey pour qu'elle le ridiculise – et que Hunter considère qu'elle n'était pas la femme qui lui convenait. Il a pu introduire en douce quelques comprimés dans son sac à main pour la mettre encore plus dans l'embarras si elle prétendait avoir été droguée à son insu. Puis, après la mort de Hunter, il a peut-être été tellement convaincu de sa culpabilité qu'il a décidé de peser sur l'issue du procès en émettant des commentaires préjudiciables sur le Web et en aidant à la publication du livre de Jason. Étant donné sa présence constante à ses côtés, Mary Jane était probablement au courant de tout, à moins qu'elle n'ait fait elle-même le sale boulot, ce qui expliquerait pourquoi elle essaye d'éviter l'interview. »

Le silence s'abattit sur la pièce. La théorie de Laurie tenait debout. S'ils avaient une explication pour le Rohypnol qui ne soit pas directement liée au meurtre, toutes sortes de possibilités s'offraient alors concernant l'identité du meurtrier.

Ryan continuait à pianoter sur son téléphone.

« Ryan, vous avez un avis ? demanda-t-elle.

Désolé. Il faut que je passe un coup de fil.

— Sans blague ? Demain nous allons interroger Andrew et James Raleigh dans leur maison de campagne. Nous devons arrêter une stratégie. Il n'est pas question que vous restiez hors du coup ! »

Jerry et Grace la regardèrent, interdits. Ils ne l'avaient jamais vue se mettre à hurler au boulot.

« J'ai juste besoin de passer un appel. »

Ils le regardèrent quitter le bureau sans un mot d'explication.

« Soyons clairs, dit Laurie. Je savais bien que Brett n'aurait jamais dû engager cet homme.

— C'est sûr, dit Jerry. C'est sûr. »

Laurie regarda sa montre.

« Il est tard. Vous pouvez rentrer chez vous. »

Vingt minutes plus tard, quand Ryan revint, Laurie était seule dans son bureau. Il frappa avant d'entrer.

« Je pensais que vous étiez parti, dit-elle.

« — Non. Jerry et Grace ne sont plus là ?

— Non.

— Puis-je entrer ?

— C'est important ?

— Sinon je ne serais pas ici.

— Allons-nous enfin parler de la manière dont nous allons gérer les Raleigh demain ? »

Laurie avait été journaliste pendant quinze années, dont les dix dernières à la télévision, mais elle avait l'impression de nager dans l'obscurité. Elle savait ce que représentait la perte d'un membre de sa famille à la suite d'un acte violent. Elle s'en souvenait – ou du moins l'avait-elle soupçonné –, il y avait eu des gens pour murmurer *c'est toujours la femme qui est coupable* tant que le meurtre de Greg n'avait pas été élucidé. Il était possible que le père de Hunter ait drogué Casey. Et il était possible aussi qu'Andrew soit d'une certaine manière impliqué dans le meurtre. Mais si ce n'était pas le cas, ils étaient des victimes. Ils souffraient. Ils s'endormaient le soir en pleurant Hunter. Elle n'aurait aucun plaisir à poser les questions qu'elle avait en tête.

« Oui, parlons des Raleigh, dit Ryan. Mais d'abord je dois vous dire autre chose. Je sais que je n'étais probablement pas votre premier choix pour présenter l'émission… »

Elle leva la main. « Ne dites pas ça, Ryan. Tout ce que je veux, c'est produire une bonne émission. Et vous avez été parfait aujourd'hui. Mais tout ne se passe pas uniquement devant la caméra. Il faut traiter une interview comme un contre-interrogatoire, comme vous l'avez fait aujourd'hui avec Gabrielle et Jason.

Le scénario n'est pas figé, il change constamment. Ce que nous apprenons un jour a des conséquences pour le lendemain. Et Gabrielle a lancé une bombe en ce qui concerne la famille Raleigh. Il faut nous concerter avant de les interroger dans environ… – elle regarda à nouveau sa montre – … quinze heures. Et quand j'ai tenté de ramener votre attention sur le sujet, vous étiez totalement à l'ouest.

— Pas du tout. Je vous ai dit que je devais passer un coup de fil, et vous ne m'avez pas cru. Comme cet après-midi, quand je vous ai dit que je travaillais à réunir des informations sur Mark Templeton, j'ai bien vu que vous ne me croyiez pas. Vous me traitez comme si j'étais l'illustration du népotisme de Brett…

— C'est vous qui le dites, pas moi.

— Bon, d'accord. Pour être franc, ce que j'ai à vous dire n'est pas agréable, mais allons-y. Vous paraissiez sceptique quand je vous ai dit que j'avais joint mes contacts au bureau du procureur général à propos de Templeton ? Eh bien, j'ai donné plusieurs coups de téléphone, juste après notre entretien. Et si j'ai gardé le silence, c'est que je prends au sérieux mon incursion dans le journalisme et que je voulais vérifier mes sources avant de relater de simples hypothèses. Brett m'avait dit que vous teniez à réaliser *Suspicion* avec la plus grande intégrité sur le plan journalistique. C'est la raison principale pour laquelle j'ai accepté d'y participer, Laurie. Je n'ai jamais été votre ennemi. J'avais d'autres opportunités dans les médias, mais c'est celle-ci que je voulais. Mes sources ne seront pas divulguées, mais je leur fais confiance. Et j'en ai deux, ce qui correspond, n'est-ce pas, aux standards de la profession ?

— Venez-en au fait, Ryan.

— Vous aviez raison de penser qu'il y avait quelque chose de louche dans la démission de Templeton. Il a mis du temps à retrouver une situation parce que, contrairement à ce qu'il disait à tout le monde, James Raleigh refusait de le cautionner.

— Ce qui était fatal à ses recherches d'emploi. Qu'est-ce qui l'a tiré d'affaire ?

— Il s'est débrouillé pour trouver une sorte d'arrangement. Aucune poursuite en justice n'a été intentée, et le bureau du procureur général a été impliqué dans l'affaire. Templeton a signé un accord de confidentialité avec les Raleigh au moment où il a trouvé un nouveau job. Voilà. Problème résolu.

— OK. Merci pour les recherches. Je suis désolée d'avoir douté de vos efforts. Pourquoi avez-vous hésité à me raconter cette histoire ?

— À cause de l'avocat avec lequel Mark Templeton a été vu au tribunal fédéral. C'était votre ancien présentateur bien-aimé, Alex Buckley. »

47

Lorsque Ramon ouvrit la porte de l'appartement d'Alex, Laurie vit à son expression que quelque chose le tracassait. Il l'accueillait habituellement par une plaisanterie et un cocktail, mais ce soir, il lui annonça simplement qu'Alex serait là dans une minute et la laissa seule dans le salon.

Quand Alex émergea du couloir de sa chambre, il avait les cheveux humides et ajustait le col de sa chemise. « Laurie, pardon de t'avoir fait attendre. Quand tu as téléphoné, j'étais au club de gym. Je me suis dépêché de rentrer, mais tu as été plus rapide. Tu veux boire quelque chose ? »

Elle avait envie d'un verre de cabernet, mais cela attendrait. « Je suis ici à propos de l'émission. À voir l'attitude de Ramon, j'imagine que tu avais compris qu'il ne s'agissait pas d'une visite privée.

— J'espérais avoir tort. »

C'était peut-être ce qu'il espérait, mais il s'attendait sûrement à ce que ce moment arrive d'une manière ou d'une autre. Après tout, c'était lui qui disait toujours à Laurie qu'elle était la meilleure de tous les enquêteurs avec lesquels il avait jamais travaillé.

« La dernière fois que nous nous sommes parlé, tu

m'as avertie de me montrer prudente avec cette affaire – que j'avais en face de moi des gens puissants. Tu faisais allusion à James Raleigh, je suppose ?

— Je n'ai pas besoin de t'expliquer combien un général cinq étoiles souvent cité comme candidat à la présidence est un personnage puissant.

— Non, mais j'aurais aimé que tu me dises que tu étais en rapport avec lui. »

Il tendit la main vers elle, mais elle recula. « Laurie, il faut que tu te souviennes que j'avais un métier avant de te connaître ou d'entendre parler de ton émission. N'espère pas que je t'en dise davantage.

— Je suis fatiguée de t'entendre t'exprimer en langage codé, Alex. Tu te comportes avec moi comme un avocat depuis le jour où j'ai mentionné le nom de Casey Carter pour la première fois.

— C'est parce que je suis avocat.

— Et grâce à ça, tu as le devoir de confidentialité. Mais ton client n'est pas James Raleigh. Ton client est – ou était – Mark Templeton. Mais tu avais d'abord connu James Raleigh. Tu l'avais rencontré à un pique-nique quand tu étais à l'école de droit. Ensuite, tu es devenu un des meilleurs avocats d'assises de New York. Et c'est apparemment cette relation avec le général Raleigh qui t'a amené à représenter Mark Templeton quand sa gestion de la fondation Raleigh a été mise en question.

— Ce n'est pas juste, Laurie. Je ne peux ni confirmer ni nier que je connais Mark Templeton...

— Tu plaisantes ?

— Je n'ai pas le choix, Laurie, mais toi si. Tu peux choisir de me croire ou non. Tu me connais, et tu sais que je me soucie de toi, ainsi que de ton travail. Et je t'adjure de me croire, tu peux – et tu devrais – laisser Mark Templeton en dehors de ton histoire. Tu fais fausse route.

— C'est donc ainsi ? Je suis censée te croire sur parole et continuer.

— Oui. »

À l'entendre, cela semblait si facile.

Laurie se sentit complètement démunie. Depuis qu'elle avait commencé à travailler sur cette affaire, l'absence d'Alex l'avait terriblement affectée, et ce n'était pas simplement parce que Ryan Nichols l'irritait. Alex avait le don de la mettre à l'aise. Quand ils discutaient, les idées coulaient comme de l'eau de source. Suivre son instinct lui venait naturellement, du moins en ce qui concernait le travail. Et aujourd'hui Alex lui disait d'ignorer les faits, de se reposer uniquement sur sa parole à lui, alors que son instinct lui hurlait le contraire.

Il tendit à nouveau la main, et elle le laissa l'attirer doucement à lui. Il lui caressa les cheveux. « Je suis désolé de ne pouvoir t'en dire plus, mais je t'en prie, fais-moi confiance. Pourquoi ne me fais-tu plus confiance ? »

Elle fit un pas en arrière pour pouvoir le regarder dans les yeux et répondit : « Parce que je crois que tu m'as menti.

— Laurie, je ne t'ai jamais menti, et je ne te mentirai jamais. Si ta question est : Mark Templeton était-il impliqué dans le meurtre de Hunter Raleigh, sache que je me porte personnellement garant de son innocence.

— Tu travailles encore pour ton client, n'est-ce pas ? Alex, je te parle de *nous*. J'étais ici, chez toi, avec ma famille, juste après ma première rencontre avec Casey Carter. Même alors, tu as paru vouloir m'écarter de l'affaire. Pourquoi ne pas m'avoir dit que tu connaissais certains des principaux protagonistes ? Tu m'as obligée à t'arracher la moindre bribe d'information, comme s'il s'agissait d'un contre-interrogatoire.

— Je ne t'ai pas menti. Ou alors seulement par omission. »

Elle secoua la tête. Elle ne pouvait croire que l'homme qu'elle aimait se tenait là devant elle, à défendre la différence entre mentir et omettre de dire l'entière vérité.

« Je t'en prie, Laurie, rappelle-toi la conversation que nous avons eue après ta rencontre avec Casey. Pas une seule fois tu n'as mentionné Mark Templeton, ni le père de Hunter, ni la fondation. Il s'agissait d'une affaire d'homicide vieille de quinze ans, pas de ce qui s'était passé bien plus tard à l'intérieur de la fondation. Et on avait toujours lié le meurtre de Hunter à sa relation avec Casey, dont j'ignorais absolument tout. Aussi, même *si* je savais quelque chose concernant la fondation, pourquoi l'aurais-je mentionné, alors qu'il m'était interdit d'en parler ?

— Tu parles comme un avocat de la pire sorte en ce moment…

— Et tu me traites comme un des suspects de ton émission.

— Bon, j'ai compris, tu ne me diras jamais la

vérité. Mais une chose encore : es-tu tenu au secret envers tes clients, même s'ils sont coupables ? »

Il s'assit sur le canapé, résigné à aborder une nouvelle phase de la discussion. « Bien entendu.

— Et cette obligation est éternelle. Je crois t'avoir entendu mentionner qu'elle s'appliquait au-delà de la tombe. » Il n'eut pas besoin de répondre. Tous deux savaient où elle voulait en venir. « Donc, si un de tes clients, mettons Mark Templeton, s'inquiétait qu'une émission comme la mienne puisse révéler quelque chose qui lui nuise – comme, par exemple, qu'il ait tué son ami pour masquer une malversation –, mettre en difficulté cette émission ferait partie de ton job.

— Oui. Oui, madame Moran, vous m'avez coincé. Vous êtes la championne du contre-interrogatoire. Vous avez gagné. Heureuse à présent ? »

Non, elle n'était pas heureuse du tout. « Tu dis ne pas avoir le choix, Alex. Eh bien, moi non plus. Juste avant d'être assassiné, Hunter avait l'intention d'engager un juricomptable pour auditer les comptes de la fondation. Ce qui fournit un mobile à Templeton. Sa femme et ses enfants dormaient quand il est rentré du gala, donc il n'a pas d'alibi. Téléphone à ton client et dis-lui qu'il a le choix : soit il vient nous parler sur le plateau, soit il assume ce qu'on pourra dire sur lui en son absence. Nous bouclons le tournage dans deux jours. »

48

Laurie faillit trébucher sur un ballon de football en ouvrant la porte. Elle était sur le point de le ramasser quand elle vit d'autres signes de la présence de Timmy éparpillés dans le couloir : l'étui de sa trompette, des boîtiers de jeux vidéo, et assez d'affaires de sport pour toute une classe de gymnastique. Jusqu'à ce qu'à Manhattan les appartements soient vendus avec des garages, c'était un décor obligé, et il lui convenait parfaitement.

« Comment vont mes hommes ? »

Leo et Timmy étaient assis sur le canapé et regardaient la série policière favorite de la famille, *Bosch*. Un carton vide de pizza voisinait avec deux assiettes pleines de miettes sur la table basse. C'était ainsi que Timmy concevait le paradis.

« Vous avez commencé sans moi ? » Ils étaient censés faire une soirée télé tous les trois.

Timmy mit l'appareil en pause. « On a essayé d'attendre, mais la pizza sentait trop bon.

— Nous venons juste de commencer, dit Leo. Va te changer. Je vais faire réchauffer le reste de pizza pendant que Timmy revient en arrière. »

Elle mangeait sa seconde part, entièrement prise par

le film, quand son téléphone vibra sur la table d'angle. Elle jeta un coup d'œil à l'écran, espérant que c'était Alex. C'était Casey. Elle ne répondit pas. Elle rappellerait le lendemain depuis la maison de campagne, quand ils interviewcraient James et Andrew Raleigh. Casey et sa famille passeraient en dernier.

Au lieu du signal habituel de la messagerie, le téléphone sonna une deuxième fois, puis une troisième. Casey utilisait la touche « Rappel ».

« Ferme ça, dit Leo. Tu n'es plus au bureau.

— Jc me souviens que maman s'est évertuée pendant des années à te dire la même chose », dit Lauric en emportant le téléphone dans la cuisine.

Casey semblait très excitée, se souciant peu d'une quelconque formule de politesse. « Je suis en train de parler avec Angela et maman de l'émission. Nous pensons qu'il vaudrait mieux ne pas évoquer le cadre qui a disparu de la maison. »

Laurie soupira. La dernière chose dont elle avait besoin était d'écouter les conseils éditoriaux des participants. « Je suis un peu étonnée, Casey. Je croyais que pour vous la disparition de cette photo de Hunter avec le Président était la preuve la plus évidente qu'il y avait quelqu'un d'autre dans la maison cette nuit-là.

— C'est vrai, et c'est pourquoi il faudrait ne pas décrire la photo en détail. Nous pensons que vous pourriez dire simplement qu'une photo avait disparu.

— Très bien, et pour quelle raison ferions-nous ça ? »

Elle regretta sa question, mais elle avait cédé à la curiosité.

« C'est comme la police qui ne dévoile pas une

information au grand public afin d'attirer les gens qui ont des révélations à faire. Je suppose que votre émission va faire le bonheur des tipsters. Pour séparer les sérieux des affabulateurs, nous pourrions découvrir s'ils connaissent ou non l'existence de la photo. Vous voyez ce que je veux dire ? »

Ce que voyait Laurie c'est que Casey et sa famille avaient regardé trop de films policiers. « Laissez-moi y réfléchir. Nous vous poserons probablement la question au moment du tournage, mais sachez que nous révisons toujours les interviews ensuite. Au fait, pendant que je vous ai au téléphone, pouvez-vous m'en dire davantage sur Mark Templeton ? Depuis combien de temps connaissait-il Hunter ?

— Depuis leur première année à Yale. Ils habitaient la même résidence. Hunter était une sorte de célébrité sur le campus à cause de son nom. Mark était boursier, un peu perdu dans une des universités les plus prestigieuses des États-Unis. Hunter l'avait pris sous son aile. Il était comme ça.

— Et c'est resté le fondement de leur amitié ?

— On peut le dire ainsi. Hunter était une personnalité généreuse. Mark, dans une certaine mesure, restait dans son ombre. C'est pourquoi il m'a toujours semblé plausible qu'il ait détourné des fonds de la fondation. Peut-être avait-il conçu une certaine rancune au fil des années, et pensé que tout ça lui était dû en quelque sorte. »

Laurie s'était posé la même question. « Quand le Président a décidé d'honorer la fondation Raleigh, Mark a-t-il été également invité à la Maison-Blanche ?

— Non. Hunter n'avait pu se faire accompagner que d'une seule personne. »

Laurie demanda qui, bien qu'elle connût déjà la réponse.

« C'est moi qu'il a emmenée. » Casey s'interrompit, comprenant la raison de cette question. « Oh mon Dieu ! Vous croyez que c'est Mark ? Vous avez des preuves ? »

Laurie ne savait que penser, mais elle était certaine d'une chose : elle aurait aimé pouvoir débattre de ces questions avec Alex.

49

Quel ne fut pas l'étonnement de Laurie quand elle vit Andrew Raleigh une canette de bière à la main tandis qu'une maquilleuse lui poudrait le visage. Elle savait que l'homme prenait volontiers un verre, mais il n'était que dix heures et demie du matin, et il allait devoir affronter les caméras au sujet de l'assassinat de son frère aîné.

Apercevant peut-être l'expression inquiète de Laurie, il agita la canette dans sa direction. « Seulement une, promis. Excusez-moi, mais revenir dans cette maison me fiche toujours le bourdon. D'accord, on a changé le canapé, mais c'est quand même l'endroit où mon frère a été tué. Il m'arrive d'être assis là, en train de regarder un match, et soudain, je le vois courir dans le couloir jusqu'à la chambre où tout est arrivé. J'ai presque l'impression d'entendre les coups de feu.

— Je suis désolée. »

C'est tout ce que Laurie trouva à lui répondre.

« Bon sang, je suis drôlement doué pour détendre l'atmosphère, hein ? » Il croisa le regard de la maquilleuse dans le miroir et demanda : « Dites-moi à quoi je ressemble, chérie ? Une œuvre d'art ? »

La jeune femme jeta un dernier coup d'œil au résultat de son travail et retira la serviette glissée sous le col d'Andrew. « Un véritable Adonis », déclara-t-elle.

Il lui fit un clin d'œil. « Je suppose que c'est ce qu'on appelle un sarcasme.

— Le général Raleigh est-il là ? » demanda Laurie.

Ils étaient arrivés voilà plus d'une heure, et elle ne l'avait pas aperçu. Il est vrai que la maison devait faire au moins sept cents mètres carrés.

« Non. Un chauffeur l'amène de New York avec Mary Jane. HPA midi trente.

— HPA ?

— Heure précise d'arrivée. Rien dans l'emploi du temps de mon père n'est jamais approximatif. » Andrew secoua la canette vide. « Je sens qu'une deuxième m'appelle, à moins que nous ne commencions tout de suite. Votre homme est-il prêt ? »

Laurie se retourna et vit Ryan accrocher son micro. « C'est bon. »

Voyant Ryan aiguiller la conversation sur les souvenirs qu'Andrew avait de son frère, Laurie songea aux progrès sensibles de son nouveau présentateur. Il semblait parfaitement à l'aise, comme s'il avait une discussion amicale dans un salon. Elle se tourna vers Jerry debout à côté d'elle. « Qu'en penses-tu ?

— Il devient franchement bon, murmura Jerry. Est-ce que ça signifie que nous ne le détestons plus ? »

Elle sourit. « C'est un début. »

Jerry posa un doigt sur ses lèvres. Ryan était en train d'attaquer le point crucial de l'interview. Il rappela aux spectateurs que le mobile invoqué par l'accusation était la pression exercée par le général sur Hunter pour qu'il rompe ses fiançailles avec Casey.

« Votre père désapprouvait-il vraiment cette union avec Casey ?

— Absolument, mais il ne poussait pas Hunter à agir contre sa volonté. Mon père a un certain comportement qui lui vient de son passé militaire, mais au fond de lui, c'est un père aimant, et il craignait simplement que Hunter ne fasse une grosse erreur. Il avait élevé le ton dans l'espoir de lui ouvrir les yeux.

— Lui ouvrir les yeux sur Casey ?

— Oui. Il avait de bonnes raisons d'être inquiet. Elle était imprévisible. Explosive, si vous préférez. »

Explosive n'était pas un mot qu'aurait choisi Andrew. Tout son récit semblait appris par cœur, très différent de ce qu'il avait raconté à Laurie quand elle l'avait interrogé chez son père à New York. Plus aucun signe de rancœur envers ce père tyrannique. Andrew ne paraissait plus du tout amusé par Casey et son désir de bouleverser l'ordre familial.

« Casey pouvait être exaspérante, elle avait des opinions sur tout. Et si Hunter laissait entendre qu'il trouvait son attitude déplacée, elle rétorquait quelque chose comme : "Et toi, tu es parfois aussi rigide que ton père." »

Laurie dissimula un sourire. Elle se voyait très bien faire ce genre de remarque si la situation s'y prêtait.

« En plus, elle était d'une jalousie maladive. Elle était bien consciente que les femmes étaient attirées par Hunter, sans oublier qu'il avait eu une liaison très sérieuse avec une femme de la haute société très différente d'elle. »

Andrew poursuivit son monologue, passant en revue tous les défauts de Casey. Il en était à sa quatrième anecdote sur son incapacité à tenir sa langue dans la « bonne société » – cette fois le soir du gala, celui où Hunter avait été tué. « Nous étions tous inquiets à l'idée qu'elle boive trop. »

Ryan l'interrompit : « Ne soyons pas injuste sur ce point, Andrew. Il n'est pas inhabituel que les gens se laissent un peu aller dans ce genre de soirée, n'est-ce pas ? D'ailleurs, ne faisiez-vous pas de votre côté le siège du bar ? »

Andrew eut un petit rire gêné comme un enfant pris sur le fait.

« Malheureusement, c'est sans doute vrai.

— Vous souvenez-vous d'avoir rencontré Gabrielle Lawson ? Elle a dit que vous étiez d'humeur sombre ce soir-là, vous parliez des interventions de votre père dans la vie amoureuse de Hunter. En fait, selon elle, votre père aurait été d'accord pour que Casey vous épouse, vous. Elle n'était simplement pas assez bien pour Hunter. Vous auriez dit, toujours selon elle, que si votre père n'y prenait pas garde – je cite –, vous seriez le seul fils qui lui resterait. »

Le visage d'Andrew se décomposa. « J'avais la gueule de bois quand j'ai appris que mon frère était mort, et c'est le premier souvenir qui m'est revenu à l'esprit. J'ai honte chaque fois que je repense à cette soirée. J'ai honte d'avoir prononcé ces mots. Évidemment je ne me doutais pas que quelques heures plus tard, Hunter ne serait plus de ce monde.

— Alors que vouliez-vous dire exactement ?

— Je ne voulais rien dire de particulier. Gabrielle vous l'a dit, j'étais ivre.

— Vraiment ? Parce que si on s'en tient au contexte, on pourrait comprendre que votre père allait perdre l'affection de son fils. Qu'il le poussait à choisir entre lui et Casey, et que selon vous, votre frère choisirait Casey.

— Peut-être. Je ne sais pas. C'était il y a si longtemps. »

Ryan jeta un rapide coup d'œil à Laurie, et elle hocha la tête. Les spectateurs comprendraient. Andrew pensait que son frère allait désobéir à son père et les spéculations de l'accusation sur le mobile qui avait poussé Casey au meurtre s'en trouvaient diminuées. Il était temps pour Ryan de passer à la suite.

« Revenons aux activités de votre frère pour la fondation. On admet unanimement qu'il s'y donnait à fond. Quinze ans se sont écoulés depuis cette nuit. Quelle est la situation de la fondation maintenant que Hunter n'est plus là ?

— Plutôt bonne, je crois. Nous avons organisé hier une collecte de fonds au Cipriani. Chaque fois que nous nous y réunissons, nous observons une minute de silence à la mémoire de ma mère et de mon frère.

— Avez-vous pris la place de Hunter ? »

Andrew eut un petit rire. « Personne n'aurait pu le remplacer. Je travaille avec l'équipe des enchères écrites pour le gala annuel, je rencontre la presse à l'occasion, mais non, je n'assume absolument pas les mêmes responsabilités que mon frère. Mais grâce à tout ce qu'il a fait, la fondation est aujourd'hui capable de fonctionner avec son équipe.

— Pourtant Mark Templeton, votre ancien directeur financier, n'en fait plus partie, n'est-ce pas ? »

Andrew garda un visage impassible, mais visiblement, il perdait contenance. Il se tortilla sur le canapé et croisa les bras.

« Mark était un ami proche de votre frère, n'est-ce pas ? Il semble qu'il aurait été un successeur naturel à la tête de la fondation. Au lieu de quoi il a démissionné quelques années après la mort de votre frère. Y avait-il des problèmes ?

— Non. »

Ryan se tut, attendant une éventuelle explication, mais Andrew resta silencieux.

« Êtes-vous resté en contact avec lui ? »

Andrew sourit poliment, mais son charme habituel s'était évanoui. « Il était davantage l'ami de Hunter que le mien.

— Et votre père ? Est-il en bons termes avec Mark Templeton ?

— Pourquoi vous intéressez-vous tellement à Mark ? »

Quand il le vit tripoter le micro accroché à son col de chemise, Ryan revint avec naturel aux meilleurs souvenirs qu'Andrew conservait de son frère.

Bon travail, pensa Laurie. On n'allait pas lui soutirer d'autres informations, et vous l'avez empêché de partir. Ryan commençait à avoir le pied marin.

Une fois l'interview terminée, Ryan demanda à Andrew s'il pouvait emmener Jerry et un ou deux cameramen faire le tour de la propriété. « Nous voudrions que les spectateurs voient pourquoi votre frère se sentait si bien ici. »

Lorsque Andrew et Jerry sortirent par la porte de derrière, il était 12 heures 17. L'HPA du général, comme l'appelait son fils, était dans treize minutes. La visite du parc par Andrew avait pour but de l'empêcher d'informer son père qu'ils l'avaient questionné sur Mark Templeton.

Mais douze heures trente devinrent douze heures quarante, puis cinquante. Le téléphone de Laurie sonna peu après treize heures.

« Laurie Moran à l'appareil.

— Madame Moran, ici Mary Jane Finder, je vous appelle de la part du général Raleigh. Je crains que le général ne puisse se rendre dans le Connecticut aujourd'hui.

— Nous pensions que vous aviez déjà quitté New York. Nous sommes en train de tourner.

— Je comprends. Malheureusement nous avons été pris par le temps. Mais Andrew est sur place. Il devrait pouvoir vous donner accès à la maison si vous en avez besoin.

— Là n'est pas la question. Le général et vous-même étiez d'accord pour nous parler de la nuit où Hunter a été tué.

— Franchement, madame Moran, les éléments de preuve parlent d'eux-mêmes, il me semble ? Bien que vous ne m'ayez pas demandé mon opinion, je dirais que Mme Carter a suffisamment nui aux Raleigh sans que la famille perde son temps dans cette ridicule émission de téléréalité. »

Elle prononça *téléréalité* comme s'il s'agissait d'un gros mot.

« Il m'a semblé que le général Raleigh était toujours

convaincu de la culpabilité de Casey Carter. Je pensais qu'il aimerait trouver une occasion d'exprimer sa conviction. Vous vous êtes arrangée pour ne pas participer à notre séquence hier. Avez-vous persuadé votre patron de nous faire faux bond aujourd'hui ?

— Je vous en prie, madame Moran, vous sousestimez le général Raleigh si vous croyez que quelqu'un peut l'influencer. Je suis sûre que votre émission a un besoin fondamental de drame, mais ne voyez là aucune conspiration : le général a un emploi du temps extrêmement serré en ce moment pour écrire ses mémoires qui, avec tout le respect qui vous est dû, reflètent probablement mieux ses pensées que votre émission. Vous êtes libre de faire ce que vous voulez de votre production, mais le général ne sera pas à même d'y participer dans les jours qui viennent.

— Et vous-même ? Vous avez aussi été témoin des événements de la nuit du drame.

— Je suis occupée, j'aide le général dans la rédaction de son livre.

— À propos de ce livre, il va être confié à Holly Bloom aux éditions Arden, n'est-ce pas ? Nous rappellerons le rôle de Mme Bloom dans la publication du livre de Jason Gardner sur Casey, ainsi que l'aide qu'elle a apportée à l'ancien directeur financier de la fondation Raleigh, Mark Templeton, lorsqu'il lui a fallu trouver une situation. Le général sait-il que nous allons mettre en lumière ces connexions, madame Finder ?

— Je vous souhaite un bon après-midi. »

Mary Jane n'avait pas besoin de répondre à la dernière question. La réponse était claire. Le général connaissait l'information qu'ils s'apprêtaient à livrer. C'était exactement pour cette raison que Laurie contemplait une chaise vide dans le salon.

50

À cent vingt kilomètres de New Milford, dans sa maison de Manhattan, le général James Raleigh regardait son assistante raccrocher le téléphone posé sur son bureau. Il n'avait pas entendu ce qu'avait dit Laurie, mais il s'en doutait.

« Elle pense que vous me manipulez, n'est-ce pas ? dit-il avec un sourire railleur.

— Que Dieu vienne en aide à celui qui tenterait une chose pareille !

— Comment a-t-elle pris que je ne vienne pas dans le Connecticut ?

— Mal. Comme vous l'aviez prévu, elle a tenté de nous impressionner. Et je dois m'excuser. Lorsque j'ai téléphoné à son assistante, Grace, j'ai mentionné le nom de votre éditeur. Laurie a immédiatement fait le lien avec le livre de Jason Gardner. »

Le général repoussa d'un geste ses excuses. « Je m'étonne que personne n'ait remarqué plus tôt que l'agent ainsi que l'éditeur de Jason étaient de mes amis. Je ne vois rien de répréhensible dans le fait d'avoir encouragé quelqu'un qui connaissait le côté sombre de cette femme à dire la vérité.

— Elle a aussi mentionné Mark Templeton. »

Le général joignit les doigts. « J'ai compris dès qu'elle a mentionné son nom à Andrew dans la bibliothèque qu'elle attaquerait sous cet angle. »

En fait, le général et son assistante étaient en route pour le Connecticut quand Andrew avait envoyé à Mary Jane un texto, les avertissant que Ryan Nichols l'avait cuisiné sur la fondation et Mark Templeton. Le général avait immédiatement ordonné à son chauffeur de rebrousser chemin.

« Vous croyez qu'elle connaît la vérité au sujet de la fondation ? » demanda Mary Jane.

Il secoua la tête. Il avait parlé à Mark Templeton personnellement. Il ne pouvait imaginer que Mark soit assez stupide pour le trahir.

« Elle tient absolument à m'interviewer, dit Mary Jane. Apparemment, Casey lui a dit que Hunter ne m'aimait pas et était déterminé à me faire renvoyer. C'est vrai ? Hunter ne m'aimait pas ? »

Le général sourit. Une des raisons pour lesquelles il avait confiance en Mary Jane était que, comme lui, elle ne laissait jamais ses émotions la submerger. Comme lui, elle donnait l'impression d'être d'un calme inébranlable. Mais, comme lui, elle n'était pas dénuée de sentiments. Il ne lui avait jamais dit à quel point Hunter se méfiait d'elle, sachant qu'elle en serait peinée.

« Bien sûr que non, dit-il vivement. Hunter vous aimait beaucoup. »

Il vit qu'elle n'était pas totalement satisfaite de cette réponse. « Était-il au courant pour mon dernier emploi ? demanda-t-elle.

— Non, lui assura-t-il. De toute façon, je ne vous renverrai jamais, Mary Jane. Que ferais-je sans vous ? »

51

À six heures du soir, le bureau de Laurie était tellement encombré de cartons, carnets et papiers en tout genre qu'elle songea avec regret à l'ordre relatif de son appartement, fouillis de Timmy inclus. Elle venait de rouler en boule une feuille de papier brouillon et de marquer deux points dans sa corbeille à papier à recycler quand on frappa à sa porte.

« Entrez. »

Elle fut surprise de voir Jerry et Ryan. Ils étaient restés dans le Connecticut avec l'équipe de tournage pour mettre au point la séquence devant le commissariat de police et le tribunal et devaient ensuite rentrer directement chez eux. « Qu'est-ce que vous faites ici ?

— Nous pourrions vous poser la même question. Il nous a semblé qu'un peu de travail d'équipe s'imposait, dit Ryan.

— Grace a proposé de venir elle aussi, dit Jerry. Mais c'était son dîner du mois avec sa marraine. Je lui ai dit qu'il n'était pas question qu'elle l'annule.

— Tu lis dans mes pensées, Jerry. »

Ryan entreprit de ramasser les boules de papier froissé autour de la corbeille. « Pas sûr que vous soyez prête pour les championnats de basket. » Une fois le sol dégagé, il se laissa tomber dans un des fauteuils en face du bureau de Laurie. Jerry l'imita. « Je regrette que ça ne se soit pas mieux passé aujourd'hui.

— Tu n'y peux rien, Jerry, dit-elle.

— Vous non plus, soupira Ryan.

— Je ne sais pas ce que ça vaut, ajouta Jerry, mais j'ai gardé un œil sur Andrew après son interview avec Ryan, et il est tout de suite allé aux toilettes. Je suppose qu'il a pu contacter son père à ce moment-là. »

Laurie leva la main. « Crois-moi, Jerry, à moins d'être allé aux toilettes avec lui, tu n'avais aucun moyen de l'empêcher de communiquer avec le général. Andrew n'était pas notre problème. Si je devais avancer une hypothèse, c'est Jason Gardner qui a le premier téléphoné au général depuis le Cipriani, et Gabrielle Lawson s'est précipitée chez Mindy Sampson, qui l'a également informé. Et j'ai tout fait capoter en perdant patience hier avec son assistante, Mary Jane. » Elle se demandait également quel rôle Alex avait pu jouer dans la décision du général de leur faire faux bond.

« Je ne suis pas sûr de tout saisir, dit Ryan, mais on devrait peut-être élaborer un plan d'attaque. »

Elle ouvrit le premier tiroir de son bureau et y prit la balle de baseball de Ryan. « Attention ! » dit-elle. Il la rattrapa d'une main. Il avait fait du bon travail ces deux derniers jours. Il ne serait jamais Alex, mais il avait passé plus de vingt-quatre heures sans faire de gaffes. Comme elle l'avait dit à Jerry, c'était un début.

Laurie regarda autour d'elle tous les documents qu'elle avait épluchés pendant des heures et se sentit moins seule. « Faisons deux listes : ce que nous savons et ce que nous suspectons. »

La liste « Soupçons » était bien plus longue que la liste « Éléments connus ». Laurie admettait que son émission n'aurait peut-être pas de conclusion définitive, mais elle avait espéré qu'ils seraient au moins capables de démontrer que Casey n'avait pas eu un procès équitable. Entre son avocate minable, les messages anonymes sur le Net, la chronique de Mindy Sampson et l'appui apporté par le général Raleigh au livre de Jason Gardner, toutes les cartes lui avaient été défavorables.

Mais à présent, la réalisation de l'émission était presque terminée et Laurie avait l'impression qu'ils n'avaient pratiquement rien fait.

« Changeons notre fusil d'épaule, suggéra Ryan. Si vous deviez parier vos économies de toute une vie, votre instinct vous porterait vers qui ? »

Jerry fut le premier à parler : « Mes économies se montent à environ deux cent dix-sept dollars, mais je parierais sur Templeton. Je crois que le général – ou Mary Jane sur son ordre – a drogué Casey pour qu'elle se donne en spectacle ce soir-là. Alors Mark, sachant que Hunter était sur le point de le dénoncer pour escroquerie, a vu une opportunité. Il a quitté le gala, s'est rendu directement dans le Connecticut, a tué Hunter et compromis Casey.

— Dans ce cas, pourquoi le général Raleigh refuse-t-il de participer à notre émission ?

— J'ai déjà parié toutes mes économies. Maintenant vous faites appel à l'argumentation socratique ? Très bien, d'après moi le général continue de penser que Casey est coupable. C'est la seule raison qui peut l'avoir conduit à manipuler toute l'affaire. Dans son esprit, ce qui a pu se passer à la fondation avec Mark est accessoire et, d'une certaine manière, il protège l'héritage de Hunter en gardant le silence sur le sujet. »

C'était une théorie séduisante, pensa Laurie, celle sur laquelle elle avait travaillé elle-même. « Et vous, Ryan ? Vous pariez sur qui ?

— Vous êtes sûre de vouloir le savoir ? Nous commençons enfin à nous entendre. J'aimerais bien rester en odeur de sainteté.

— Arrêtez. Considérez que le bizutage est terminé. Quelle est votre théorie ?

— Sincèrement ? Je pense que Casey est coupable. Je l'ai pensé dès le début et je le pense encore. Et ce n'est pas parce que je reste sur ma position que je n'ai pas l'esprit ouvert, mais c'est l'explication la plus simple.

— Le principe du rasoir d'Occam, dit-elle.

— Exactement. Bon, Laurie, à votre tour.

— Sincèrement, je ne sais pas. »

Jerry et Ryan protestèrent. « Ce n'est pas juste, dit Ryan. Nous nous sommes exposés tous les deux. Dites-nous ce que vous pensez. »

Jerry vola à son secours : « Ce n'est pas ainsi que travaille Laurie. Elle passe d'une hypothèse à une autre, s'arrache les cheveux, jure de rester objective. Et puis – BAM – elle est comme un oracle : la vérité s'impose.

— Bam ? Un oracle ? C'est ce que tu penses de mon travail, Jerry ? »

Ils riaient encore, et Ryan ouvrait une bouteille de whisky quand on frappa à la porte.

« Je me demande qui d'autre travaille aussi tard, dit Laurie. Entrez ! »

C'était Alex. Elle reconnut l'homme qui l'accompagnait. Mark Templeton. « Pouvons-nous parler ? »

Comme ils restaient figés, bouche bée, Alex expliqua : « Laurie, j'ai téléphoné chez toi, et Leo m'a dit que tu travaillais tard ce soir. J'ai pris le risque de venir. »

Jerry se hâta d'approcher deux chaises.

« Les chaises supplémentaires ne sont pas nécessaires, Jerry, dit Alex. La conversation que nous allons avoir ne concerne que Laurie. »

Ryan et Jerry regardèrent Laurie, qui fit un signe de tête vers la porte. « Nous serons dans mon bureau », dit Ryan.

Tandis que la porte se refermait derrière eux, Laurie étudia Mark Templeton. Elle ne l'avait jamais rencontré, mais elle reconnut une version plus âgée de l'homme qu'elle avait vu sur de nombreuses photos, presque toujours à côté de son ami intime Hunter Raleigh. Ce soir, il portait pratiquement la même tenue qu'Alex : costume gris sombre, chemise blanche et cravate classique. Elle savait que c'était celle qu'Alex recommandait de porter au tribunal aussi bien aux avocats qu'à leurs clients. Un uniforme. De même que Coco Chanel pensait que l'important dans une robe c'était la femme qui la portait, Alex pensait que l'important c'était la preuve, et non l'homme.

« Monsieur Templeton, vous m'avez à plusieurs reprises fait clairement savoir que vous ne voyiez pas l'intérêt de me parler.

— Non, j'ai clairement dit que je ne participerais pas à votre émission. Et je ne vais pas changer d'avis, pour des raisons que vous comprendrez, j'espère. Mais Alex m'a dit que vous alliez probablement me présenter comme un suspect potentiel dans le meurtre de mon ami Hunter Raleigh, et c'est une chose que je ne peux tolérer.

— Alors, je peux m'arranger pour que vous soyez interviewé et filmé dès demain matin », dit Laurie.

Mark secoua vigoureusement la tête. « Non, non et non. Tout ce que je veux, c'est que vous entendiez ce que j'ai à vous dire. »

Alex prit la parole pour la première fois depuis qu'ils s'étaient assis : « Je t'en prie, Laurie. Je comprends que tu refuses de me faire une faveur, mais je sais comment tu travailles. Tu te soucies avant tout de la vérité. Tu devrais au moins écouter ce que Mark a à dire.

— Je ne promets rien, mais allez-y. »

Mark regarda Alex comme pour se rassurer. Alex hocha la tête.

« Un peu plus de trois ans après que Hunter a été tué, commença Mark, le conseil d'administration s'est soudain rendu compte que les actifs de la fondation étaient très éloignés des objectifs que Hunter avait fixés dans son plan de collecte de fonds à cinq ans.

Comme il n'était plus là pour soutenir notre image et faire la promotion de la fondation, je ne jugeais pas cela très surprenant. Mais le manque à gagner était suffisant pour que le conseil d'administration décide d'engager un consultant pour mener une enquête exhaustive sur la fondation – mission stratégique, publications, investissements, la totale. »

L'explication paraissait raisonnable jusque-là. Laurie lui fit signe de continuer.

« En examinant les comptes, ils s'aperçurent non seulement que la collecte avait diminué, mais que j'avais donné mon accord à un certain nombre d'investissements malheureux et à des dépenses discutables, y compris à un retrait important de sommes en liquide. Je m'attendais à assister à une réunion du conseil ordinaire, mais James Raleigh me mit dans une position difficile, demandant des explications pour chacune des dépenses engagées.

— N'est-ce pas ce à quoi un directeur financier devrait s'attendre ?

— Ordinairement oui, mais rien n'est ordinaire avec les Raleigh. J'ai refusé de répondre. »

Laurie écarquilla les yeux. « C'est étonnant qu'ils ne vous aient pas licencié sur-le-champ.

— Ils l'ont fait. Ma "démission" a été annoncée dans l'heure.

— Et il vous a fallu presque une année pour retrouver du travail. Et en attendant, vous avez jugé utile d'engager Alex.

— Je ne l'ai pas engagé. »

Alex posa la main sur son bras. « Mark, je vous rappelle…

306

— Vous n'avez pas besoin de me le rappeler. Je dois le dire, peu importent les conséquences. C'est James Raleigh qui a fait intervenir Alex. Après mon licenciement par le conseil, le général Raleigh a rameuté tous ses amis influents pour qu'ils persuadent le bureau du procureur général d'ouvrir une enquête à mon encontre pour détournement de fonds. Il était certain que j'avais escroqué la fondation de presque deux millions de dollars. Quand le FBI est venu me trouver, j'ai invoqué le Cinquième Amendement et refusé de répondre aux questions. Ils se sont alors tournés vers ma femme, lui demandant comment nous avions payé son nouveau break Audi et un voyage à Grand Cayman. À ce point, je n'ai plus eu la force de le couvrir. J'étais déterminé à dire la vérité. Mais j'ai décidé de jouer le jeu du général et de le laisser choisir.

— Je ne vous suis plus, monsieur Templeton.

— La raison pour laquelle je n'ai pas répondu à ses questions lors du conseil d'administration est que toutes les transactions suspectes étaient le fait d'Andrew Raleigh. Son père l'avait incité à s'impliquer davantage dans la fondation quand Hunter avait envisagé de se présenter aux élections. Andrew s'est très vite servi de sa carte de crédit de la fondation. Quand je l'ai interrogé sur la nature des dépenses, il a répondu qu'il voyageait pour créer un réseau de donateurs avec ses anciens camarades d'université. Andrew n'évoluait pas dans le même milieu que son frère à New York. Il ne s'y trouvait pas dans son élément et pensait qu'il serait un collecteur de fonds plus efficace dans d'autres parties du pays. Je l'ai cru à l'époque, mais Alex me dit que, selon vous, Hunter éprouvait certaines inquiétudes de son vivant. Le problème n'a fait qu'empirer au fil des années.

— Vous voulez dire qu'Andrew détournait des fonds à son profit ? »

Mark haussa les épaules. « Le mot est sans doute trop fort. Je pense qu'Andrew n'est pas un mauvais homme, mais c'est un joueur dans l'âme. Il dépensait beaucoup trop d'argent à recevoir des donateurs potentiels dans des endroits tels que des casinos. Il privilégiait les investissements risqués. Et plus il perdait, plus il s'acharnait à se refaire, ce qui l'amenait à des choix plus désastreux encore.

— Vous étiez prêt à vous faire licencier pour protéger Andrew ?

— J'ai *démissionné* », dit-il en appuyant sur le mot avec un sourire triste. « Si j'avais révélé la vérité, ils auraient probablement voulu ma tête quand même. J'étais innocent de toute malversation, mais je n'avais pas surveillé Andrew d'aussi près que je l'aurais dû. Et je sentais le besoin de le protéger. Hunter était mon meilleur ami, et donc Andrew était un peu comme mon petit frère. J'ai pris la décision, sous la contrainte, de quitter le conseil d'administration sans rien dire, ne sachant ce que j'allais faire. Puis l'assistante du général, Mary Jane, m'a appelé pour me prévenir qu'ils allaient annoncer ma démission. Je me suis dit que j'allais simplement passer à autre chose, mais il m'a été impossible de trouver une nouvelle situation sans la recommandation du général.

— Je ne comprends pas. Pourquoi le général a-t-il

engagé Alex pour assurer votre défense devant le bureau du procureur général ?

— Me renvoyer ne lui suffisait pas. Il a fait appel au FBI pour qu'ils ouvrent une enquête criminelle. Lorsque ils m'ont interrogé, j'ai dû faire un choix. Si je disais toute la vérité au FBI, les malversations d'Andrew seraient exposées au grand jour et l'avenir de la fondation compromis. Je ne voulais pas voir terni l'héritage de Hunter. Alors j'ai raconté au FBI que le responsable était une personne proche de la fondation, qui avait des instincts de joueur. Bien entendu, je savais que tout ce que je disais serait rapporté au général, qui a compris aussitôt qu'il s'agissait d'Andrew. Tout est une partie d'échecs avec James Raleigh. Il pense toujours huit coups d'avance. À ce point, il était échec et mat.

— S'il ne vous aidait pas, vous dénonciez Andrew, dit-elle.

— Exactement. De façon tout à fait imprévue, Alex ici présent m'a appelé, proposant de me défendre. J'ai mis au point un arrangement aux termes duquel la fondation retirait sa plainte. Techniquement, j'étais coupable de ne pas avoir contrôlé les agissements d'Andrew. Ce qui n'aurait pas été bon pour mon image, ni auprès de mes employeurs éventuels si cela s'était su. J'ai remboursé à la fondation un montant symbolique qui couvrait les pertes dont j'étais censé être responsable, et il a été convenu que j'obtiendrais du général une recommandation élogieuse une fois l'accord signé.

— Il y a conflit d'intérêts. » Laurie regardait Alex à présent, et non Mark. « Vous avez amené le gouvernement à vous croire responsable d'un crime commis par quelqu'un d'autre afin qu'ils ne fouillent pas davantage. »

Le regard d'Alex ne reflétait rien tandis qu'il expliquait le mécanisme de l'accord. « Il n'appartient pas à un avocat de corriger les erreurs du gouvernement. Les termes de la transaction satisfaisaient Mark. Il avait également signé une clause de confidentialité qu'il vient de violer en t'apportant cette information. Nous espérons que tu éviteras de mettre en avant le nom de Mark au cours de l'émission maintenant que tu connais la vérité.

— Comment pouvez-vous me demander ça ? Vous vous êtes peut-être disculpé, mais à présent, c'est Andrew qui est soupçonné. »

Mark se tourna vers Alex, soudain très pâle. « Andrew ? Non. Vous ne pouvez pas penser…

— Vous venez à l'instant de me dire qu'il avait volé l'argent de l'organisation caritative fondée par sa famille. Son frère savait que de l'argent avait disparu, et j'imagine qu'Andrew serait mort de honte si son père l'avait appris. »

En outre, Andrew n'avait pas d'alibi pour l'heure du meurtre, se rappela-t-elle.

« Mais c'est insensé. Andrew adorait son frère. Et quand son père a fini par découvrir ses magouilles, il n'a pas voulu le couvrir de honte. Au contraire, il m'a menacé des pires calamités si je ne le couvrais pas. Écoutez, je n'ai plus aucune raison de protéger Andrew Raleigh. Ce garçon est un loser qui a été trop gâté. Il a gâché ma vie, ou du moins c'était ce que je croyais avant de retomber sur mes pieds. Mais il est impossible qu'il ait pu faire du mal à Hunter. Je pense sincèrement qu'il aurait préféré assassiner son père que de toucher un seul cheveu de son frère. »

Laurie se représenta Andrew dans la maison de campagne, se remémorant son merveilleux grand frère. Il avait pu connaître des moments de ressentiment, surtout après avoir bu trop de whisky, mais elle était convaincue qu'il l'adorait.

« Bien, merci d'être venu nous voir ce soir, monsieur Templeton. Prévenez-moi si vous changez d'avis et acceptez d'être filmé.

— N'y comptez pas. Pouvez-vous, je vous prie, me laisser en dehors de cette émission ? Je suis juste un type ordinaire qui essaye de vivre sa vie.

— Je ne peux rien vous promettre. »

Alex demanda à Mark Templeton d'attendre dans le couloir pendant qu'il s'entretenait avec Laurie. « Les choses n'auraient pas dû en arriver là, dit-il doucement.

— Tu veux dire que tu n'aurais pas dû en arriver à faire un sale boulot en catimini pour le général Raleigh ?

— J'ai aidé un honnête homme, Laurie. Et maintenant il va s'endormir en craignant que son univers n'explose à nouveau, parce que tu n'as pas voulu me croire. Si l'un de nous doit être jugé, ce n'est pas moi. »

52

Après le départ d'Alex et de Mark Templeton, Laurie appela le bureau de Ryan et lui demanda de revenir avec Jerry. Quand ils entrèrent, elle dit : « La journée a été longue. On arrête les frais. »

Ryan protesta. « Sans franchir la ligne jaune, nous devrions peut-être discuter de la présence de Mark Templeton ici ? »

Ils le devraient, bien sûr. Mais elle savait qu'Alex avait marqué un point. À ce stade, il n'y avait plus aucune raison de soupçonner Mark Templeton du meurtre de son ami Hunter. C'était seulement parce qu'elle l'avait menacé de le présenter comme suspect qu'il s'était trouvé obligé de rompre son accord de confidentialité avec la famille Raleigh. Laurie avait vu le genre d'influence que le général Raleigh était disposé à mettre en œuvre pour préserver son nom. Moins il y aurait de gens au courant du secret de Templeton, mieux cela vaudrait.

« Je ne peux pas en parler maintenant.

— Comment ça, vous ne pouvez pas en parler ? insista Ryan. Demain c'est notre dernière journée de tournage. Quand on en aura fini avec Casey et sa famille, nous sommes censés remballer. »

Jerry leva la main. « Si Laurie dit qu'elle ne peut pas en parler, c'est qu'elle ne peut pas en parler. C'est la règle ici. Nous nous faisons confiance mutuellement. »

En écoutant Jerry, Laurie eut le cœur serré. Jerry avait une foi en cllc qu'elle n'avait pas témoignée envers Alex quand il en avait eu besoin. « Rentrez chez vous. Nous verrons comment les choses se présentent demain matin. »

53

Bien qu'elle ait dit à Ryan et à Jerry que la journée était finie, Laurie ne pouvait se résoudre à quitter son bureau. Une heure plus tard, elle épluchait encore le contenu des cartons que lui avait confiés Janice Marwood, l'avocate de Casey. Elle se plongeait dans ces dossiers dans le seul but de rester occupée. Une fois rentrée chez elle, seule dans sa chambre, elle devrait encaisser le choc de sa conversation avec Alex.

Pendant des mois, elle avait essayé de lui garder une place dans son cœur, espérant qu'il serait encore là pour elle quand elle serait prête. Mais aujourd'hui, il était peut-être sorti pour de bon de sa vie. Elle avait sans doute compromis leurs chances d'avoir un avenir commun, et tout ça à cause de ce procès.

Impossible que ça ne mène à rien, se dit-elle, feuilletant plus rapidement les dossiers de l'avocate. Il doit y avoir là-dedans quelque chose qui va me conduire à la vérité.

À mesure qu'elle vidait les cartons, elle se rendait compte que les dossiers de Janice Marwood contenaient beaucoup plus de détails que tout ce que Casey lui avait raconté.

Casey avait douté que Janice Marwood ait lu les commentaires négatifs postés sur le Net, mais les dossiers indiquaient le contraire. En réalité, l'un d'eux était clairement intitulé « RIP_Hunter ». Laurie l'ouvrit et y trouva de nombreux tirages des commérages qu'elle-même avait découverts au cours de ses recherches. Il y avait aussi des copies de lettres que Janice Marwood avait envoyées à différents sites web, tentant en vain d'obtenir des informations sur l'auteur de ces posts.

Un autre carnet était intitulé « Motions d'avant-procès ». Il était clair, d'après son contenu, que Marwood avait récusé une grande partie des éléments de preuve que l'accusation voulait invoquer contre Casey, et qu'elle y était parfois parvenue. Outre qu'elle avait fait supprimer le « témoignage de moralité » de Jason Gardner concernant Casey, elle avait aussi écarté le témoignage d'une soi-disant amie d'université de Casey rapportant que celle-ci avait un jour déclaré que le moyen le plus simple pour une femme d'avoir du pouvoir était de faire un bon mariage. Elle avait également bloqué la déclaration d'un collègue de Sotheby's prétendant que Casey avait fixé son choix sur Hunter dès l'instant où il était entré dans la salle d'enchères.

Ce n'était pas le travail d'un avocat qui prenait un procès à la légère. Plus étonnant, Laurie ne comprenait pas pourquoi Casey ne lui avait pas fourni davantage d'informations pour sa défense.

Il lui fallait un deuxième avis. Se surprenant elle-même, son premier geste fut de décrocher le téléphone et d'appeler Ryan. Elle fut encore plus surprise quand il répondit.

« Vous êtes encore là ? dit-elle.

— D'où je viens, on ne part jamais avant le boss. »

Laurie fut impressionnée par la vitesse avec laquelle Ryan absorbait les minutes du procès. C'était comme observer une version judiciaire d'un super-chef dans sa cuisine.

Il marqua une pause après avoir étudié le carnet des motions d'avant-procès. « Cela ne ressemble pas au travail d'un avocat qui essaye de se débarrasser d'un procès, dit-il.

— On m'a dit qu'elle méritait un C, dit Laurie.

— J'aurais dit la même chose il y a trois semaines. Elle n'a pas appelé Casey à témoigner, bien qu'elle n'ait pas eu d'antécédents judiciaires et ait pu faire bonne impression sur les jurés. Puis, au moment des conclusions, elle a changé de tactique, passant du "ce n'est pas elle" à l'homicide involontaire. Mais maintenant que je vois tout le travail accompli derrière la scène, je lui donnerais un B+, voire un A−.

— Alors pourquoi n'a-t-elle pas demandé un ajournement quand un des jurés a rapporté avoir lu en ligne un commentaire de RIP_Hunter sur Casey ? Est-il possible qu'elle ait voulu aider Casey à l'origine, puis que le général Raleigh soit intervenu ?

— Je ne sais pas », dit Ryan en saisissant un autre paquet de dossiers. « Que le général Raleigh ait usé de son influence pour faire éditer le livre de l'ex-boy-friend de Casey est une chose. Mais soudoyer un avocat de la défense ? Et il est difficile d'imaginer un avocat honnête prêt à compromettre ainsi sa carrière. Je suppose que c'est possible, mais… »

Il s'interrompit au milieu de sa phrase et revint à la page qu'il venait de lire. « Attendez une minute, je crois que nous avons un problème. Une des motions requérant une suppression a une annexe. Regardez. »

La page qu'il lui tendait était un extrait de l'inventaire des pièces à conviction établi par la police après la perquisition de la maison de campagne de Hunter. Il ne fallut qu'un coup d'œil à Laurie pour comprendre la signification de ce qu'elle avait sous les yeux.

« Cet inventaire ne faisait partie d'aucun des documents que Casey m'a donnés, dit-elle. Laissez-moi passer deux coups de fil pour confirmer nos soupçons. »

Un quart d'heure plus tard, ils comprenaient mieux pourquoi Janice Marwood avait refusé de parler à Laurie. Comme Alex, elle était toujours tenue au secret professionnel envers sa cliente, même quinze ans après la condamnation. Elle refusait de répondre à des questions la concernant parce qu'elle savait qu'elle était coupable.

« Voilà pourquoi elle n'a pas demandé l'ajournement du procès, dit Laurie. Elle s'est rendu compte que Casey était l'auteur du crime. Si un nouveau procès avait eu lieu devant un nouveau jury, il était possible qu'on découvre de nouvelles preuves contre elle dans l'intervalle. Elle avait fait récuser tant de témoignages de moralité qu'elle a jugé préférable de s'en remettre au verdict après avoir plaidé l'homicide involontaire. »

Pour la première fois depuis leur rencontre, Ryan semblait excité par l'affaire. « La bonne nouvelle est que nous avons un plan désormais. Je vais faire une copie de tout ça pour demain. Casey ne verra pas le coup venir. »

54

Le lendemain matin, Casey regardait une copie du document. Elle serrait si fort les bords de la page que Laurie voyait ses phalanges blanchir.

Ils filmaient dans un décor du studio. Comme prévu, la famille Raleigh avait refusé à Casey l'entrée de la maison de campagne. Même le Cipriani avait hésité à lui ouvrir ses portes. Sotheby's avait refusé, tout comme l'ancienne école de Casey. Elle était une femme sans racines.

Aujourd'hui, c'était à l'avantage de Laurie. Elle ne voulait pas que Casey se retrouve sur son territoire. En fait, elle avait annulé les interviews du matin avec Paula et Angela et demandé à Casey de venir seule au studio puisque sa mère et sa cousine ne « soutenaient pas pleinement » sa décision de participer à l'émission.

Maintenant que l'interview était en cours, Casey essayait de garder son calme, mais la page commençait à trembler dans ses mains. Elle la laissa tomber sur la table comme si elle la brûlait.

« On dirait une sorte de rapport de police, dit-elle, répondant enfin à la question de Ryan.

— Vous l'avez déjà vu ? Il ne faisait pas partie

des nombreux éléments que vous avez fournis au studio quand vous avez accepté que nous enquêtions sur votre affaire.

— Je n'en suis pas tout à fait sûre. Je ne suis pas avocat, monsieur Nichols.

— Certes, mais vous avez eu quinze ans pour travailler à votre défense. Vous avez entrepris de démontrer que vous aviez été condamnée injustement et vous vous y êtes employée à plein temps dans votre cellule.

— Je vous ai remis tout ce que j'avais en ma possession. Il est possible que mon avocate ne m'ait pas communiqué tous les documents. Ou que j'aie éliminé certaines choses au cours des années pour me concentrer sur l'essentiel. »

Laurie n'y croyait pas. Le soir précédent, Ryan et elle avaient comparé les documents de l'avocate aux dossiers que Casey leur avait remis. Il était évident que Casey avait soigneusement trié le contenu des dossiers pour donner l'impression que Janice Marwood ne s'était pas réellement battue pour la défendre. Elle avait aussi retiré l'inventaire de la police.

Ryan prit la page et la tendit à nouveau à Casey. « Pouvez-vous, s'il vous plaît, lire la deuxième entrée de cette liste ?

— Il est écrit : "Poubelle extérieure".

— Et il y a plusieurs articles mentionnés en dessous du titre, n'est-ce pas ? Pouvez-vous lire le sixième de la liste ? »

Casey ouvrit la bouche pour répondre, puis se reprit. Elle feignit de compter chaque article, comme si elle ignorait celui dont il s'agissait. « Vous voulez

dire celui-ci ? "Sac-poubelle plastique, contenu : fragments de cristal". »

Cela correspondait exactement au cadre manquant
si on l'avait réduit en morceaux.

La veille au soir, le premier coup de téléphone de
Laurie avait été destiné à la gouvernante de Hunter,
Elaine Jenson. Elle lui avait demandé si elle se souvenait d'avoir ramassé des morceaux de verre quand
elle avait fait le ménage ce jour-là dans la maison de
campagne. La réponse avait été non. Les rares fois où
elle cassait quelque chose en nettoyant, elle mettait
toujours les morceaux de côté au cas où le propriétaire voudrait faire réparer ou remplacer l'objet cassé.
En plus, elle était toujours attentive au recyclage du
verre. D'après elle, c'était Hunter ou Casey qui avait
dû porter à l'extérieur un sac-poubelle contenant du
verre ou du cristal brisé.

Le second appel avait été pour le lieutenant McIntosh, de la police d'État du Connecticut. Il avait ricané
quand elle lui avait parlé du sac-poubelle. « Ainsi,
vous avez mis le doigt dessus, on dirait ?

— Vous étiez au courant ?

— Je n'en étais pas certain jusqu'à ce que vous
me questionniez à propos de la photo manquante.
En découvrant ce sac-poubelle, nous nous étions
demandé s'il s'agissait d'un objet lancé durant une
dispute ou brisé au cours d'une bagarre. Mais l'accusation a décidé que l'argument était trop hasardeux
pour être utilisé au procès. Puis vous êtes venue me
voir en disant que le cadre de cristal préféré de Hunter

avait disparu de la maison. Je suis prêt à parier que c'est ça que nous avons trouvé dans le sac-poubelle. Brisé dans une sorte d'accès de fureur.

— Pourquoi ne m'avez-vous rien dit quand je vous en ai parlé ?

— Parce qu'une fois votre émission diffusée, je comptais m'en servir pour dégonfler les arguments de Casey. Ça ne vous serait pas d'une grande aide, après tout. Comme je l'ai dit, nous avons identifié la véritable coupable. Au passage, j'y avais fait allusion. Dit qu'il avait peut-être été cassé. C'était un geste de courtoisie professionnelle de ma part envers votre père. Et maintenant vous avez tout compris.

— Avez-vous gardé le contenu du sac ? Pouvons-nous affirmer avec certitude que c'était un cadre de photo ?

— Non. Nous gardons ce qui est important, comme l'ADN, mais un sac-poubelle utilisé comme preuve ? Ça n'existe plus depuis longtemps. Nous avons pensé que c'était un vase ou un truc de ce genre, mais nous n'avons jamais essayé de le reconstituer. Ce n'était pas important à l'époque. »

C'était important aujourd'hui. Laurie se souvint de la réaction de Grace quand elle en avait entendu parler pour la première fois. *Elle la lui a probablement jetée à la figure alors qu'ils se disputaient, a nettoyé les débris, et enterré la photo dans les bois avant de composer le 911.* Ryan était arrivé à la même conclusion.

C'était sans doute pour cela que Casey l'avait appelée pour essayer de la convaincre de ne pas mentionner la photo manquante durant le tournage. Elle craignait que la police ne fasse le rapprochement.

Laurie avait regardé Casey dans les yeux et cru qu'elle était innocente. Comment avait-elle pu se tromper à ce point ?

Ryan avait prédit que Casey se ruerait hors du studio dès la minute où il la confronterait à la liste des pièces à conviction, mais elle ne bougea pas de son siège, même quand Ryan continua à s'acharner : « N'est-il pas vrai que ce sac-poubelle contenait les restes du cadre que vous aviez brisé au cours d'une violente querelle avec Hunter ? Le cadre qui contenait cette photo qui comptait tant pour lui ? Ou a-t-il été cassé quand vous l'avez poursuivi dans la chambre en tirant des coups de feu sur lui ?

— Non. Ce n'était pas le cadre de cette photo !

— Pourtant, n'avez-vous pas appelé notre productrice à son domicile pour lui demander de ne pas le mentionner ?

— C'était pour une raison totalement différente. Une tactique. Vous déformez tout. »

Casey criait presque, frappant du poing sur la table pour renforcer ses propos.

Laurie ne put s'empêcher de sourciller, mais Ryan resta parfaitement calme. « Simplifions, Casey. C'était votre dernier jour avec Hunter. Vous devez l'avoir ressassé un million de fois. Dites-nous seulement ce qui a été cassé ce jour-là. D'où venaient ces fragments de verre que la police a trouvés dans la poubelle de la grange ?

— C'était un vase.

— Et comment avait-il été cassé ?

— Il arrive qu'on casse des choses.

— Je vais être franc, Casey. Si vous étiez ma cliente et que vous faisiez une réponse de ce genre, je ne vous laisserais pas témoigner, parce que n'importe quel jury verrait que vous n'êtes pas sincère. Vous vous souvenez de plus de choses que vous ne le dites.

— D'accord. C'est moi qui l'ai cassé. J'ai vu cette photo de lui avec Gabrielle Lawson dans la rubrique de *Chatter*. J'ai été tellement furieuse que j'ai lancé le journal sur la table et renversé un vase. J'ai immédiatement eu honte. J'ai tout nettoyé et fourré les restes dans la poubelle, dehors, espérant que Hunter ne remarquerait rien.

— Pourquoi avez-vous eu honte ?

— Parce que, malgré mes efforts, je n'arrivais pas à contrôler ma jalousie. Je ne peux pas croire que j'aie pu douter de son amour pour moi un seul instant.

— Mais la jalousie est un sentiment que vous connaissez bien, n'est-ce pas ? Nous avons entendu dire que vous éleviez souvent le ton en public si vous trouviez que Hunter se montrait trop empressé à l'égard d'autres femmes.

— Ce n'était pas toujours facile d'être avec un homme courtisé par tout le monde. C'était un héros. Sa famille était pratiquement de sang royal. Par comparaison, j'étais la petite-bourgeoise ordinaire qui avait réussi à pénétrer dans le saint des saints. Cela n'aidait en rien que sa seule petite amie sérieuse avant moi ait été une fille parfaite de la haute société – exactement mon contraire. Quand je le voyais photographié à côté

324

de ce genre de femmes, je n'éprouvais pas seulement de la jalousie. J'étais véritablement blessée. Mais Hunter voyait tout ça comme une péripétie normale de la vie mondaine.

— Et comment le voyiez-vous ?

— Comme une question de respect. »

Laurie sentit que Jerry et Grace lui lançaient un regard, impatients de commenter ce qu'ils voyaient. Jusqu'à ce jour, Casey avait décrit sa relation avec Hunter comme un merveilleux conte de fées. À présent un aspect différent de l'histoire leur apparaissait.

Laurie secoua la tête discrètement, leur faisant signe de rester impassibles.

« Hunter ne vous respectait donc pas ? » continuait Ryan d'un ton compatissant. Son attitude arrogante de Monsieur Je-sais-tout avait fait place à une courtoisie parfaite.

« Si, mais il ne comprenait pas. Depuis sa naissance, il était la personne la plus importante dans la pièce. Personne ne le jugeait jamais. Il ignorait ce que je vivais. Avoir toutes ces femmes qui me jaugeaient, se demandaient comment j'avais eu la chance d'être choisie par lui.

— Il semble que c'était quelque chose de récurrent. Peut-on dire que vous vous disputiez à ce sujet ?

— Bien sûr. Mais pas de la manière décrite au cours de mon procès. C'étaient les mêmes disputes que tout couple normal aurait eues. Il apprenait à moins courtiser les femmes. Je devenais moins jalouse et plus confiante dans notre relation. Et c'est pourquoi j'ai eu honte d'avoir réagi si violemment en voyant cette photo de lui avec Gabrielle.

— Alors pourquoi ne nous en avoir rien dit ? demanda Ryan. Pourquoi avoir retiré cette page de l'inventaire de la police dans les documents que vous nous avez communiqués ? Et pourquoi avoir cherché à donner l'impression que votre avocate n'avait rien fait pour vous aider ?

— Je ne voulais pas que vous me croyiez coupable. »

Le silence qui suivit en disait long. Les yeux de Casey cherchèrent désespérément ceux de Ryan dans l'attente d'une réaction de sa part, puis se dirigèrent vers Laurie derrière la caméra. « Vous me croyez toujours, n'est-ce pas ? »

L'expression de Laurie répondit sans doute à sa question, car Casey fondit en larmes. « Je suis désolée, hoqueta-t-elle. Je suis tellement désolée. »

Les portes de l'ascenseur s'étaient à peine refermées qu'ils poussèrent tous un même soupir de soulagement. Ils avaient réussi au-delà de leurs espérances.

« Je savais bien que c'était elle, dit Grace en levant un poing triomphal.

— Ce sera la meilleure scène qu'on ait jamais diffusée, déclara Jerry. Il est seulement dommage qu'elle ait déjà purgé sa peine. La police aurait presque pu débarquer et l'emmener. »

Ryan attendit que Jerry et Grace regagnent leurs bureaux avant de rendre son verdict. Il se pencha en avant et lança ironiquement : « Si j'étais Monsieur Tout-le-monde, je serais tenté d'ajouter : "Je vous l'avais bien dit."

— Heureusement que vous êtes modeste, dit Laurie. Et heureusement que je suis une femme assez sûre d'elle pour reconnaître que je me suis trompée. Vous aviez raison, Casey est coupable. »

Une fois seule, Laurie appela Alex. En écoutant son message d'accueil, elle se rendit compte à quel point sa voix lui manquait.

« Alex, c'est Laurie. J'aimerais te parler. Tu peux dire à Mark Templeton qu'il ne sera pas inquiété. Je suis désolée que les choses aient dérapé hier soir. » Elle tenta de trouver les mots appropriés : « Il faut qu'on se parle. Rappelle-moi, s'il te plaît, quand tu auras un moment. »

Pendant le reste de l'après-midi, elle surveilla son téléphone, espérant l'entendre sonner.

55

À l'hôtel, Paula Carter était allongée sur son lit, zappant d'un programme de télévision à l'autre pour passer le temps. Assise au bureau près d'elle, sa nièce Angela tapait furieusement sur son ordinateur.

« Ce n'était pas nécessaire de nous réserver une chambre d'hôtel, Angela. Mais c'est très attentionné de ta part.

— Je t'en prie. Je n'imaginais pas que Casey souhaiterait reprendre le train aussitôt le tournage terminé. En outre, Ladyform a un tarif d'entreprise dans cet établissement.

— J'ai été tellement soulagée quand Laurie a appelé hier soir pour dire que finalement elle n'avait pas besoin de nous deux. Je comprends pourquoi Casey a décidé d'y aller seule, mais pourquoi n'appelle-t-elle pas ? Elle devrait avoir terminé à cette heure. Comment arrives-tu à te concentrer ?

— Je n'ai pas le choix, dit Angela, continuant à taper. Nous avons notre défilé d'automne ce week-end. Je fais ce que je peux à distance, mais Charlotte et moi devons nous rendre à l'entrepôt pour vérifier l'aménagement des plateaux. »

Paula éteignit la télévision. « Angela, je ne crois

pas t'avoir jamais dit combien j'étais fière de toi, ni à quel point Robin l'aurait été, en voyant tout ce que tu as accompli dans ton métier. De te voir passer de simple mannequin à une telle réussite professionnelle.

— Simple mannequin ? » dit Angela, quittant un instant des yeux son écran. « J'ai travaillé plus dur en tant que modèle que je n'ai jamais travaillé chez Ladyform.

— Ce n'était pas ce que je voulais dire, Angela. Tu as toujours été si belle – et, naturellement, tu es encore superbe. Mais cela n'a jamais été ta seule qualité. La beauté perd de son éclat. Pas le talent. Je serai franche. Lorsque vous étiez petites, il m'arrivait de vous comparer. Robin disait toujours que vous étiez toutes les deux ravissantes. Et, pardonne-moi, je pensais, *ma Casey finira en tête avec le temps*. Je sais combien cela peut paraître horrible à présent, mais les sœurs ont souvent l'esprit de compétition, même quand il s'agit de la génération suivante. Je n'aurais jamais imaginé que tu aurais une telle situation, et que Casey serait celle qui… »

Elle n'eut pas le courage de terminer sa phrase.

Angela ferma son ordinateur, s'assit sur le lit à côté de Paula et l'entoura de ses bras. « Merci, tante Paula. Cela est très important pour moi de savoir que tu es fière de moi. Je suis sûre qu'un jour Casey aura l'avenir qu'elle mérite. » Au bord des larmes, elle se tamponna les yeux et rit pour détendre l'atmosphère. « Bon, maintenant c'est moi qui pleurniche. Nous devrions avoir des nouvelles de Casey à cette heure. »

Paula s'apprêtait à saisir son téléphone quand elles entendirent le bip d'une carte magnétique dans la porte. Casey avait les yeux rougis, son visage était maculé de traces de maquillage.

« Oh non, qu'est-ce qui s'est passé ? demanda Angela.

— Tout, cria Casey. *Tout* a foiré ! Ils m'ont tendu un piège. L'amie de Charlotte, Laurie, prétendait me croire, mais ensuite elle a lâché son chien d'attaque d'avocat sur moi. Il a déformé tous les faits. Si au moins ils m'avaient prévenue, j'aurais fait de meilleures réponses. J'aurais pu tout expliquer. »

Paula regretta sur-le-champ de ne pas s'être opposée plus fermement à Casey quand elle avait décidé de participer à l'émission. « Ce n'est peut-être pas aussi catastrophique que tu le dis, avança-t-elle timidement.

— Maman, ça a été horrible. J'en sortirai brisée. Tout l'intérêt de l'exercice était de blanchir mon nom, et au contraire je vais paraître encore plus coupable qu'avant. Je voyais bien qu'ils ne me croyaient pas. Bien sûr, nous nous disputions, Hunter et moi, c'est normal dans un couple. Cela ne durait jamais. Je n'aurais pas dû essayer de dissimuler certaines choses, mais je voulais être sûre qu'elle choisirait mon procès pour son émission. »

Paula chercha l'aide d'Angela, qui semblait aussi perplexe qu'elle. « Chérie, je ne suis pas sûre que nous te suivions.

— Quand j'ai confié mon dossier à Laurie, j'en ai retiré certaines choses. Pas mal d'éléments. C'était stupide. J'aurais dû savoir qu'ils s'en apercevraient.

— Qu'as-tu retiré exactement ? demanda Angela nerveusement.

— J'ai fait de mon avocate quelqu'un de plus nul

qu'elle ne l'était dans la réalité. Mais le principal, c'est une page de l'inventaire de la police mentionnant qu'il y avait des éclats de verre dans la poubelle.

— Et alors ? En quoi est-ce important ? s'exclama Paula d'un ton léger.

— Parce qu'ils croient que c'est le cadre de cristal qui manquait sur la table de nuit. Ils pensent que c'est moi qui l'ai brisé au cours d'une dispute avec Hunter, et que c'est pour cette raison que j'ai retiré la page du dossier.

— Et ils ont raison ? »

Les mots jaillirent spontanément de la bouche de Paula.

Les yeux de sa fille étaient emplis de désespoir. « Bien sûr que non. C'étaient seulement les débris d'un vase. Je ne voulais pas que Laurie pense que c'était le cadre de la photo.

— Donc ils en sont juste au stade des hypothèses, dit froidement Angela. Je ne vois pas où est le problème. »

Paula remarqua malgré elle qu'Angela semblait moins patiente que d'habitude. Elle attribua cela au fait qu'elle était pressée d'aller travailler.

« Le problème est que c'est moi qui ai cassé le vase. Je l'ai cassé après avoir vu la photo de Gabrielle et Hunter dans le journal. J'étais jalouse. »

Paula sentit son estomac se contracter. « Et c'est ce que tu leur as dit aujourd'hui, pendant qu'on te filmait ? C'était le mobile qu'a évoqué le procureur. » Elle se prit la tête à deux mains. « Oh, Casey…

— Je sais, maman. Je t'en prie, ne commence pas. La disparition de ce cadre était le seul argument dont je disposais pour prouver que quelqu'un d'autre se trouvait dans la maison cette nuit-là. Et maintenant ma tentative pour dissimuler ces débris de verre a capoté. Sans compter qu'ils ont insinué que j'essayais de les manipuler. Je n'avais même pas fait le rapprochement. C'est très mauvais pour moi. »

Paula se demanda si sa fille serait un jour vraiment sincère avec elle – ou avec elle-même – à propos des événements de cette tragique nuit. Néanmoins, elle allait continuer à faire ce qu'elle avait toujours fait – l'aimer et la protéger du mieux qu'elle pouvait. Casey n'avait cessé de dire que Hunter l'aimait sans restriction, mais elle ne semblait jamais se rendre compte que ses parents en avaient toujours fait autant.

Et elle décida donc de faire l'impossible pour l'aider. Elle dit à Casey d'aller dans la salle de bains se débarbouiller. Une fois celle-ci partie, elle enfila sa veste.

« Où vas-tu ? demanda Angela.

— Parler à Laurie Moran, de mère à mère. Il doit y avoir un moyen d'annuler cette émission et de laisser Casey vivre sa vie en paix. »

56

Laurie devait avoir le sourire aux lèvres quand elle sortit du bureau de Brett. « Le boss est content ? demanda au passage sa secrétaire, Dana.

— Est-ce que ça lui arrive ? Mais oui, comparé à son état habituel, il est absolument radieux. »

Ce qu'ils espéraient par-dessus tout durant un tournage était de dévoiler des faits nouveaux qu'ils pourraient rapprocher les uns des autres pour faire la lumière sur une affaire non élucidée. L'idée que quelqu'un pourrait se confesser devant la caméra dépassait leurs rêves les plus fous. Casey n'avait pas clairement avoué avoir tué Hunter, mais elle avait reconnu qu'elle était jalouse de Gabrielle Lawson et avait menti durant l'émission pour qu'ils croient à ses protestations d'innocence. Ses sanglots à la fin et ses « je suis désolée » étaient emplis de regrets. Un court extrait vidéo de ce seul moment convaincrait les spectateurs de sa culpabilité. Pas étonnant que son avocate lui ait conseillé de ne pas témoigner.

Comme prévu, Brett poussait Laurie à fixer dès maintenant une date de programmation. Elle lui dit qu'elle voulait retrouver une ou deux personnes qui avaient connu Casey dans le passé, mais qu'elle pensait terminer rapidement la production.

Elle réfléchissait à des gens susceptibles d'être interviewés quand elle entendit de violents éclats de voix venant de son bureau. Elle tourna dans le couloir et vit Grace dressée sur des talons de dix centimètres tentant de calmer une Paula Carter hors d'elle. Elle entendit Paula dire : « Même si je dois dépenser jusqu'à mon dernier sou, j'engagerai une armée d'avocats pour contraindre ce studio à fermer par voie de justice pendant des années. Vous détruisez nos vies.

— Madame Carter, voulez-vous venir dans mon bureau pour parler tranquillement ? » demanda Laurie.

Laurie laissa Paula Carter se défouler pendant plusieurs minutes. Quand elle s'arrêta pour reprendre son souffle, elle lui tendit sa copie de la décharge que sa fille avait signée. « C'est une photocopie, au cas où vous viendrait l'envie de la déchirer. C'est très clair. Casey a donné son accord pour une interview où toutes les questions sont permises, et nous a concédé le droit absolu de la diffuser. Elle n'a pas le pouvoir de la modifier, ni celui de nous arrêter. Et souvenez-vous aussi que c'est votre fille qui nous a approchés. Je ne suis pas venue trouver votre famille. »

Paula examina la décharge. Laurie vit que toutes ses velléités d'affrontement étaient en train de s'effondrer.

« Avez-vous des enfants ? demanda-t-elle doucement.

— Oui », dit Laurie un peu plus chaleureusement. « J'ai un fils de neuf ans.

— Dieu fasse qu'il ne vous brise jamais le cœur. Je crois qu'il n'y a rien de plus douloureux que de perdre tout à fait son enfant. »

Finalement, Laurie avait la confirmation que même pour sa mère, Casey était coupable. C'était le sens de son aveu : Casey lui avait brisé le cœur. Elle l'avait brisé en commettant un crime impardonnable.

« Depuis combien de temps le savez-vous ? » demanda Laurie.

Paula pinça les lèvres.

« Vous n'êtes pas filmée, Paula. Je ne répéterai pas ce que vous me dites dans ce bureau.

— Nous avons essayé de croire. Frank et moi avons même prié pour ne pas perdre foi en notre fille. Mais il était impossible d'ignorer les preuves. Les traces de poudre sur ses mains. La drogue dans son sac. Et, plus que quiconque, nous connaissions son caractère irascible. Quand Hunter a commencé à lui apprendre à tirer, Frank a dit en plaisantant que Casey n'était peut-être pas la meilleure personne à qui confier une arme. Elle voulait par-dessus tout devenir Mme Hunter Raleigh III. Si elle a cru qu'elle allait perdre ça… » Elle n'alla pas jusqu'au fond de sa pensée. « C'est pourquoi Frank voulait qu'elle plaide coupable. Il pensait même que la prison pourrait l'aider. Mais quinze années ? Il ne l'a plus jamais revue en dehors des murs de la prison. Madame Moran, ma fille est sérieusement perturbée. Comment puis-je convaincre la mère que vous êtes de changer de sujet d'émission ? »

Laurie secoua la tête. Le moins qu'elle pouvait faire était d'être franche avec cette femme.

« Je savais que c'était une erreur de participer à cette émission, dit Paula doucement. Lorsque vous êtes venue à la maison la première fois, même Angela m'a demandé si je pouvais dissuader Casey d'y participer. Elle craignait que Casey ne fasse un faux pas et s'en tire encore moins bien qu'au procès.

— Vous voulez dire qu'Angela croit Casey coupable ? Elle m'avait donné l'impression inverse.

— Elle donne à tout le monde l'impression inverse. J'essaye de ne pas en vouloir à Angela d'être la seule en qui Casey a une confiance indéfectible, mais la vérité est qu'Angela a des doutes, elle aussi. Elle dit toujours : "Si Casey dit que ce n'est pas elle, alors ce n'est pas elle", pourtant cela ne signifie pas qu'elle la croit vraiment. Mais je m'y suis résolue. J'avais peur que Casey n'arrive pas au bout de sa peine de prison si elle ne croyait pas qu'au moins une personne prenait vraiment son parti. Je continue à laisser Angela jouer ce rôle.

— Paula, cela ne me regarde pas, mais qu'allez-vous faire le jour où notre émission sera diffusée ? Allez-vous rester à attendre en silence pendant que tout le monde accusera votre fille de la mort de Hunter ? Elle a purgé sa peine. La manière pour elle de trouver la paix est peut-être d'avouer ce qu'elle a fait – au moins à sa famille.

— Je vous ai dit que j'espérais que votre fils ne vous briserait jamais le cœur. Le mien a été véritablement brisé lorsque j'ai compris que ma fille ne me dirait jamais la vérité. Et si jamais vous répétez ce que je viens de vous dire, je le nierai, comme le fait ma fille. »

57

Laurie venait de raccompagner Paula jusqu'à un ascenseur quand la porte du suivant s'ouvrit. Charlotte en sortit, vêtue d'un jean et d'un blouson noir à cagoule Ladyform. Laurie s'étonna, elle avait l'habitude de la voir plutôt en tailleur-pantalon pendant la semaine.

« En voilà une surprise, dit-elle. Tu prépares un hold-up ?

— Ça serait beaucoup plus marrant. Je vais à Brooklyn. » À l'entendre, on aurait dit qu'elle partait à l'étranger. « Il faut aménager l'entrepôt pour le défilé de mode. Les décorateurs ont commencé hier, mais il reste encore beaucoup de travail. Angela et moi devons vérifier le projet final. »

Laurie avait été tellement prise par son émission qu'elle avait complètement oublié que son amie avait ses propres contraintes.

« Est-ce que je peux t'aider d'une manière quelconque ? Bien que je n'y connaisse rien en matière de mode.

— Malheureusement, je suis ici pour te demander une tout autre faveur. Elle concerne la cousine d'Angela. On peut se parler ? »

Charlotte fut déconcertée en apprenant que la mère de Casey l'avait précédée. « Elle vient de partir. Je lui ai expliqué que l'accord signé par Casey était sans ambiguïté. Elle ne peut plus l'annuler.

— J'ai dit à Angela que je ne pouvais rien lui promettre, mais elle paraissait désespérée quand elle a appelé, c'est mon amie, et…

— Je comprends. Mais si mon émission passe à l'antenne, il y aura toujours une famille déchirée par la vérité. Tout le monde a une famille. J'ai l'air cynique, mais dans ce cas, je ne peux pas me laisser influencer.

— Et que se serait-il passé si tu avais découvert quelque chose de terrible concernant ma sœur ? Tu aurais diffusé l'émission, même si ma mère avait mis toute sa confiance en toi ? »

C'était la première fois que Laurie faisait face à une telle question, mais elle répondit sans hésiter : « Sincèrement, oui. Mais, Charlotte, ta sœur était une victime. Casey ne l'est pas. Je sais qu'elle est la cousine de ton amie, mais c'est une criminelle. Pense à ce qu'elle a fait endurer à sa famille. Si j'éprouve de la compassion, c'est pour la famille Raleigh. »

James Raleigh avait perdu un fils, et Andrew un frère. Si l'émission devait mettre en lumière tous les aspects d'une nouvelle enquête, Laurie avait l'obligation d'exposer également leurs erreurs.

« Je sais que le général Raleigh n'est pas quelqu'un de parfait, poursuivit-elle. Je n'approuve pas sa tactique. Il a poussé Jason Gardner à écrire le livre qui a convaincu tout le monde que Casey était folle. Lui et son acolyte Mary Jane ont probablement été la source des posts signés RIP_Hunter. »

Elle s'interrompit. Le général avait réduit Mark Templeton au silence, le menaçant de représailles s'il dévoilait qu'Andrew utilisait la fondation familiale comme sa banque personnelle. Mais il se souciait avant tout de ses fils. Il voulait être sûr que l'assassin de Hunter serait puni, et il cherchait désespérément à protéger son seul enfant survivant.

« Je parlerai à Angela si tu veux. Tu ne devrais pas te laisser entraîner dans toute cette histoire.

— Elle ne m'y a pas entraînée. C'est mon amie, et je lui ai promis de te parler. Mais toi aussi tu es mon amie, et je comprends que tu sois obligée de faire ton boulot. Plus tard, Angela comprendra. Pour le moment, elle est bouleversée par ce qui arrive à Casey. Elle était tellement certaine de son innocence, et maintenant elle commence à douter. »

On lisait sans doute la perplexité sur le visage de Laurie car Charlotte lui demanda si quelque chose l'inquiétait. Laurie aurait préféré garder pour elle ce que la mère de Casey venait de lui confier mais, d'un autre côté, elle avait envie que Charlotte sache qu'Angela n'était peut-être pas aussi bouleversée qu'elle le laissait paraître.

« Je pense que depuis un certain temps Angela a des doutes sur la culpabilité de sa cousine. Si elle t'a demandé de faire cette démarche en sa faveur, c'est peut-être parce qu'elle regrette de lui avoir tu pourquoi elle l'avait poussée à ne pas participer à l'émission. »

Charlotte fronça les sourcils, l'air peu convaincue.

« Je n'irais pas jusque-là, dit-elle. C'est simplement une amie loyale et elle s'inquiète pour Casey.

— J'en suis certaine, dit Laurie, mais je pense aussi qu'elle redoutait que les choses en arrivent là. Nous ne serions pas dans cette situation si elle nous avait dit dès le début qu'elle n'était pas sûre de l'innocence de Casey. »

Charlotte détourna les yeux, et Laurie se rendit compte qu'elle aurait mieux fait de tenir sa langue. Elle regrettait qu'Angela ait poussé Charlotte à défendre la cause de sa cousine alors qu'elle croyait Casey coupable, du moins selon Paula Carter. Mais Charlotte connaissait Angela depuis beaucoup plus longtemps qu'elle. Et ce n'était pas à elle, Laurie, de semer le doute entre les deux amies. « En tout cas, merci de comprendre ma décision, dit-elle.

— Au moins, je pourrai dire à Angela que j'ai essayé, dit Charlotte tranquillement. D'ailleurs, je ferais bien d'aller la rejoindre. Elle est déjà à l'entrepôt. À propos d'entrepôt, tu devrais en chercher un pour agrandir ton bureau. On se croirait dans le repaire d'un tueur en série. » Elle se leva du canapé et se mit à examiner les divers tableaux blancs que Laurie utilisait pour organiser ses pensées. « C'est quoi, tout ça ?

— Rien de bien compliqué. Mes hypothèses. Ma vaine tentative de découvrir qui poste ces commentaires concernant Casey. Je pensais qu'il s'agissait peut-être de l'assassin.

— Ou d'un de ces cinglés qui envoient ce genre de trucs depuis le sous-sol de chez leur mère, dit Charlotte. Si tu voyais les messages haineux que les gens postent sur le compte Instagram de Ladyform. Tout le monde est trop gros ou trop maigre ou trop vieux. C'est facile d'être cruel quand on reste anonyme. Que signifie ce "et aussi" ? » demanda-t-elle en désignant les grandes lettres capitales rouges que Laurie avait entourées.

« Une phrase que notre troll favori avait l'habitude d'employer. De toute façon, ça n'a plus d'importance. Bonne chance pour ton défilé. Je suis sûre qu'il sera formidable.

— Tu veux venir ? demanda Charlotte.

— Vraiment ? J'aimerais beaucoup.

— Super ! Je te mets sur la liste de samedi. Et bonne chance à toi aussi pour ton émission. Je suis navrée pour Angela, mais je sais que ce sera une grande réussite pour toi. »

Une grande réussite, songea Laurie une fois seule. Ces mots lui rappelèrent ce qu'avait dit Alex quand ils s'étaient disputés pour la première fois au sujet de Mark Templeton. « Tu as réussi », avait-il dit. Elle prit son portable sur le bureau, espérant qu'il l'avait appelée, mais il n'y avait aucun nouveau message.

Elle était fatiguée d'attendre. Elle tapa un texto : *As-tu le temps de parler ?* Son doigt hésita au-dessus de l'écran, puis appuya sur « Envoyer ».

Elle attendit avec angoisse, voyant des points apparaître sur l'écran à mesure qu'il composait sa réponse. *J'ai eu ton précédent message. J'ai besoin de réflé-*

chir. Je t'appellerai quand les choses se seront un
peu calmées.

Calmées, pensa-t-elle. Plutôt refroidies.

Elle entendit frapper à la porte. C'était Jerry. « C'est le métro à l'heure de pointe ici, dit-il. Tu es prête à établir la liste des choses à faire avant de commencer le montage ? »

Ils avaient commencé cette liste plus tôt dans la journée. Un studio à Washington recevrait les séquences montrant l'extérieur de la maison d'enfance de Casey et de son lycée. Jerry était sur la piste des photos de classe et des vidéos prises à Tufts, à l'époque où elle était étudiante.

Une fois assis à la table de réunion, Laurie dit qu'à son avis il leur manquait une interview de quelqu'un ayant connu Casey et Hunter quand ils étaient ensemble. « Nous avons les souvenirs d'Andrew, mais il va insister sur l'aspect négatif. Et la cousine et la mère de Casey ne nous parleront pas avant longtemps. Est-ce que Casey a des amies ?

— Elle en avait. Elles l'ont laissée tomber comme une vieille chaussette après son arrestation.

— Et les petits copains de ses amies ? Peut-être un couple avec lequel ils sortaient ensemble. » Elle pensait tout haut à présent. « En fait, Sean Murray serait parfait. »

Il fallut un certain temps à Jerry pour reconnaître le nom de l'homme qui sortait avec Angela quinze ans auparavant. « Je croyais qu'il avait déjà décliné.

— En effet, mais son refus n'était pas catégorique.

Je n'ai pas insisté, parce que cela ne semblait pas important. » Laurie se rendait compte à présent que le témoignage de Sean leur serait utile à plus d'un titre. Il pourrait peut-être leur dire si Angela lui avait jamais confié que la propre famille de Casey supposait qu'elle était coupable. « Et je crois qu'il redoutait la réaction de sa femme s'il se retrouvait en présence d'Angela.

— Mais comme elle ne sera pas sur le plateau...

— Cherchons son adresse. J'aurai peut-être plus de chance en m'adressant à lui en personne. »

58

En raison de la circulation sur le pont de Brooklyn, le taxi de Charlotte mit presque une demi-heure pour parcourir les dix kilomètres qui séparaient le bureau de Laurie dans le Rockefeller Center de l'entrepôt où Ladyform allait recevoir ses invités pendant quatre jours. Quand elle lui tendit sa carte pour payer la course, le chauffeur sembla lire dans ses pensées : « À cette heure-ci, il vaut mieux prendre le métro sur le pont. » Saisissant l'allusion, elle lui laissa un pourboire conséquent pour qu'il retourne à Manhattan, où les affaires seraient meilleures.

Le rideau roulant métallique à l'entrée de l'entrepôt ne laissait qu'un espace de trente centimètres au-dessus du sol. Elle tira vigoureusement sur la poignée jusqu'à ce qu'il remonte suffisamment pour qu'elle se glisse à l'intérieur, puis le repoussa dans la position précédente. Elle était déjà venue à trois reprises, assez pour connaître la disposition générale des lieux. Ce qui avait été le centre de distribution d'une société de linge de maison avait été reconverti en un immeuble de deux étages, avec d'énormes fenêtres cintrées et des plafonds d'une hauteur vertigineuse. Par la suite, chaque étage serait divisé en appartements, mais pour le moment le promoteur rentabilisait l'espace en le louant pour des séances photo ou des événements. Quand Angela avait vu la petite annonce, Charlotte avait aussitôt décidé que le bâtiment serait parfait pour leur présentation. Elles pourraient y « développer leur vision » et « s'approprier le lieu », comme disait l'agent immobilier. Qui plus est, la location était bon marché.

Le niveau du rez-de-chaussée serait aménagé en centre de Crossfit pour présenter les vêtements de sport et les collants qui avaient fait la célébrité de Ladyform. Le niveau du premier étage serait disposé en lieu de travail typique, avec des espaces à demi cloisonnés, consacré à la nouvelle ligne de vêtements décontractés Ladyform pour la femme active. Et au dernier niveau, à l'atmosphère familiale, seraient exposés les pyjamas et vêtements d'intérieur pour le week-end.

« Angela », appela-t-elle. La voix de Charlotte se répercuta à travers l'entrepôt. « Angela, où es-tu ? »

Au-dessus de sa tête bourdonnaient des tubes fluorescents tandis qu'elle s'avançait à travers le rez-de-chaussée. Des projecteurs portatifs créaient des ombres sur son passage. L'éclairage de la scène n'arriverait que le lendemain, mais l'installation progressait comme prévu. Un rang de tapis de jogging était disposé face à une série d'accessoires de Pilates. Les visiteurs passeraient entre les deux comme s'ils traversaient un gymnase, avec des mannequins en train de faire de l'exercice de chaque côté.

Charlotte reconnut trois grands coffres emplis d'équipements de sport et un carton avec les tout nouveaux hauts à manches longues qu'elle avait vus dans le couloir devant le bureau d'Angela le matin même. Elle utilisa la lampe de son portable pour déchiffrer une note scotchée sur le côté d'un des cartons ouverts. *Pour le décor gym du rez-de-chaussée.*

Après avoir fait le tour du plateau, elle se dirigea vers le monte-charge, à l'avant. Les portes s'ouvrirent, mais quand elle entra et pressa le bouton du premier étage, la cabine resta immobile. Elle essaya le deuxième, sans plus de succès. Elle emprunta alors la cage d'escalier dans l'angle. Il n'y avait rien au premier niveau à l'exception des notes qu'Angela avait collées un peu partout.

Charlotte était presque hors d'haleine quand elle arriva au deuxième étage qui lui sembla à peine plus avancé que le premier. Deux fausses « pièces » – un salon et une chambre – avaient été construites comme un décor de télévision. Quelques meubles étaient en place. D'autres notes témoignaient de la présence d'Angela. Charlotte ne put lire que la plus proche. *Mettre en valeur le mur. Peindre en gris.*

« Te voilà enfin », dit-elle, apercevant son amie assise en tailleur sur un tapis de la fausse chambre à coucher. « Je devrais faire un peu plus d'exercice. Ces deux étages m'ont tuée.

— Avec ces hauts plafonds, deux égalent plutôt quatre ou cinq. » Angela leva les yeux du carnet de croquis qu'elle noircissait de notes avec un marqueur. « Comme tu peux le voir, cet endroit est un vrai désastre. Tu t'en es aperçue toi-même, le monte-charge a rendu l'âme. C'est pourquoi le premier étage est resté en l'état. Je suis restée coincée en bas au

346

milieu de la journée. L'agent a promis qu'il serait réparé demain, mais fais-moi confiance, j'ai obtenu un rabais. J'aurais dû être là toute la journée derrière les ouvriers.

— Ta famille avait besoin de toi. Elle est prioritaire. » Charlotte avait passé cinq années de sa vie à s'angoisser pour un membre de sa famille. Mais comment imaginer qu'un être que vous aimiez comme une sœur – comme Angela aimait Casey – avait sans doute commis un meurtre ? « J'ai parlé à Laurie. Peu d'espoir, je le crains.

— Bon, ça ne dépendra peut-être pas d'elle. Paula a l'intention d'engager un avocat.

— Je doute que cela y change quelque chose. Je déteste cette idée, mais est-il possible que ta cousine soit coupable au bout du compte ? »

Le marqueur d'Angela s'immobilisa. « Je ne sais plus que penser, dit-elle doucement. Je suis désolée de t'avoir mêlée à toute cette histoire. »

Charlotte parcourait ce qu'ils appelaient le décor « comme à la maison », impressionnée par les notes détaillées d'Angela. *Mettre une lampe ici. Et aussi là. Cette chaise est trop basse : et aussi elle semblerait plutôt convenir au décor du deuxième étage.*

Elle se retourna en lisant la note concernant la chaise. « C'est toi qui as écrit toutes ces indications ? demanda-t-elle.

— Bien sûr, c'est moi. Qui veux-tu que ce soit ? »

59

L'après-midi était avancé, mais Laurie décida de tenter d'interviewer directement Sean Murray. Elle avait son adresse. Dans la rue, elle héla un taxi. Elle aurait peut-être plus de chance en allant le trouver directement qu'en téléphonant, se dit-elle.

Le petit immeuble de Brooklyn Heights était situé dans une rue tranquille bordée d'arbres, où les enfants pouvaient faire de la bicyclette sur le trottoir jusqu'à Prosper Park, et où de petits chiens de race s'ébattaient sur des pelouses entourées d'une clôture. Laurie avait souvent envisagé de déménager dans ce quartier pour que Timmy ait une maison plus grande et puisse jouer dehors à l'air libre, mais il était attaché à son école et à ses copains et semblait parfaitement heureux dans leur appartement de l'Upper East Side.

Depuis le perron, elle entendit à l'intérieur de la maison un galop de pas précipités en réponse à son coup de sonnette. « Paapa-aaa, cria une jeune voix, il y a une grande personne à la porte. Je dois ouvrir ? »

Une voix grave répondit quelque chose qu'elle ne put saisir, et bientôt elle se trouva devant Sean Murray, l'homme que fréquentait Angela à l'époque où Hunter avait été tué. Elle le reconnut d'après les quelques photos que Casey leur avait fournies. Et elle vit que Sean se rappelait son nom quand elle se présenta. « Je voulais m'entretenir avec vous et vous demander à nouveau si vous accepteriez de nous apporter votre concours. » Elle baissa la voix : « Angela ne participera pas à l'émission. J'ai pensé que cela pourrait changer votre point de vue. »

Il se recula pour la laisser entrer et la conduisit dans un salon sur le devant de la maison. Elle entendait des voix d'enfants et la télévision qui marchait à l'étage. Sean s'assit dans le fauteuil à oreilles en face d'elle.

« Je sais que vous n'étiez pas sûr de la réaction de votre femme à cette idée. Peut-être devrions-nous nous rencontrer ailleurs ? »

Sean eut un petit rire. « Je me suis senti stupide dès l'instant où j'ai dit que ma femme serait contrariée. Jenna n'a jamais conçu une once de jalousie.

— Alors pourquoi avez-vous dit que c'était à cause d'Angela ?

— Parce que je suis un menteur invétéré, dit-il en riant à nouveau.

— Vous n'aviez simplement pas envie de me parler », conclut-elle.

Elle ramassa sa serviette, présumant que sa visite avait été inutile.

Il l'arrêta d'un geste. « Non, ce n'est pas ça. C'est… Oh, après tout, je peux aussi bien vous le dire. Angela m'a demandé de trouver une raison pour ne pas participer à l'émission. »

C'est incroyable, pensa Laurie. Angela leur avait

clairement fait part de son inquiétude à l'idée que Casey apparaisse dans *Suspicion*, et voilà qu'elle cherchait par tous les moyens à torpiller l'émission.

« Est-ce parce que Angela a toujours cru que Casey était coupable ? »

Sean haussa les sourcils. « Absolument pas, dit-il d'un ton ferme. Personnellement, je pense que c'est elle, mais je n'en ai pas la certitude. Mais Angela ? » Il secoua la tête. « Elle s'est battue comme une lionne pour défendre Casey. Elle a montré ce qu'il y avait de meilleur en elle.

— Comment ça ?

— J'ignore à quoi ressemble Angela aujourd'hui mais à cette époque, toute son identité se résumait à sa carrière de mannequin. Cependant, elle avait moins de travail, on demandait des femmes plus jeunes. Elle s'était mise à vivre dans le passé, comme si ses meilleurs jours étaient derrière elle. Ce n'était pas facile. Elle pouvait être vaniteuse – et amère. Mais après la mort de Hunter, elle s'est montrée d'un dévouement remarquable. Elle disait à qui voulait l'entendre que sa cousine était innocente. Comme si le fait de soutenir Casey constituait sa nouvelle identité.

— Alors pourquoi ne voulait-elle pas que vous participiez à l'émission ? »

Laurie sentit que Sean était sur le point de rapporter une conversation qui aurait dû rester confidentielle. « Bon, je vais vous le dire parce que c'est pour son bien. Casey et elle sont pratiquement comme deux sœurs. Elles n'auraient pas dû avoir de secrets l'une pour l'autre. Angela ne voulait pas que je vous parle parce qu'elle n'avait jamais dit à Casey qu'elle était amoureuse de Hunter.

— Elle était *amoureuse* de lui ? Casey et elle m'ont assuré qu'il n'y avait eu qu'un ou deux rendez-vous. Elles en plaisantaient même.

— Faites-moi confiance, elles m'ont joué aussi cette petite comédie. Non, c'était plus sérieux. Casey était tellement préoccupée par toutes ces femmes du monde qui se pâmaient devant Hunter qu'elle n'a jamais remarqué la façon dont sa cousine le regardait. Mais moi, oui. Un jour, j'ai surpris Angela contemplant d'un air rêveur une photo de Hunter dans le journal, et je lui ai demandé de but en blanc : "Tu as le béguin pour le fiancé de ta cousine ?" Elle a commencé par nier, mais quand je lui ai dit que je ne pouvais pas continuer à la voir si elle n'était pas honnête avec moi, elle m'a avoué qu'elle l'avait vraiment aimé. Elle m'a fait promettre de ne jamais en parler à Casey.

— Vous êtes resté avec elle alors même qu'elle vous avait menti ?

— Au fond, elle ne m'avait pas vraiment menti, plutôt pas dit toute la vérité. »

Laurie ne put s'empêcher de penser à son propre accident de parcours avec Alex – à moins que ce ne soit la fin du voyage ? Elle se força à se concentrer sur Sean qui poursuivit : « Étonnamment, être au courant de l'ancienne relation d'Angela avec Hunter m'a rapproché d'elle. Son affection pour Casey était plus forte que tout ce qu'elle avait jamais ressenti pour Hunter. Elle désirait le bonheur de Casey et ne voulait pas que quoi que ce soit puisse entraver leur mariage. J'admirais son altruisme. Mais je n'arrive pas à croire qu'elle le cache encore à Casey, après tant d'années. En quoi est-ce si important ? C'est avant tout la preuve que Casey était tout pour elle. Mais après son aveu, le mur qui nous séparait est tombé. »

Laurie ne voulait pas penser à son propre mur, celui dressé entre Alex et elle. Celui qu'elle ne semblait pas pouvoir abattre.

« Pourquoi alors avez-vous rompu ?

— Parce que se sentir un peu plus proche n'est pas la même chose que le véritable amour. Je pense qu'Angela a sincèrement essayé de m'aimer, mais je n'étais pas *lui*.

— Vous voulez dire Hunter. »

Il hocha la tête. « Je me suis senti horriblement mal quand il a été assassiné. Pour être franc, je souhaitais souvent que quelque chose de néfaste lui arrive, sachant qu'Angela était toujours amoureuse de lui. J'espérais qu'elle en aurait définitivement fini avec lui après sa mort et qu'elle m'ouvrirait à nouveau son cœur. Mais un soir, j'étais en train de chercher une ampoule de rechange pour sa salle à manger dans la penderie de l'entrée, je suis tombé sur une boîte qu'elle avait gardée de sa période avec Hunter – une sorte de boîte à souvenirs, en quelque sorte. Je lui ai lancé un ultimatum. Je lui ai dit qu'elle devait s'en débarrasser si elle voulait que nous restions ensemble. Elle est devenue furieuse. Je ne l'avais jamais vue dans cet état. Elle m'a fait peur, franchement. Elle s'est moquée de moi, disant que je n'arriverais jamais à la cheville de Hunter. »

Il était visible que ces mots le blessaient encore au bout de toutes ces années.

« Ce fut la fin de notre liaison. On peut difficilement accepter ce genre de choses. »

Oui, pensa Laurie. Il y a des choses qui sont difficilement acceptables. Elle espéra que ce n'était pas le cas avec Alex.

« Mais tout a fini par s'arranger, dit Sean d'une voix plus enjouée. J'ai rencontré le véritable amour deux ans plus tard. Je ne pourrais imaginer ma vie sans Jenna et les enfants. »

Le portrait d'Angela par Sean allait à l'encontre de l'impression qu'elle avait faite sur Laurie. Ces rendez-vous soi-disant anodins avec Hunter signifiaient visiblement pour elle bien plus qu'elle ne l'avait admis. Si leur relation avait été sérieuse, Hunter aurait sûrement mis Casey au courant. Et ni le père de Hunter ni son frère n'avaient jamais laissé entendre que Hunter sortait avec la cousine de Casey. Au contraire, tout le monde disait en plaisantant que Hunter et Angela auraient formé un couple infernal.

Mais qui sait ? Ce n'était peut-être pas l'avis d'Angela. Simulait-elle l'indifférence tout en conservant dans sa penderie une boîte à souvenirs consacrée à Hunter ? Laurie se représenta Angela, sa carrière de mannequin en berne, sans projets — sortant le contenu de la boîte quand elle était seule, assise sur son lit, rêvant d'une réalité où Hunter Raleigh III l'aurait choisie au lieu de sa jeune cousine.

« Sean, cette boîte que vous avez trouvée, demanda-t-elle soudain, contenait-elle par hasard une photo de Hunter avec le Président ? »

Il sourit. « Vous êtes drôlement forte. Comment avez-vous découvert l'existence de cette photo ? »

60

Charlotte et Angela s'étaient réparti le travail. Charlotte avait laissé son amie continuer à travailler sur le décor « familial » en haut, tandis qu'elle-même faisait le tour du rez-de-chaussée et décidait de l'agencement exact du décor consacré à la mise en forme physique.

Elle déballa les tapis de yoga et les haltères des caisses dans lesquelles Angela les avait fait transporter. Elle était toujours impressionnée par le talent d'Angela pour gérer un budget avec économie. Ils avaient loué pour l'événement les appareils les plus importants comme les tapis de jogging et le matériel de Pilates, mais Angela avait emprunté au gymnase de Ladyform les accessoires moins volumineux.

Charlotte essayait de choisir entre les deux projets différents qu'elle avait dessinés, mais elle n'arrivait pas à se concentrer. Elle referma son cahier de croquis pour passer en revue les notes qu'Angela avait scotchées un peu partout pour les installateurs des décors. L'expression *et aussi* figurait partout.

Elle sortit son iPad de sa serviette, ouvrit sa boîte mail et chercha les messages archivés d'Angela. En les relisant, certaines phrases la frappèrent. *J'ai confirmé auprès de la compagnie d'électricité. Et aussi nous devons discuter de la musique. Allons chez Lupa ce soir. Les meilleures pâtes ! Et aussi il y a une boutique deux blocs plus loin à laquelle je voudrais jeter un coup d'œil.*

Et aussi. La même expression que Laurie avait relevée dans un grand nombre des commentaires en ligne qui éreintaient Casey. Charlotte ne l'avait jamais remarqué, Angela semblait utiliser les mêmes termes. C'était peut-être une formule comme une autre, après tout. Mais elle ne pouvait s'empêcher de se rappeler la remarque récente de Laurie. *Je pense que depuis un certain temps Angela avait des doutes sur la culpabilité de sa cousine. Elle redoutait que les choses en arrivent là. Nous ne serions pas dans cette situation si elle nous avait dit dès le début qu'elle n'était pas sûre de l'innocence de Casey.*

Angela savait peut-être depuis le premier jour que Casey était coupable, mais elle n'avait pas voulu en informer la police. Casey et ses parents avaient été sa seule famille après la mort de sa mère. On pouvait imaginer son déchirement à la pensée de dénoncer Casey si cela signifiait la perdre, en même temps que son oncle et sa tante. Mais pourquoi poster anonymement des commentaires négatifs sur elle tout en prétendant être son plus loyal soutien ? Laisser Charlotte plaider son innocence auprès de Laurie alors qu'elle-même avait des doutes ?

C'était impossible. Angela ne pouvait pas être aussi perfide. Charlotte fut tentée de l'interroger franchement, mais dans le cas où elle se tromperait, et c'était probable, elle ne voulait pas ajouter au stress de son amie.

Il y avait peut-être un autre moyen de calmer ses inquiétudes.

61

Dès qu'elle sortit de la maison de Sean Murray, Laurie appela Paula Carter. Celle-ci décrocha aussitôt. « Oh, Laurie. Dites-moi que vous avez changé d'avis. Avons-nous une chance que vous annuliez l'émission ?

— Non, mais il y a peut-être mieux, Paula. Il se peut que nous ayons résolu le mystère de la photo manquante. Mais j'ai une question à vous poser. Il y a deux jours, Casey m'a appelée le soir chez moi, me demandant de ne pas mentionner la photo de Hunter qui avait disparu de la maison. Elle m'a dit qu'elle en avait discuté avec vous et Angela.

— C'est exact. Naturellement, j'ai tenté une fois de plus de la pousser à tout annuler mais, comme d'habitude, elle ne m'a pas écoutée.

— Mais cette idée de ne pas mentionner la photo de Hunter et du Président, de qui venait-elle exactement ? Vous en souvenez-vous ?

— Oh bien sûr. C'était d'Angela. Elle a dit que c'était la tactique employée dans toutes les séries policières. Voulez-vous lui en parler ? Elle est à Brooklyn en train de préparer la présentation de Ladyform, mais je suis sûre que vous pouvez la joindre sur son portable. »

Laurie assura à Paula que ce n'était pas nécessaire et lui demanda de taire leur conversation pour le moment.

Lorsqu'elle raccrocha, tout était clair dans l'esprit de Laurie. Angela avait empêché Sean Murray de lui parler car personne ne devait savoir que c'était elle qui avait pris la photo sur la table de nuit de Hunter après l'avoir tué et tendu un piège à la femme qu'il avait choisie à sa place. Contrairement à ce que Charlotte croyait, Angela n'était pas mue par le désir d'éviter à sa cousine une humiliation. Elle était prête à tout pour se protéger elle-même.

Laurie composa le numéro du portable de Charlotte, mais fut dirigée vers sa messagerie. Elle essaya encore à deux reprises, sans plus de succès.

Il ne fallait pas que Charlotte soit prise entre deux feux quand Angela comprendrait qu'elle allait être arrêtée. Elle devait la prévenir. Elle consulta son application Uber à la recherche de la voiture la plus proche.

62

Dans l'entrepôt, Charlotte imprimait les informations les plus récentes émises par le service informatique de Ladyform qui enregistrait l'utilisation d'Internet sur les ordinateurs de la société. La liste mensuelle lui indiquait tous les sites web auxquels avait accédé Ladyform, classés suivant la fréquence des connexions. Comme toujours, le propre site de Ladyform et ses plateformes dans les médias sociaux dominaient le début de la liste. Elle tapa « cmd-F » sur son clavier pour accéder à la fonction « Rechercher ». Puis le mot *Chatter* et « Envoyer ».

Elle se souvenait que Laurie s'était plainte de la rapidité avec laquelle le blog *Chatter* avait révélé la nouvelle de la libération de Casey – avec des commentaires essentiellement négatifs.

Dix-sept hits le mois dernier – tous d'un même ordinateur. Les utilisateurs étaient identifiés par numéro d'ordinateur plutôt que par nom.

Elle sortit son téléphone portable pour appeler le service informatique, mais ne put obtenir de signal. Elle finit par en capter un à l'avant de l'entrepôt, près de la porte métallique. Il ne fallut pas longtemps à Jamie, l'un des spécialistes du service, pour lui confirmer que l'ordinateur en question appartenait à Angela. Il confirma aussi qu'elle ne s'était pas contentée de lire le blog. Elle avait utilisé son ordinateur pour entrer des commentaires sur la page « Chatter anonyme ». Charlotte aurait parié que l'horodatage de ces entrées correspondait aux commentaires dont Laurie cherchait l'origine.

Elle envoya un court texto à Laurie : *Je crois savoir qui est derrière ces « Et aussi » qui t'intriguaient. C'est compliqué. Parlons-en ce soir.*

Bien sûr, Laurie n'annulerait pas son émission, mais Charlotte pourrait peut-être la convaincre de ne pas citer le nom d'Angela. Elle se rendait compte à quel point cette décision avait dû être difficile à prendre pour son amie. Elle aimait profondément sa cousine, sa tante et son oncle, mais Casey était une meurtrière. Ces commentaires sur Internet affirmant la culpabilité de Casey avaient sans doute été sa manière de veiller à ce que justice soit rendue sans perdre totalement la seule famille qui lui restait.

Quand Charlotte regagna le décor de la mise en forme physique, Angela se tenait debout, les mains sur les hanches, à côté d'une pile de matériel qu'elle avait apporté du bureau. Elle prit une paire d'haltères roses de deux kilos et fit quelques moulinets, feignant l'épuisement. « Qu'en penses-tu ? Tout grouper en un seul endroit, ou les répartir autour des autres appareils plus importants ?

— Les grands esprits se rencontrent », dit Charlotte en désignant les deux croquis différents entre lesquels elle hésitait. « Moi non plus, je n'arrive pas à me décider. On pourrait jouer à pile ou face. En attendant, je voudrais te parler de quelque chose.

— Bien sûr.

— C'est un peu embarrassant, mais tu sais que tu peux tout me dire, n'est-ce pas ?

— Naturellement. Que se passe-t-il ?

— Je suis au courant au sujet de *Chatter*. Et de RIP_Hunter. Je sais que c'était ton seul moyen de faire savoir que Casey était coupable.

— Mais comment as-tu…

— Nous contrôlons l'utilisation d'Internet au bureau. J'ai remarqué un schéma récurrent le mois dernier. » Elle jugea inutile de dire qu'elle en avait spécifiquement cherché un. « Je ne sais que penser. Tu m'as toujours dit à quel point vous étiez proches toutes les deux. Tu disais qu'elle était innocente.

— Je peux tout expliquer, mais sincèrement, j'espérais me libérer l'esprit de Casey aujourd'hui. Prenons d'abord une décision pour ce décor, et demain je te dirai tout. D'accord ?

— D'accord.

— Tu peux me passer ce tapis de sol ? »

Charlotte se retourna et se pencha en avant pour prendre un tapis de yoga bleu. Un haltère de deux kilos l'envoya au sol et elle perdit connaissance.

63

Laurie attendait devant la maison de Sean Murray la voiture Uber qui avait déjà trois minutes de retard quand un nouveau message apparut sur son écran. Il venait de Charlotte. *Je crois savoir qui est derrière ces « Et aussi » qui t'intriguaient. C'est compliqué. Parlons-en ce soir.*

Elle tenta de la rappeler mais tomba à nouveau sur sa boîte vocale. Elle essaya de la joindre au bureau. Son assistante répondit. « Désolée, Laurie, elle est à l'entrepôt avec Angela, mais son portable devrait être ouvert. Elle m'a demandé à l'instant de la mettre en relation avec un de nos informaticiens. »

Cet appel correspondait à peu près à l'heure où Charlotte avait envoyé le texto concernant RIP_Hunter. « Savez-vous pourquoi elle les appelait ?

— Elle avait une question concernant l'utilisation d'Internet – qui consultait quoi depuis les ordinateurs de la société. Vous n'imaginez pas les insanités que regardent les gens pendant les heures de bureau. C'est insensé ! »

Laurie demanda l'adresse de l'entrepôt, la remercia du renseignement et interrompit la conversation. Charlotte avait lu les commentaires de RIP_Hunter quand elle était venue aux studios. Quelque chose avait dû éveiller sa curiosité. Si elle en avait conclu qu'Angela était derrière ces posts, elle courait un réel danger.

Elle composait le 911 quand elle aperçut un 4×4 noir marqué Uber. Elle s'élança presque devant la voiture pour être sûre que le chauffeur s'arrête.

« 911, je vous écoute », demandait le dispatcheur.

Laurie donna fébrilement l'adresse de l'entrepôt en montant à l'arrière de la voiture. « Je vous en prie, vite », dit-elle au chauffeur.

« Madame, insistait le dispatcheur. Vous trouvez-vous à cette adresse ? Je dois savoir ce qu'il se passe.

— Non, désolée. Je n'y suis pas. Pas encore. Mais mon amie est là-bas. Elle est en danger. »

Le dispatcheur continua, méthodique : « Votre amie vous a-t-elle appelée ? De quel danger s'agit-il exactement ?

— Elle se trouve dans un entrepôt avec une femme que nous soupçonnons de meurtre. Elle m'a envoyé un texto disant qu'elle a découvert quelque chose de très dangereux et à présent, elle ne répond plus à son téléphone.

— Madame, j'essaye de vous comprendre, mais vous n'êtes pas très claire. »

Laurie vit le chauffeur lui jeter un coup d'œil soupçonneux dans le rétroviseur. Elle devait avoir l'air d'une folle. Elle se força à parler plus lentement et expliqua au dispatcheur qu'elle était la productrice de *Suspicion*, et qu'une femme appelée Angela Hart était probablement l'auteur d'un meurtre pour lequel une autre femme avait déjà été condamnée. « Elle sait que nous sommes sur sa piste. Je suis très inquiète pour mon amie. Elle s'appelle Charlotte Pierce. Je vous en prie, c'est une question de vie ou de mort. »

Elle vit le chauffeur lever les yeux au ciel et secouer la tête. Encore une de ces cinglées de New-Yorkaises !

« Très bien, madame. Je comprends votre inquiétude, mais vous n'avez fait état d'aucune violence, menace ou autre danger que courrait votre amie. J'envoie une demande de contrôle de sécurité, mais cela pourra prendre un certain temps. Nous avons deux demandes d'investigations majeures en cours dans ce même commissariat. »

Fille de policier, Laurie savait qu'un contrôle de sécurité n'avait qu'une faible priorité. Elle pourrait attendre pendant des heures. Elle insista, mais comprit que sa demande tombait dans l'oreille d'un sourd. Les minutes passaient. Elle raccrocha et appela son père sur son portable. À la quatrième sonnerie, elle entendit une voix enregistrée lui demander de laisser un message.

« Papa, c'est urgent. » Elle n'avait pas le temps d'expliquer toute l'histoire. « C'est Angela, la cousine de Casey, qui a tué Hunter. Et maintenant je crois que Charlotte est en danger dans un entrepôt de DUMBO. L'adresse est 101 Fulton Street à Brooklyn. J'ai appelé le 911, mais le dispatcheur a enregistré l'appel comme un contrôle de sécurité. Charlotte ne répond pas à son téléphone. J'y vais maintenant. »

Elle s'interrompit, saisie d'un sentiment d'angoisse, puis comprit pourquoi Leo n'avait pas décroché. Il avait été sollicité pour donner son avis sur la constitution d'une nouvelle unité antiterroriste. La première réunion avait lieu cet après-midi, à la mairie.

Il remarquerait sans doute davantage un texto, pensa-t-elle, et elle pianota sur son téléphone : « URGENT. ÉCOUTE MON MESSAGE. RAPPELLE-MOI. »

« Oh mon dieu ! Non. » Angela était penchée sur le corps immobile de Charlotte, serrant les poings pour contrôler l'énergie qui battait dans ses veines. « Qu'est-ce que j'ai fait ? Mais qu'est-ce que j'ai fait ? »

Elle s'accroupit et approcha une main hésitante de la gorge de Charlotte. La jeune femme n'eut aucune réaction, mais sa peau était chaude. Angela plaça deux doigts sur sa carotide. Elle sentit son pouls. Elle s'approcha de son visage. Elle respirait toujours.

Charlotte était en vie. Que faire maintenant ? se dit Angela, prise de panique. Peut-être pouvait-elle encore s'en tirer. Elle devait réfléchir, agir avec prudence, comme cette nuit-là avec Hunter. Il fallait que Charlotte meure, tout de suite, et il fallait que ça passe pour un accident. Si je peux la pousser dans la cage du monte-charge depuis le deuxième étage, se dit-elle, elle se tuera. On croira que la contusion sur le cou est due à la chute.

Se sentant quelque peu rassurée à présent qu'elle avait un plan, Angela regarda autour d'elle et se rua vers les outils que les ouvriers avaient laissés avec les matériaux de construction. Elle ne savait pas ce qu'elle cherchait jusqu'à ce qu'elle tombe sur un paquet de colliers de serrage et un cutter. Elle glissa le cutter dans sa poche.

Mais au moment de passer le collier de serrage autour du poignet de Charlotte, elle s'immobilisa. Les minces bandes métalliques risquaient de laisser des marques sur les poignets et les chevilles, des ecchymoses que ne pourrait expliquer la chute dans la cage de l'ascenseur. Il devait y avoir un autre moyen.

Angela esquissa un sourire devant la simplicité de la solution. Après avoir vérifié que Charlotte était toujours inconsciente, elle se hâta vers un des cartons et en sortit deux brassières de sport ultrasouples Ladyform.

Elle enserra les poignets de Charlotte dans son dos et elle s'attaquait à ses chevilles quand elle l'entendit gémir doucement. Elle devait se dépêcher.

« Voilà », dit-elle en se reculant pour admirer son travail. Charlotte pouvait reprendre conscience, elle n'irait nulle part.

Angela aurait voulu arrêter le temps et se retrouver dans un univers parallèle dix minutes auparavant. Si elle avait pu presser la touche « Pause » à ce moment exact, elle aurait vu que la situation n'était pas aussi dramatique qu'elle l'imaginait. Tout ce que Charlotte savait avec certitude, c'était qu'Angela avait cliqué sur un certain nombre de sites web depuis son ordinateur. Étant donné que Ladyform contrôlait de près les ordinateurs de ses employés, elle pouvait même avoir appris qu'Angela avait transmis des informations à Mindy Sampson et posté en ligne des commentaires négatifs sur Casey. À ce moment-là, si elle avait réfléchi, elle aurait pu s'en sortir. Mais, naturellement, elle n'avait pas réfléchi parce qu'elle était paniquée depuis qu'elle avait entendu parler de Laurie Moran et de sa stupide émission.

« Au fond, je ne devrais pas me sentir tellement coupable envers toi, dit-elle à Charlotte. Ce sont les relations de ta famille avec *Suspicion* qui ont poussé Laurie Moran à s'occuper du cas de Casey. »

Pendant toutes ces années, Angela avait amené Charlotte – et tout le monde avec elle – à croire qu'elle était le plus loyal soutien de Casey. Elle était celle qui lui rendait régulièrement visite en prison. Combien de fois lui avait-on dit : *Tu es une amie si fidèle. Tu es si bonne. Casey a tellement de chance de t'avoir.*

Aujourd'hui, avait-elle un moyen de conserver cette image ?

Au début, elle avait été seulement irritée à la pensée de voir Casey clamer son innocence à la télévision. Une fois encore, du moins aux yeux de certains, elle allait être la petite chérie qui était incapable de faire du mal. C'est alors que Casey lui avait dit qu'elle avait remarqué la disparition d'une photo sur la table de nuit de Hunter après le meurtre. Pire, Casey en avait parlé à Laurie. Dès cet instant, Angela avait craint que la vérité ne finisse par éclater.

Puis elle avait pris conscience du temps écoulé depuis qu'elle avait tué Hunter Raleigh. La mémoire humaine est fragile. Les souvenirs s'estompent et s'effacent. Elle était sûre que Sean se rappellerait la dispute qui avait mis fin à leur relation. Il se rappellerait que Hunter en avait été la cause. Il aurait peut-être encore à l'esprit la boîte qu'il avait découverte dans son placard ? Mais en aurait-il mémorisé le contenu ? Se souviendrait-il de cette photo de Hunter avec le Président ? Peut-être que non. En fait, *probablement pas*, s'était dit Angela, s'efforçant d'y croire. Et, bien sûr, dès le lendemain elle avait jeté la boîte et son contenu, aussi douloureux que cela ait pu être.

Charlotte commençait à bouger. Elle laissa échapper un gémissement douloureux.

Angela avait pris un risque en appelant Sean lorsque Casey avait suggéré à Laurie de l'interviewer pour l'émission. « Après tant d'années, il me semble difficile que nos chemins se croisent à nouveau. Tu as fait un mariage heureux. Je suis encore seule. Je préfère que cela ne devienne pas un sujet de discussion. Est-ce que ça te paraît raisonnable ? » Il avait accepté à contrecœur, parce que, comme tout le monde, il présumait qu'une femme de son âge ne pouvait être heureuse seule.

Charlotte commençait à s'agiter, cherchant à comprendre pourquoi elle ne pouvait pas bouger ses membres.

Les pensées d'Angela tourbillonnaient dans sa tête. Je suis parvenue à convaincre Sean de décliner l'offre de Laurie, mais je n'ai pas osé l'interroger à propos de cette boîte qu'il avait trouvée dans mon armoire. En la mentionnant, je risquais de réveiller ses souvenirs et qu'il se demande pourquoi je lui posais des questions à son sujet. J'ai croisé les doigts pour qu'il ne repense pas à cette nuit. J'espérais même qu'il ne verrait pas l'émission. J'imaginais sa femme lui disant : « Pourquoi t'intéresses-tu à ça ? Parce que

tu es curieux de voir ce qu'est devenue Angela ? »
S'il ne la regardait pas, aucun problème. S'il ne se
souvenait pas de la photo de Hunter et du Président,
aucun problème. Et même s'il faisait le rapprochement, j'aurais pu déclarer qu'il mélangeait tout. Qu'il
avait vu une autre photo. Ou qu'il m'en voulait depuis
des années. J'aurais pu dire que j'admirais cette photo
et que Hunter m'en avait donné une copie. On ne
pouvait pas me condamner pour meurtre au-delà de
tout doute raisonnable en se fondant sur les vagues
souvenirs d'un ex-petit ami.

Maintenant, après ce que j'ai fait, je n'ai pas le
choix. Je n'ai plus qu'à la tuer et maquiller le meurtre
en accident.

Charlotte reprenait connaissance. Angela saisit
l'arme que par précaution elle cachait dans son sac
depuis le jour où Casey avait signé son engagement
dans *Suspicion*. Elle comprit à l'expression terrifiée
de Charlotte qu'elle avait vu le pistolet.

« OK, ma belle, dit Angela, il faut se mettre debout.
Allons-y. »

65

Le chauffeur de Laurie s'arrêta à l'adresse que lui avait donnée la secrétaire de Charlotte. Elle lui adressa un vague merci. « Désolée, vous avez dû croire que je vous demandais de me conduire dans une zone dangeureuse.

— Sans vouloir vous vexer, madame, vous avez une drôle d'imagination. Si vous voulez mon avis, vous devriez faire le tour du bloc à pied. Peut-être vous renseigner sur la méditation. C'est mon seul moyen pour arriver au bout de la journée. »

Il s'éloigna, laissant Laurie seule devant l'entrepôt. Elle entendit un chien aboyer au loin. Les rues étaient étonnamment calmes.

À nouveau, elle appela Leo, mais à nouveau, elle tomba sur la boîte vocale de son portable. Elle essaya alors de le joindre chez elle.

« Salut, maman. » On entendait un des jeux vidéo de Timmy à l'arrière-plan.

« Grand-père est-il rentré de sa réunion ? demanda-t-elle, s'efforçant de dissimuler son inquiétude.

— Pas encore. Kara et moi on joue aux Angry Birds. »

Chaque fois que sa babysitter favorite le gardait, Timmy était ravi de voir Laurie et Leo rentrer tard.

Son père devait être dans le métro.

Elle tenta à nouveau de joindre Charlotte. Sans succès.

Sur la façade de l'entrepôt, elle remarqua un espace libre de trente centimètres sous le rideau métallique. Est-ce que j'arrive déjà trop tard ? Angela sait-elle que Charlotte la soupçonne ?

Elle ne pouvait attendre davantage. Elle s'aplatit sous le rideau et se glissa à l'intérieur.

66

Leo sortit de l'immeuble de bureaux en bas de Manhattan plongé dans ses pensées. L'excitation que lui procurait le travail de policier lui manquait, mais il ne voulait pas recommencer tout de suite à temps plein. La possibilité de travailler dans cette unité spéciale lui convenait parfaitement. Cela lui prendrait plusieurs soirées par mois, mais il pourrait accomplir une bonne partie de son travail chez lui. Il continuerait à s'occuper de Timmy et à être assez souvent présent pour aider Laurie.

En parcourant les trois blocs qui le séparaient du métro, il aperçut un taxi qui déchargeait des passagers et changea d'avis. Il les laissa descendre, prit rapidement leur place à l'arrière de la voiture et donna au chauffeur l'adresse de sa fille. Il chercha son téléphone portable pour vérifier ses messages. Il se souvint alors qu'il l'avait éteint pour éviter d'être interrompu durant la réunion.

Son cœur bondit en lisant le texto de Laurie et en écoutant son message vocal. Le bâtiment où elle se trouvait avec Charlotte était à moins de trois kilomètres. « Changement de programme, cria-t-il au chauffeur. Direction Fulton Street à Brooklyn, au 101, et ne traînez pas ! »

Il ouvrit son portefeuille et tendit son badge de policier de manière à ce qu'il soit visible dans le rétroviseur. « Je suis flic. Vous n'aurez pas de contravention. Foncez ! »

Son premier appel fut pour le bureau du commissaire de police. On lui promit que des voitures seraient envoyées sur-le-champ à l'adresse de Brooklyn.

Tandis que le chauffeur se faufilait rapidement à travers les rues étroites, soulevant une tempête d'avertisseurs de la part des conducteurs furieux, l'appel de Leo mettait en branle une douzaine de voitures de police. Il appela Laurie et son cœur se serra en entendant sa boîte vocale.

67

Sa tête était douloureuse. À peine consciente, Charlotte se sentit à moitié portée, à moitié poussée en haut des marches. Pourquoi ne pouvait-elle pas remuer les bras ? Ses jambes étaient si lourdes, elles n'avançaient pas. Quelque chose les entravait.

Qu'était-il arrivé ?

Elle entendit la voix d'Angela :

« Allez, avance. Vite, Charlotte. »

La voix d'Angela. *Et aussi, et aussi*. C'était Angela qui avait envoyé ces abominables mails. Pourquoi ? Charlotte sentit quelque chose de dur pressé contre son dos.

« J'ai commencé à trimballer un pistolet quand ta chère amie a décidé d'enquêter sur la condamnation de Casey. » C'était la voix d'Angela, mais elle avait une intonation différente. Une note désespérée, hystérique.

Elles étaient arrivées au premier étage. Charlotte sentit ses genoux se dérober sous elle, mais Angela la poussa en avant. « Continue de monter, merde ! Charlotte, ne t'inquiète pas. Quoi qu'il t'arrive, la présentation aura lieu. » Elle rit. « Ta famille pourrait même vouloir que je célèbre ta mémoire. Mieux, ils pourraient m'offrir ton job. »

Une fois arrivée au deuxième étage, Charlotte s'écroula sur le sol. « Tu n'es pas... obligée... de faire ça, implora-t-elle.

— Si, Charlotte », dit Angela froidement en élevant la voix. « Je n'ai pas le choix. Je te promets que ça sera rapide. Tu ne souffriras pas. »

Charlotte poussa un cri de douleur quand Angela tira sur ses poignets, la força à se redresser et commença à la pousser vers la cage du monte-charge.

Je ne dois pas prendre le monte-charge, pensa Laurie, affolée. Il ne faut pas qu'Angela sache que je suis dans le bâtiment.

Elle entendit une voix crier au-dessus d'elle. « Je te promets que ce sera rapide. Tu ne souffriras pas. »

Si elle avait eu son père au téléphone, il l'aurait avertie de ne pas entrer seule dans l'immeuble, mais elle n'avait pas le choix. Elle posa son sac par terre, sortit son portable et s'assura qu'il était éteint. Pour sauver Charlotte, elle ne devait faire aucun bruit. Ôtant ses chaussures, elle se dirigea vers l'escalier.

Charlotte résistait à l'étreinte d'Angela qui la poussait vers la cage du monte-charge.

« Je ne t'ai pas expliqué », disait Angela de la même voix hystérique, « le monte-charge est coincé au rez-de-chaussée, mais les portes s'ouvrent encore à cet étage. C'est une chute de quinze mètres. »

Elle laissa Charlotte, haletante, s'affaisser contre le mur.

« Je ne comprends pas. Pourquoi ? »

Angela glissa son arme dans la ceinture de son pantalon et sortit le cutter de la poche de sa veste. Charlotte tressaillit à la vue de la lame. « Non !

— Je ne vais pas te faire de mal, pas avec ça en tout cas », dit Angela en tranchant la brassière qui entravait les chevilles de Charlotte.

Puis elle appuya son doigt sur le bouton d'appel du monte-charge. Les portes s'ouvrirent, mais aucun bruit ne s'ensuivit. La cabine restait bloquée en bas. Saisissant Charlotte par les poignets, elle la tirait vers le vide, quand elle la sentit lui échapper. Luttant de toutes ses forces contre le vertige qui la gagnait, Charlotte chercha à gagner du temps. Les mots eurent du mal à franchir ses lèvres : « Je t'en prie, avant de mourir, je veux savoir la vérité. Tu as tué Hunter, n'est-ce pas ? »

70

Du haut de l'escalier, Laurie voyait les deux femmes près du monte-charge. Le dos tourné, Angela était en train de retirer une sorte de bandeau enroulé autour des chevilles de Charlotte. Celle-ci était appuyée au mur, face à la salle.

Elle entendit Angela dire : « Je ne vais pas te faire de mal, pas avec ça en tout cas. »

Laurie saisit l'occasion. Elle sortit de la pénombre, s'avança et agita les deux bras. Faites qu'elle me voie, pria-t-elle. S'il vous plaît, faites qu'elle me voie.

L'endroit était vaste et mal éclairé. Charlotte ne la remarquerait que si elle regardait dans sa direction. Elle manipula son téléphone pour allumer l'écran.

Elle tenta à nouveau sa chance quand Angela s'avança en direction du monte-charge. Elle agita rapidement son portable vers Charlotte et l'éteignit aussitôt.

L'avait-elle vue ? Elle n'avait aucun moyen de le savoir.

Puis elle entendit la voix de Charlotte. « Angela, explique-moi quelque chose. Comment as-tu fait pour tuer Hunter et faire accuser Casey ? »

Laurie respira. Charlotte tentait de gagner du temps. Pourvu qu'elle m'ait vue, pensa-t-elle.

Mais elle ne pouvait aider Charlotte de l'endroit où elle se trouvait. Elle s'avança sans bruit à travers la salle, restant dans l'obscurité tandis qu'elle s'approchait de son amie.

71

Charlotte crut entendre un bruit au loin, puis aperçut un bref éclair de lumière. Y avait-il quelqu'un,
quelqu'un qui pourrait venir à son secours ? C'était
son seul espoir. Elle voyait l'obscurité menaçante
derrière les portes ouvertes du monte-charge. Et elle
savait qu'elle n'aurait pas la force d'empêcher Angela
de l'y pousser.

Un mal de tête atroce paralysait son esprit.

Angela est une meurtrière. Angela essaye de me
tuer, se dit-elle. Elle devait trouver un moyen de l'arrêter, de gagner du temps. Il fallait l'inciter à parler.
S'il y a quelqu'un dans l'entrepôt, faites qu'il m'aide,
supplia-t-elle.

« Dis-moi la vérité, implora-t-elle. Tu as tué Hunter, n'est-ce pas ? »

Elle éprouva un instant de soulagement en voyant
Angela faire un pas en arrière et remettre le cutter
dans sa poche. Mais elle le remplaça immédiatement
par le pistolet qui était passé dans sa ceinture.

La voix d'Angela était précipitée, hachée, quand
elle répondit :

« Oh, ma chérie, c'était si gentil à toi de me laisser partir plus tôt du bureau le vendredi pour aller

voir Casey en prison. Personne ne savait la joie que j'éprouvais à la voir vieillir dans cette horrible cellule. C'était merveilleux, tellement réjouissant. Ma petite cousine, ma sœur – la plus intelligente, la plus aimée – qui finissait en taule. Ensuite, tout le monde l'a méprisée. Traînée dans la boue parce qu'elle avait tué Hunter. Quand nous étions jeunes, personne ne prêtait attention à moi. J'avais une mère qui vivait seule. Je n'ai jamais eu les diplômes de Casey, ni les mêmes activités à l'école. J'étais celle qui n'était pas allée à l'université, qui avait préféré être mannequin, la fille qu'on sortait. Personne ne pensait que je pourrais avoir une carrière, épouser quelqu'un comme Hunter Raleigh. Quant aux parents de Casey, ils se comportaient comme si tout lui était dû.

— Mais pourquoi tuer Hunter ? Pourquoi me tuer, moi ? »

La voix de Charlotte n'était plus qu'un murmure.

« Je ne veux pas que tu meures, comme je ne voulais pas la mort de Hunter. J'ai cru que l'émission de ton amie pourrait dévoiler ma culpabilité. C'était stupide. Maintenant, voilà ce que j'ai fait. »

Angela se mit à sangloter. « Tu vas dire à tout le monde ce qui est arrivé, ce que je t'ai dit.

— Mais pourquoi l'avoir tué ?

— C'était écrit, c'est la faute de Hunter. »

Charlotte ne parvenait pas à donner un sens aux propos incohérents d'Angela.

« Il sortait avec Casey, de même qu'il était sorti avec moi, et avec d'autres. Mais il l'a demandée en mariage, comme si elle était spéciale, comme s'ils vivaient une sorte de conte de fées. Casey m'a raconté qu'il s'était effondré en pleurant de chagrin après avoir vu sa mère mourir d'un cancer du sein. Elle a eu l'audace de dire qu'ils étaient *liés* par une perte commune. » Angela se mit à crier : « Mais cette perte n'était pas celle de Casey, c'était la *mienne*. Tu comprends, c'était la *mienne*. Elle avait peut-être perdu une tante, mais j'avais perdu ma mère, comme Hunter. Pourtant non, c'était avec Casey qu'il partageait sa douleur.

« Ils étaient en train d'organiser le mariage. C'était absurde. Casey jouait les Mademoiselle Parfaite, mais il fallait que Hunter connaisse sa vraie personnalité. Il lui avait pardonné quelques accès de colère, mais il devait se rendre compte qu'elle pourrait être une source d'ennuis pour lui. J'ai acheté du Rohypnol à des dealers et j'en ai versé dans son deuxième verre de vin. » Angela riait maintenant. « Ça n'a pas pris beaucoup de temps.

— Je ne comprends toujours pas », murmura Charlotte, espérant la faire parler davantage.

Au secours, pensait-elle. À l'aide. J'ai cru qu'il y avait quelqu'un. Je me suis trompée.

Maintenant, Angela semblait ne parler que pour elle-même. « J'ai quitté le gala très tôt, comme prévu, sous prétexte que j'avais une séance photo le lendemain. Mais je ne suis pas rentrée chez moi. Je suis allée en voiture chez Hunter. J'ai garé la voiture dans la rue. Quand ils sont arrivés, j'ai attendu quelques minutes avant de m'avancer jusqu'à la maison. La porte n'était pas complètement fermée et je n'ai eu qu'à la pousser pour entrer. Casey était allongée sur le divan du salon. Hunter était penché sur elle et disait :

"Casey, Casey, allons, réveille-toi." Quand il m'a vue, je lui ai expliqué que j'étais tellement inquiète pour Casey que je les avais suivis. Je l'ai désignée du doigt en disant : "Hunter, regarde-la. Tu veux vraiment épouser une alcoolique ?" Il m'a dit de la fermer et de partir. »

Par-dessus l'épaule d'Angela, Charlotte distingua une silhouette. *Laurie !* Elle se frayait un passage au milieu des décors à demi terminés. Combien de temps pourrait-elle continuer à faire parler Angela ? Quand elle se taira, se dit-elle, elle me poussera dans le vide.

« Hunter s'est précipité dans la chambre. J'ai couru derrière lui. J'ai essayé de lui dire que je voulais seulement l'aider, l'empêcher de faire une erreur. Mais il ne faisait même pas attention à moi. C'est alors que j'ai décidé que si je ne pouvais pas l'avoir, Casey ne l'aurait pas non plus. Je savais qu'il gardait un pistolet dans sa table de nuit. »

Laurie s'était immobilisée derrière le canapé du « salon », le dernier endroit où elle pouvait encore se dissimuler tout en s'approchant des deux femmes. Charlotte hocha imperceptiblement la tête dans sa direction pour lui signifier qu'elle l'avait vue. Laurie est ici, Laurie est ici, pensa-t-elle. Je dois continuer à gagner du temps.

« J'ai saisi le pistolet pendant qu'il était dans la salle de bains. Je savais comment m'en servir. Casey n'était pas la seule femme que Hunter avait emmenée au stand de tir. Il est sorti de la salle de bains avec une serviette mouillée à la main. Je pense qu'il avait l'intention de la poser sur le front de cette chère Casey. Mais il n'en a pas eu le temps. »

Angela ricana.

« Si tu avais vu son air ahuri quand j'ai pointé l'arme sur lui. L'instant d'après, il était étendu sur le lit, en sang, mourant. Je savais que je devais me sauver au plus vite. Mais d'abord réfléchir. Il fallait donner l'impression que c'était Casey qui l'avait tué.

« Hunter avait laissé tomber la serviette mouillée sur le sol. Je l'ai ramassée. Les empreintes digitales. Est-ce que j'en avais laissé ? J'ai essuyé les tiroirs de la table de nuit.

« J'ai tiré une balle dans le mur.

« Je suis retournée dans le salon. »

Charlotte se rendit compte qu'Angela revivait littéralement la nuit du meurtre. Elle avait l'air en transe.

« Il fallait que Casey ait été la dernière à avoir utilisé le pistolet. Je l'ai essuyé, l'ai mis dans sa main. J'ai placé son doigt sur la détente. Tiré un autre coup dans le mur. Sans oublier de tenir le pistolet avec la serviette. J'ai caché l'arme sous le canapé.

« La Belle au bois dormant n'avait pas bougé. J'ai pensé aux pilules. Si la police faisait une prise de sang à Casey, ils verraient qu'elle avait été droguée. Et si elle s'était droguée elle-même ? J'ai pris le tube de Rohypnol dans mon sac, je l'ai soigneusement essuyé. Puis j'ai pressé les doigts de Casey dessus avant de le fourrer dans son sac. Pas bête, hein ?

— Comment as-tu pu faire ça ? » demanda Charlotte en voyant Laurie se rapprocher d'elles.

La question ramena brusquement Angela à la réalité.

« Fini de parler. » Elle prit le pistolet dans sa main

gauche et sortit le cutter de sa poche. « Tourne-toi »,
dit-elle à Charlotte.

C'était sa dernière chance. Elle devait la saisir. Elle
se tourna légèrement pour qu'Angela puisse lui délier
les poignets. Puis elle s'accroupit avant de se relever
d'un bond, percutant avec sa tête le menton d'Angela.
Une douleur aiguë la traversa. Elle entendit le bruit du
métal sur le ciment au moment où le pistolet heurtait
le sol.

72

Laurie s'élança en voyant Angela basculer en arrière, s'écrouler et lâcher son pistolet. Elle plongea vers l'arme. Trop tard. Elle la vit glisser dans la cage de l'ascenseur et entendit un *clang !* quand le pistolet heurta la cabine métallique deux étages plus bas.

Charlotte était pliée en deux, les mains toujours attachées dans le dos. Angela avait repris son équilibre et s'avançait vers elle. Laurie vit l'éclat argenté d'une lame.

« Sauve-toi ! » cria-t-elle en se précipitant vers les deux femmes. « Elle a un couteau. »

Charlotte trébucha et tomba en avant. Elle se recroquevilla, visage contre le sol pour se protéger.

Rassemblant toutes ses forces, Laurie se rua vers Angela et lui sauta sur le dos. Elles tombèrent ensemble. À quatre pattes, Angela serrait encore la lame dans son poing droit. Une lame de cutter, pensa Laurie. Elle ne pouvait pas laisser Angela se relever, pas tant qu'elle aurait cette lame.

Elle agrippa son bras et le secoua, essayant de lui faire lâcher prise.

Charlotte, toujours à terre, se mit à bourrer Angela de coups tandis que Laurie parvenait à se redresser et écrasait de son pied le poignet d'Angela, prenant soin d'éviter la lame qui menaçait sa peau nue. Elle appuya plus fort, comprimant les os d'Angela jusqu'à ce qu'elle sente son étreinte se relâcher. « Prends le cutter, hurla-t-elle. Prends-le ! »

D'un coup de pied, Charlotte le fit sauter de la main d'Angela, et Laurie plongea sur le sol pour s'en emparer. « Je l'ai », cria-t-elle. Elle se précipita vers Charlotte et libéra ses poignets.

Angela s'était remise debout et se lançait sur elles. Elle s'arrêta quand elle vit Laurie brandir le cutter. « Ne me forcez pas à l'utiliser ! »

Les épaules d'Angela s'affaissèrent quand la réalité lui apparut. Elle n'avait plus aucune chance. Laurie entendit le hurlement des sirènes. Lorsqu'elle se tourna pour regarder par la fenêtre, Angela se mit à courir vers l'escalier. Elle était au milieu de la salle quand Leo, pistolet à la main, déboucha en trombe sur le plateau.

« Stop ! Couchez-vous sur le sol. Les mains derrière la tête », gronda-t-il en s'avançant vers Angela.

Quelques minutes plus tard, des pas ébranlèrent l'escalier et plusieurs policiers déboulèrent dans la salle. Leo montra son badge. « Commissaire Farley. » Il désigna Angela. « Menottez-la ! »

73

À son retour à l'hôtel, Paula avait appris à Casey que Laurie comptait aller de l'avant. Puis elle s'était écriée : « Je t'ai suppliée de ne pas t'infliger ça, nous infliger ça. Je t'ai mise en garde. Je t'ai dit...

— D'ACCORD ! Arrête. Je me suis trompée. Tu ne crois pas que je le sais ? Maintenant tout le monde va croire que même si j'ai passé quinze années en prison, je m'en suis tirée à bon compte. Que j'aurais dû être condamnée à vie. Et c'est probablement ce que tu penses. »

Elles regagnèrent le Connecticut dans un silence glacial. Les quelques tentatives de Paula pour relancer la conversation furent vaines. Il était dix-huit heures. Elle se rendit dans le salon et alluma la télé pour regarder les informations. Elle entendit le présentateur dire : « Nous l'apprenons à l'instant. Un rebondissement stupéfiant vient de se produire dans l'affaire du meurtre, vieux de quinze ans, du philanthrope Hunter Raleigh. Nous rejoignons Bram Kimball, notre reporter sur place »

Oh mon Dieu, pensa Paula. Quoi encore ?

« Casey, cria-t-elle. Viens vite. Viens vite. »

Casey arriva en courant. « Que se passe-t-il ? »

Quand elle entendit la voix d'Angela, ses yeux se rivèrent à l'écran.

Des journalistes tendaient leurs micros vers la jeune femme qu'on poussait vers une voiture de police. On entendait quelqu'un hurler : « Angela, pourquoi avez-vous tué Hunter Raleigh ? »

La fureur déformait son visage. « Parce qu'il le méritait », répondit-elle rageusement. « C'était moi qu'il aurait dû choisir, Casey me l'a volé. Je suis contente qu'il soit mort. Elle méritait d'aller en prison. » Un policier la poussa sur la banquette arrière et claqua la portière.

Plusieurs secondes passèrent avant qu'elles retrouvent la parole.

« Comment a-t-elle pu faire une chose pareille ? s'écria Paula. Oh, Casey, je ne t'ai pas crue. Je le regrette tellement. » En larmes, elle se tourna vers sa fille. « Pourras-tu un jour me pardonner ? »

Délivrée d'un poids immense, Casey prit sa mère dans ses bras. « Même si tu ne me croyais pas, tu m'as toujours soutenue. Oui, je te pardonne. C'est fini. Nous allons être tranquilles, toutes les deux. »

74

Le lendemain à quatorze heures, Laurie se tenait sur le perron de la maison du général et sonnait à la porte. Elle fut surprise de le voir en personne venir immédiatement lui ouvrir.

Il la conduisit dans la bibliothèque. Elle s'assit dans le même fauteuil que le jour où elle était venue interviewer Andrew.

« Madame Moran, comme vous pouvez l'imaginer, je suis stupéfait. La jeune femme que mon fils chérissait tendrement a passé quinze années en prison pour un meurtre qu'elle n'a pas commis. J'ai fait la sourde oreille à toutes ses protestations d'innocence. Après sa condamnation, j'ai présenté Jason Gardner à mon éditeur. Je voulais qu'il écrive un livre qui la briserait encore davantage.

« J'ai vous ai promis d'intervenir dans votre émission, et n'ai pas tenu cette promesse.

« Je me suis trompé dès les premiers jours. J'ai tenté de persuader mon fils de rompre ses fiançailles avec Casey Carter. Puis, après toutes ses années de prison, j'ai pris plaisir à voir que, même libérée, elle était toujours accablée de tourments.

« Maintenant, si vous le permettez, j'aimerais apparaître dans votre émission et lui présenter mes profondes excuses sur une chaîne nationale.

« Je veux répondre à toutes les interrogations que vous avez eues. Hunter soupçonnait mon assistante, Mary Jane, d'avoir été congédiée de son poste précédent. Voilà la vérité. Elle était l'assistante principale du mari de sa meilleure amie. Quand elle a découvert, par hasard, qu'il allait partir en voyage avec sa maîtresse, il l'a mise à la porte. Il l'a menacée de ruiner son existence et sa réputation si jamais elle en soufflait mot. Durant ces vingt années passées avec moi, elle a été d'une efficacité et d'une loyauté parfaites.

— Général, dit Laurie, tout ceci a été une terrible épreuve pour vous. Soyez sûr que je le comprends.

— J'ai téléphoné à Casey ce matin. » Il refoula un sanglot. « Je lui ai exprimé mes regrets de ne pas l'avoir accueillie à bras ouverts dans notre famille. Elle s'est montrée d'une exquise indulgence. Je comprends aujourd'hui ce que mon fils avait vu en elle. »

Quelques minutes plus tard, le général Raleigh reconduisit Laurie à la porte d'entrée. « Je souhaite vous remercier encore pour tout ce que votre émission a accompli. Rien ne peut nous rendre Hunter. Mais cela m'a fait réfléchir, pendant les années qui me restent à vivre, je vais essayer d'être un meilleur père pour Andrew. »

Laurie l'embrassa sur la joue et, sans dire un mot, descendit les marches du perron. Elle monta dans la voiture qui l'attendait et donna l'adresse d'Alex.

Alex vint lui ouvrir la porte. Aucune trace de Ramon. Il la serra rapidement dans ses bras, sans chaleur lui sembla-t-il.

« Merci de me recevoir, dit-elle.

— C'est normal », répondit-il brièvement en la conduisant dans le salon. « Je peux t'offrir quelque chose ? »

Elle secoua la tête et s'assit sur le canapé, laissant une place à côté d'elle. Il préféra s'asseoir sur une chaise face à elle.

« Alex, tu as dit avoir besoin de temps pour réfléchir, mais ton silence me rend folle. Il paraît qu'il ne faut jamais se coucher fâché. Nous ne nous sommes pas parlé depuis deux jours.

— On dit ça des couples mariés, Laurie. Nous en sommes loin, il me semble. »

La gorge de Laurie se serra. Les choses allaient être plus difficiles qu'elle ne s'y attendait. « Bien sûr, mais je pensais...

— Tu pensais que je t'attendrais aussi longtemps qu'il le faudrait. C'était ce que je pensais, moi aussi. Mais quand j'ai eu besoin d'un peu de temps – juste quelques jours pour réfléchir à la façon dont notre travail, nos vies pouvaient s'accommoder – tu m'en as empêché. Et maintenant, tu me demandes une chose dont je ne suis même pas sûr que tu la désires.

— Je ne demande rien, Alex. Je regrette de m'être obstinée à propos de Mark Templeton. Tu avais raison, j'aurais dû te faire confiance quand tu m'as dit de le laisser à l'écart de cette histoire. Je voudrais seulement que tout redevienne comme avant.

— Comme avant ? Et comment c'était, exactement ? Que sommes-nous, maintenant que je ne suis plus le présentateur de ton émission ? Je suis celui qui regarde les matchs avec ton père, le copain de ton fils. Mais pour *toi*, qui suis-je ?

— Tu es… tu es Alex. Le seul homme depuis Greg avec qui je pourrais imaginer sauter le pas.

— Je sais que j'ai l'air distant, Laurie, mais ça fait six ans.

— Comprends-moi. Pendant cinq ans, je me suis réveillée tous les matins dans une sorte de brouillard. Le seul fait de dîner avec un homme sans savoir qui avait tué Greg me faisait l'effet d'une trahison. C'est dans cette confusion que je vivais quand tu m'as rencontrée la première fois. Et je n'en suis pas encore complètement sortie. Mais j'y arriverai, je sais que j'y arriverai. Je finirai par me réveiller. Et tu es le seul – le seul entre tous – pour lequel je veux y arriver. »

Le temps sembla s'arrêter tandis qu'il la regardait en silence. Son expression était indéchiffrable. Elle se força à respirer.

« Je pensais que c'était juste une question de temps, Laurie. Vraiment. »

396

Il parlait au passé. Non, se dit-elle, faites que cela n'arrive pas.

« J'étais prêt à attendre aussi longtemps qu'il le faudrait. Mais je suis troublé par ce qui est arrivé lors de cette émission. Je ne peux pas feindre de l'ignorer. Nous avons cru tous les deux que les choses s'arrangeraient avec le temps, mais le problème est peut-être tout simplement que tu ne me fais pas confiance.

— J'ai dit que je regrettais. Cela ne se reproduira plus.

— Mais tu ne peux pas contrôler ton cœur, Laurie. Greg était un héros. Il sauvait des vies dans les salles d'urgence. Tu étais son seul véritable amour. Puis vous avez eu Timmy et créé une famille. Et j'ai vu aussi combien tu adorais ton père, qui est lui aussi un homme exceptionnel. Il lutte contre le crime et apporte son aide aux victimes. Et c'est ce que tu fais maintenant avec cette émission. Alors, qui suis-je ? Juste un célibataire esseulé qui gagne sa vie comme un mercenaire, en défendant des coupables.

— Ce n'est pas vrai... »

Alex secoua la tête. « Je ne le pense pas vraiment, mais toi si. Admets-le, Laurie : tu ne m'admireras jamais comme tu admirais Greg. Aussi tu peux continuer à essayer de sauter le pas. Tu ne le feras pas. Pas jusqu'à ce que tu aies trouvé l'homme idéal, ce qui arrivera naturellement. Sans effort. Mais nous deux ? Nous n'avons fait qu'essayer.

— Qu'est-ce que tu cherches à me dire ?

— Je te suis terriblement attaché. Je t'ai aimée profondément, et je t'aime sans doute encore. Mais je ne peux rester au bord de la route indéfiniment.

Aujourd'hui le moment est venu de cesser d'essayer. Je te rends ta liberté.

— Mais je n'en veux pas ! »

Alex eut un rire triste. « Ce n'est pas ainsi que fonctionne la formule : "Si vous aimez quelqu'un, rendez-lui sa liberté." Tu n'as pas ton mot à dire. Si jamais tu te sens vraiment prête, fais-le-moi savoir et peut-être partirons-nous de là. Je suis las de tes aujourd'hui, demain, ou peut-être la semaine prochaine. »

En d'autres termes, il avait fini d'attendre.

Quand il la prit dans ses bras à la porte, son baiser ressemblait à un adieu.

Non, pensa Laurie en pénétrant dans l'ascenseur. Ce n'est pas la fin de l'histoire. Je suis prête à vivre une nouvelle fois – pas dans la confusion, mais librement et heureusement, comme l'aurait voulu Greg. C'est avec Alex que je veux partager ma vie et je trouverai un moyen de le lui prouver.

Alex était sur le point de verser du gin dans le shaker quand Ramon apparut. Il ne lui laissa pas le temps de se servir, il s'avança et prit les choses en main.

Alex le remercia :

« Vos martinis sont toujours meilleurs que les miens.

— Je vois que vous souriez, constata Ramon. Tout s'est bien passé ? »

Alex savait que faire souffrir Laurie maintenant était le prix à payer pour l'avenir.

« Ça n'a pas été facile », dit-il en prenant le verre

que Ramon avait posé devant lui. « Mais j'ai bien plaidé ma cause et je pense que le jury va pencher en notre faveur. »

Il s'inclina en arrière et savoura son martini.

REMERCIEMENTS

Une fois encore j'ai eu le plaisir d'écrire ce roman avec mon acolyte Alafair Burke. Un seul crime, mais deux esprits pour le résoudre !

Je remercie notre mentor Marysue Rucci, éditrice en chef chez Simon and Schuster, pour ses encouragements et ses conseils avisés.

Sur le front personnel, mon équipe est toujours aussi solide : mon extraordinaire époux, John Conheeny, mes enfants et mon bras droit Nadine Petry. Grâce à eux écrire est toujours une fête.

Et vous mes lecteurs, vous êtes toujours dans mes pensées. Quand vous choisirez ce livre, j'espère qu'il vous fera passer un bon moment.

Amicalement, Mary

UNE SI LONGUE NUIT
ET NOUS NOUS REVERRONS
AVANT DE TE DIRE ADIEU
DANS LA RUE OÙ VIT CELLE QUE J'AIME
TOI QUE J'AIMAIS TANT
LE BILLET GAGNANT
UNE SECONDE CHANCE
ENTRE HIER ET DEMAIN
LA NUIT EST MON ROYAUME
RIEN NE VAUT LA DOUCEUR DU FOYER
DEUX PETITES FILLES EN BLEU
CETTE CHANSON QUE JE N'OUBLIERAI JAMAIS
LE ROMAN DE GEORGE ET MARTHA
OÙ ES-TU MAINTENANT ?
JE T'AI DONNÉ MON CŒUR
L'OMBRE DE TON SOURIRE
QUAND REVIENDRAS-TU ?
LES ANNÉES PERDUES
UNE CHANSON DOUCE
LE BLEU DE TES YEUX
LA BOÎTE À MUSIQUE
LE TEMPS DES REGRETS
NOIR COMME LA MER
DERNIÈRE DANSE

En collaboration avec Carol Higgins Clark

TROIS JOURS AVANT NOËL
CE SOIR JE VEILLERAI SUR TOI
LE VOLEUR DE NOËL
LA CROISIÈRE DE NOËL
LE MYSTÈRE DE NOËL

Le Livre de Poche s'engage pour
l'environnement en réduisant
l'empreinte carbone de ses livres.
Celle de cet exemplaire est de :

350 g éq. CO$_2$
Rendez-vous sur
www.livredepoche-durable.fr

PAPIER À BASE DE
FIBRES CERTIFIÉES

Composition réalisée par NORD COMPO

Imprimé en France par CPI
en septembre 2018
N° d'impression : 3030689
Dépôt légal 1re publication : septembre 2018
Édition 02 - septembre 2018
LIBRAIRIE GÉNÉRALE FRANÇAISE
21, rue du Montparnasse - 75298 Paris Cedex 06